중학 123 학년 핵심 개념 정리

❶❷❸ : 해당 학년

01 수의 체계와 이해

• **실수의 체계** ❸

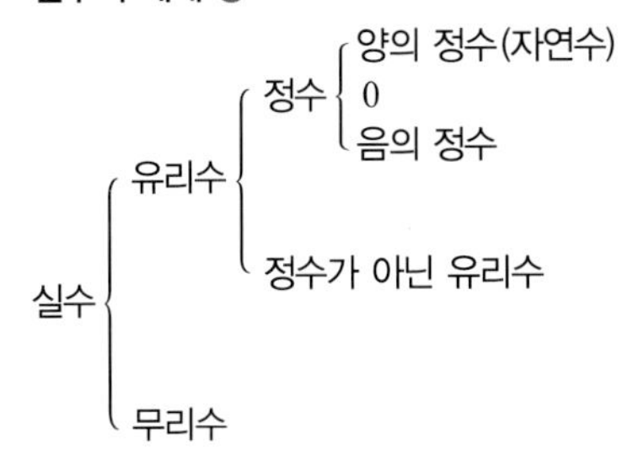

• **유한소수로 나타낼 수 있는 분수** ❷

분수를 기약분수로 고쳤을 때

① 분모의 소인수가 2나 5뿐이면 ➡ 유한소수

② 분모의 소인수에 2나 5 이외의 수가 있으면 ➡ 무한소수

02 수의 성질

• **최대공약수와 최소공배수** ❶

$A=aG$, $B=bG$(a, b는 서로소)일 때

최대공약수 G $G\,)\,\underline{A \quad B}$
$\quad a \quad b$ → 최소공배수 Gab

• **순환소수의 분수 표현** ❷

$0.\dot{a}\dot{b}=\frac{ab}{99}$, $0.\dot{a}b\dot{c}=\frac{abc}{999}$, $0.a\dot{b}\dot{c}=\frac{abc-a}{990}$

• **제곱근의 성질** ❸

① $a>0$일 때

$(\sqrt{a})^2=(-\sqrt{a})^2=a$, $\sqrt{a^2}=\sqrt{(-a)^2}=a$

② $\sqrt{a^2}=|a|=\begin{cases} a & (a\geq 0\text{일 때}) \\ -a & (a<0\text{일 때}) \end{cases}$

03 지수법칙 ❷

$a\neq 0$이고, m, n이 자연수일 때

① $a^m\times a^n=a^{m+n}$, $(a^m)^n=a^{mn}$

② $(ab)^n=a^nb^n$, $\left(\frac{a}{b}\right)^n=\frac{a^n}{b^n}$ (단, $b\neq 0$)

③ $a^m\div a^n=\begin{cases} a^{m-n} & (m>n) \\ 1 & (m=n) \\ \frac{1}{a^{n-m}} & (m<n) \end{cases}$

04 다항식의 곱셈과 인수분해 ❸

• $(a+b)^2 \Longleftrightarrow a^2+2ab+b^2$

• $(a-b)^2 \Longleftrightarrow a^2-2ab+b^2$

• $(a+b)(a-b) \Longleftrightarrow a^2-b^2$

• $(x+a)(x+b) \Longleftrightarrow x^2+(a+b)x+ab$

• $(ax+b)(cx+d) \Longleftrightarrow acx^2+(ad+bc)x+bd$

$(a+b)(c+d)$ ⇄ (전개 / 인수분해) $\underset{㉠}{ac}+\underset{㉡}{ad}+\underset{㉢}{bc}+\underset{㉣}{bd}$

05 일차방정식 ❶ ➡ 연립방정식 ❷ ➡ 이차방정식 ❸

• **일차방정식의 풀이**

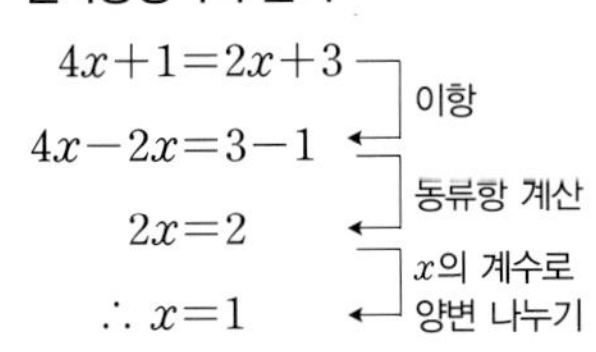

• **연립방정식의 풀이**

(1) 가감법 또는 대입법을 이용한다.

$\begin{cases} x+y=5 \\ x-y=1 \end{cases}$ (가감법 이용) $\quad \begin{cases} x+y=2 \\ y=2x-1 \end{cases}$ (대입법 이용)

(2) 계수가 분수나 소수일 때 양변에 적당한 수를 곱하여 정수로 고쳐 푼다.

(3) $A=B=C$ 꼴은 $A=B$, $B=C$, $A=C$ 중 2개를 선택하여 연립한다.

• **이차방정식의 풀이**

(1) 인수분해를 이용한 이차방정식의 풀이

두 수 또는 두 식 A, B에 대하여 $AB=0$이면 $A=0$ 또는 $B=0$을 이용한다.

(2) 근의 공식을 이용한 이차방정식

$ax^2+bx+c=0\ (a\neq 0)$의 근은

$$x=\frac{-b\pm\sqrt{b^2-4ac}}{2a} \quad (\text{단, } b^2-4ac\geq 0)$$

06 일차부등식 ❷

• 부등식의 성질

① 부등식의 양변에 같은 수를 더하거나 빼어도 부등호의 방향은 바뀌지 않는다.

② 부등식의 양변에 같은 양수를 곱하거나 나누어도 부등호의 방향은 바뀌지 않는다.

③ 부등식의 양변에 같은 음수를 곱하거나 나누면 부등호의 방향이 바뀐다.

• 일차부등식의 풀이

$3x+4>x+10$
↓ 이항
$3x-x>10-4$
↓ 동류항 계산
$2x>6$
↓ x의 계수로 양변 나누기
$\therefore x>3$

* x의 계수가 음수일 때는 나누면서 부등호의 방향을 바꾼다.

07 일차함수 ❶❷ → 이차함수 ❸

• 정비례 관계 $y=ax$, 반비례 관계 $y=\frac{a}{x}$의 그래프

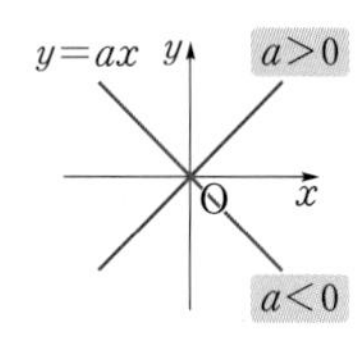

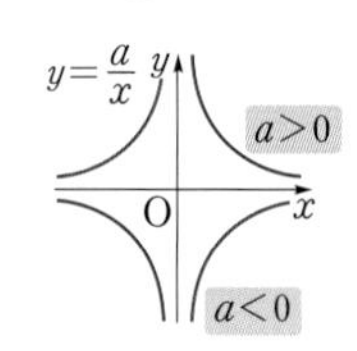

• 기울기와 절편

일차함수 $y=ax+b$의 그래프에서

① (기울기)$=\frac{(y\text{의 값의 증가량})}{(x\text{의 값의 증가량})}=a$

② x절편 : $y=0$일 때의 x의 값 ➡ $x=-\frac{b}{a}$

③ y절편 : $x=0$일 때의 y의 값 ➡ $y=b$

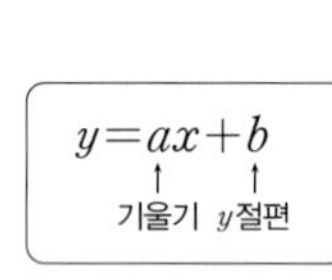

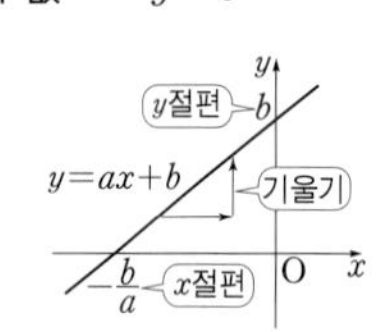

• 이차함수 $y=a(x-p)^2+q$의 그래프

$y=ax^2$ —(x축의 방향으로 p만큼, y축의 방향으로 q만큼)→ $y=a(x-p)^2+q$

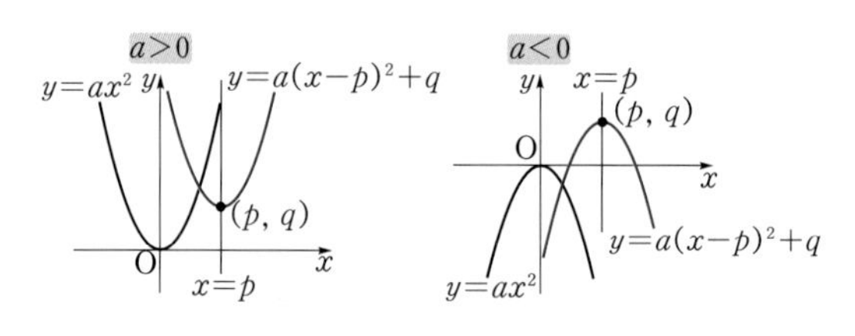

• 이차함수 $y=ax^2+bx+c$의 그래프

$y=ax^2+bx+c$ ➡ $y=a\left(x+\frac{b}{2a}\right)^2-\frac{b^2-4ac}{4a}$ 이므로

① 꼭짓점의 좌표 : $\left(-\frac{b}{2a},\ -\frac{b^2-4ac}{4a}\right)$

② 축의 방정식 : $x=-\frac{b}{2a}$

③ y축과의 교점의 좌표 : $(0,\ c)$

08 통계

• 상대도수 ❶

(어떤 계급의 상대도수)$=\frac{(\text{그 계급값의 도수})}{(\text{전체 도수})}$

• 대푯값과 산포도 ❸

① 대푯값 : 평균, 중앙값, 최빈값

② (편차)=(변량)−(평균)

(분산)$=\frac{\{(\text{편차})^2\text{의 총합}\}}{(\text{변량의 개수})}$ (표준편차)$=\sqrt{\text{분산}}$

09 확률 ❷

사건 A, B가 일어날 확률을 각각 p, q라 하면

① $p=\frac{(\text{사건 }A\text{가 일어나는 경우의 수})}{(\text{모든 경우의 수})}$

② $0\le p\le 1$

③ (사건 A가 일어나지 않을 확률)$=1-p$

④ (사건 A 또는 사건 B가 일어날 확률)$=p+q$

⑤ (사건 A, B가 동시에 일어날 확률)$=p\times q$

10 평행선의 성질 ❶

• 평행선의 성질

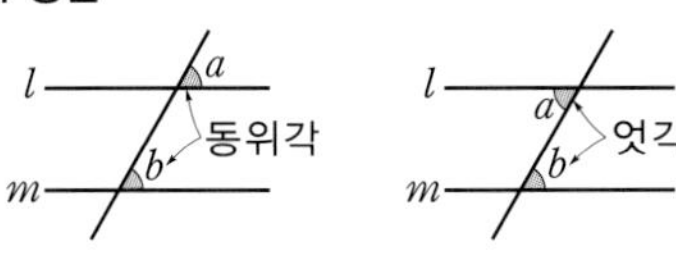

① $l /\!/ m$이면 $\angle a = \angle b$

② $\angle a = \angle b$이면 $l /\!/ m$

11 다각형의 성질 ❶

• 다각형의 성질

① 정n각형의 한 내각의 크기 : $\dfrac{180^\circ \times (n-2)}{n}$

② 정n각형의 한 외각의 크기 : $\dfrac{360^\circ}{n}$

③ n각형의 대각선의 총수 : $\dfrac{n(n-3)}{2}$

12 삼각형의 합동 조건 ❶ → 삼각형의 닮음 조건 ❷

• 삼각형의 합동 조건

SSS 합동	SAS 합동	ASA 합동
대응하는 세 변의 길이가 각각 같을 때	대응하는 두 변의 길이가 각각 같고 그 끼인각의 크기가 같을 때	대응하는 한 변의 길이가 같고, 그 양 끝 각의 크기가 각각 같을 때

• 삼각형의 닮음 조건

SSS 닮음	SAS 닮음	AA 닮음
세 쌍의 대응하는 변의 길이의 비가 같을 때	두 쌍의 대응하는 변의 길이의 비가 같고, 그 끼인각의 크기가 같을 때	두 쌍의 대응하는 각의 크기가 각각 같을 때

13 삼각형의 성질

• 삼각형의 내각과 외각 ❶

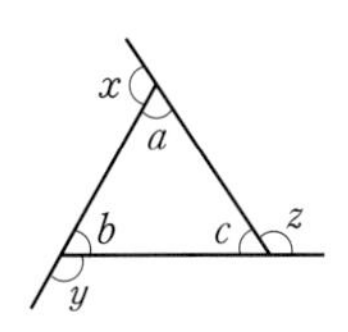

• $\angle a + \angle b + \angle c = 180^\circ$
• $\angle x = \angle b + \angle c$
• $\angle x + \angle y + \angle z = 360^\circ$

• 삼각형의 외심 ❷

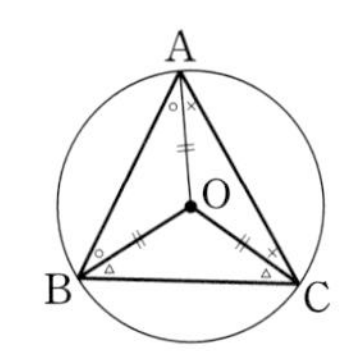

• $\overline{OA} = \overline{OB} = \overline{OC}$
• $\angle BOC = 2\angle BAC$

* 외심의 위치
① 예각삼각형 : 삼각형의 내부
② 직각삼각형 : 빗변의 중점
③ 둔각삼각형 : 삼각형의 외부

• 삼각형의 내심 ❷

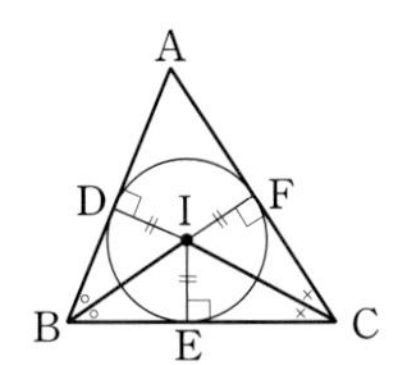

• $\overline{ID} = \overline{IE} = \overline{IF}$
• $\angle BIC = 90^\circ + \dfrac{1}{2}\angle A$

• 삼각형의 중점연결정리 ❷

$\overline{AB}$, $\overline{AC}$의 중점이 각각 M, N일 때

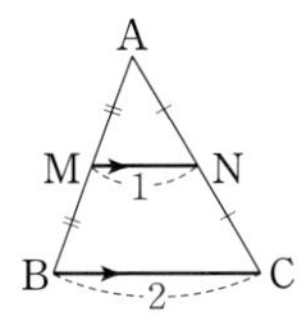

• $\overline{MN} /\!/ \overline{BC}$
• $\overline{MN} = \dfrac{1}{2}\overline{BC}$

• 무게중심 : 삼각형의 세 중선이 만나는 점

점 G가 $\triangle ABC$의 무게중심이면

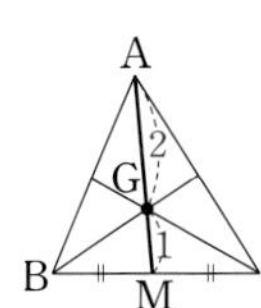

• $\overline{AG} : \overline{GM} = 2 : 1$
• $\triangle GAB = \triangle GBC = \triangle GCA$

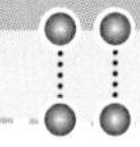

• 삼각형에서 평행선과 선분의 길이의 비 ❷

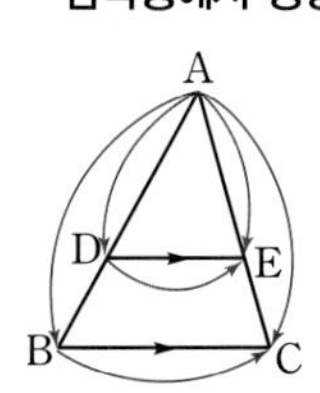

$\overline{BC} /\!/ \overline{DE}$이면

• $\overline{AB} : \overline{AD} = \overline{AC} : \overline{AE} = \overline{BC} : \overline{DE}$
• $\overline{AD} : \overline{DB} = \overline{AE} : \overline{EC}$

14 도형의 넓이와 부피 ①

• 부채꼴의 호의 길이 l과 넓이 S

$$l=2\pi r\times\frac{x}{360},\ S=\pi r^2\times\frac{x}{360}=\frac{1}{2}rl$$

(단, r : 반지름의 길이, x° : 중심각의 크기)

• 기둥의 겉넓이 S와 부피 V

$S=$(밑넓이)$\times 2+$(옆넓이), $V=$(밑넓이)$\times$(높이)

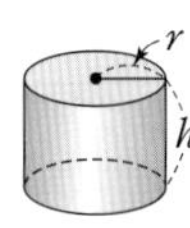

➡ $S=2\pi r^2+2\pi rh,\ V=\pi r^2 h$

• 뿔의 겉넓이 S와 부피 V

$S=$(밑넓이)$+$(옆넓이), $V=\frac{1}{3}\times$(밑넓이)$\times$(높이)

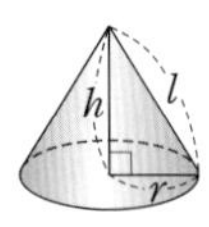

➡ $S=\pi r^2+\pi rl,\ V=\frac{1}{3}\pi r^2 h$

• 구의 겉넓이 S와 부피 V

$S=4\pi r^2,\ V=\frac{4}{3}\pi r^3$

15 피타고라스 정리 ②

• 피타고라스 정리

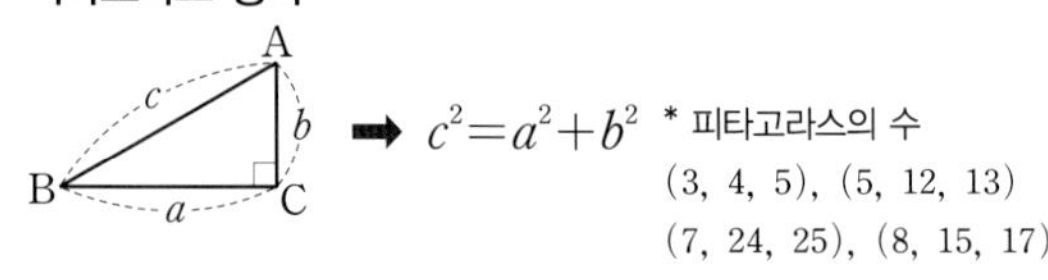

➡ $c^2=a^2+b^2$

* 피타고라스의 수

(3, 4, 5), (5, 12, 13)
(7, 24, 25), (8, 15, 17)

• 삼각형의 변의 길이에 대한 각의 크기

삼각형 ABC에서 $\overline{AB}=c,\ \overline{BC}=a,\ \overline{CA}=b$이고 c가 가장 긴 변의 길이일 때,

① $c^2<a^2+b^2$ ➡ $\angle C<90^\circ$
② $c^2=a^2+b^2$ ➡ $\angle C=90^\circ$
③ $c^2>a^2+b^2$ ➡ $\angle C>90^\circ$

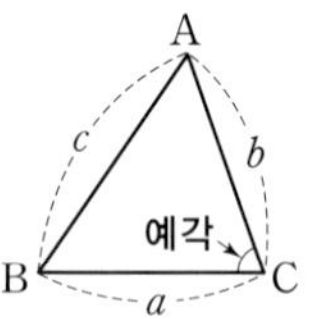

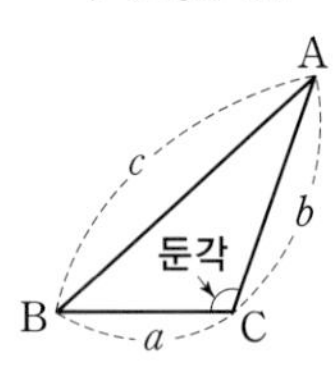

➡ 예각삼각형 ➡ 직각삼각형 ➡ 둔각삼각형

16 삼각비 ③

• 삼각비의 정의

$$\sin A=\frac{a}{c},\ \cos A=\frac{b}{c},\ \tan A=\frac{a}{b}$$

• 특수각의 삼각비

삼각비 \ A	30°	45°	60°
$\sin A$	$\frac{1}{2}$	$\frac{\sqrt{2}}{2}$	$\frac{\sqrt{3}}{2}$
$\cos A$	$\frac{\sqrt{3}}{2}$	$\frac{\sqrt{2}}{2}$	$\frac{1}{2}$
$\tan A$	$\frac{\sqrt{3}}{3}$	1	$\sqrt{3}$

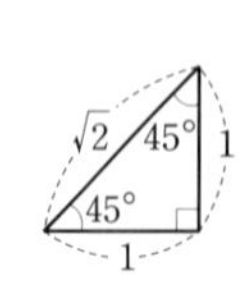

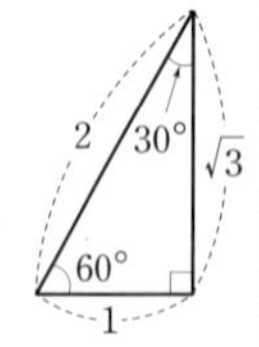

• 삼각형의 넓이

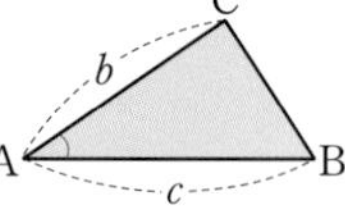

$\triangle ABC=\frac{1}{2}bc\sin A$

• 사각형의 넓이

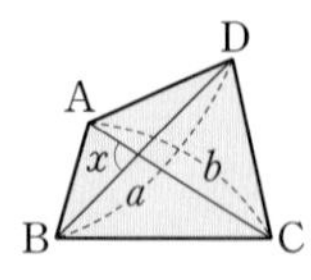

$\square ABCD=\frac{1}{2}ab\sin x$

17 원에서의 성질 ③

• 원주각

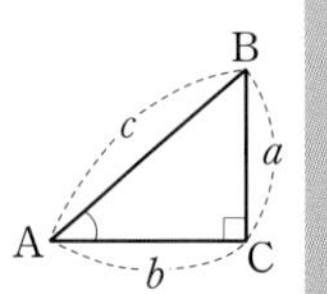

$\angle AOB=2\angle P$

$\overset{\frown}{AB}=\overset{\frown}{CD}$
$\Longleftrightarrow \angle P=\angle Q$

$\angle A=\angle DCE$

• 접선과 현

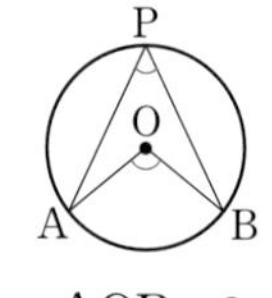

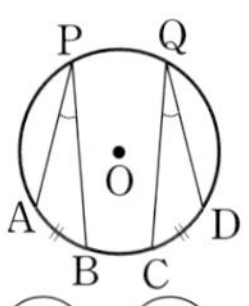

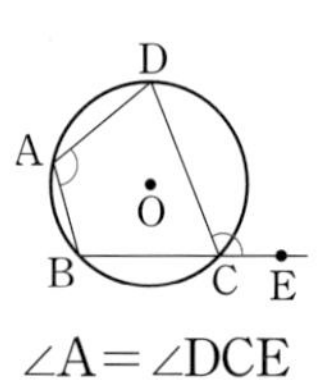

$\overline{PT}=\overline{PT'}$

$\overline{AB}\perp\overline{OM}$
$\Rightarrow\ \overline{AM}=\overline{BM}$

$\angle C=\angle BAT$

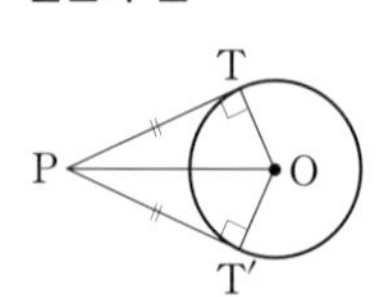

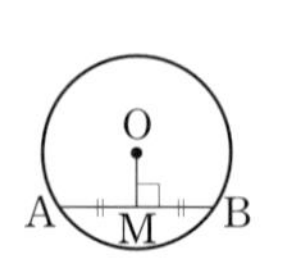

기출문제로 개념 잡고 **내신만점** 맞자!

숨마쿰라우데 중학수학

실전문제집

3-하

이 책의 구성과 특징

10~55쪽

핵심개념 특강편

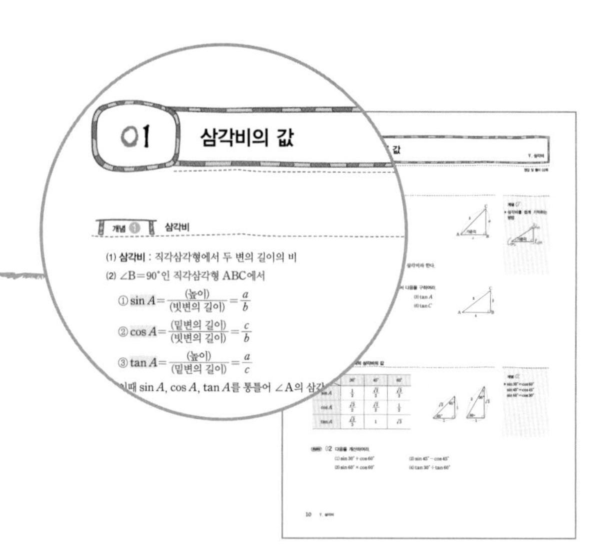

핵심 개념 정리

교과서 핵심 내용을 이해하는 것이 수학 공부의 첫걸음이지요. 공부할 내용 중 핵심적인 개념을 모아 정리해 두었습니다. 개념을 공부한 다음 문제로 개념을 확인해 보세요~

핵심유형으로 개념 정복하기

학교 시험 문제를 철저히 분석하여 자주 출제되는 핵심유형들을 모아 놓았습니다.
관련 개념을 링크해 두었으니 유형에 대한 이해가 필요할 시에는 링크된 개념으로 GoGo하세요~~

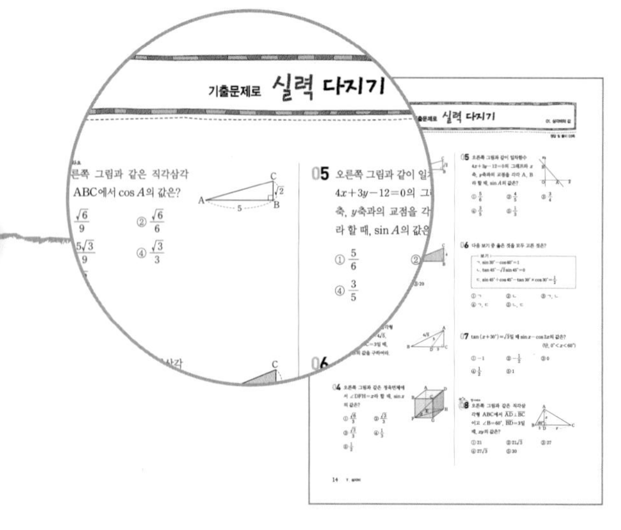

기출문제로 실력 다지기

학교 시험에 출제된 문제들로 구성해 놓았습니다. 앞서 배운 개념 및 핵심유형과 연계하여 문제를 스스로 분석하는 시간을 가져봅시다. 문제의 이해만이 실력을 완성할 수 있는 길이지요^^

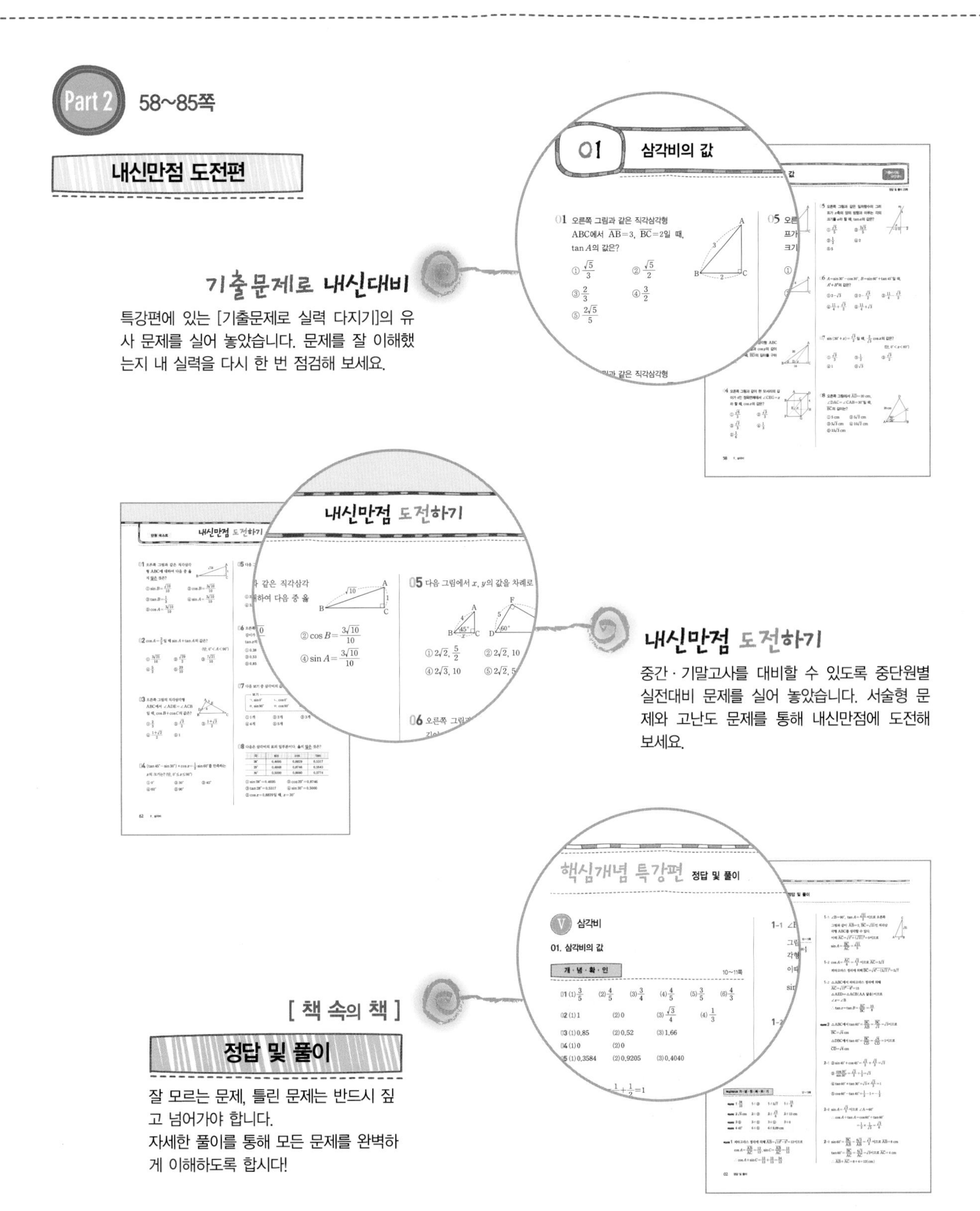
Part 2
58~85쪽
내신만점 도전편
기출문제로 내신대비
특강편에 있는 [기출문제로 실력 다지기]의 유사 문제를 실어 놓았습니다. 문제를 잘 이해했는지 내 실력을 다시 한 번 점검해 보세요.
01 삼각비의 값
내신만점 도전하기
내신만점 도전하기
중간 · 기말고사를 대비할 수 있도록 중단원별 실전대비 문제를 실어 놓았습니다. 서술형 문제와 고난도 문제를 통해 내신만점에 도전해 보세요.
핵심개념 특강편 정답 및 풀이
V 삼각비
01. 삼각비의 값
[책 속의 책]
정답 및 풀이
잘 모르는 문제, 틀린 문제는 반드시 짚고 넘어가야 합니다.
자세한 풀이를 통해 모든 문제를 완벽하게 이해하도록 합시다!

이 책의 차례 & 학습 플래너

Part 1 핵심개념 특강편

Part 2 내신만점 도전편

숨마쿰라우데® 중학수학 실전문제집

3-하

01 삼각비의 값

정답 및 풀이 02쪽

개념 1 삼각비

(1) **삼각비** : 직각삼각형에서 두 변의 길이의 비

(2) $\angle B=90°$인 직각삼각형 ABC에서

① $\sin A=\dfrac{(\text{높이})}{(\text{빗변의 길이})}=\dfrac{a}{b}$

② $\cos A=\dfrac{(\text{밑변의 길이})}{(\text{빗변의 길이})}=\dfrac{c}{b}$

③ $\tan A=\dfrac{(\text{높이})}{(\text{밑변의 길이})}=\dfrac{a}{c}$

이때 $\sin A$, $\cos A$, $\tan A$를 통틀어 $\angle A$의 삼각비라 한다.

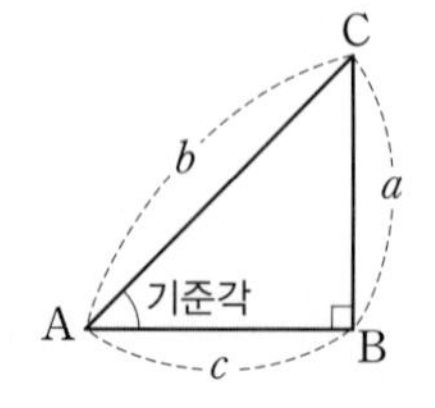

개념 α

▶ 삼각비를 쉽게 기억하는 방법

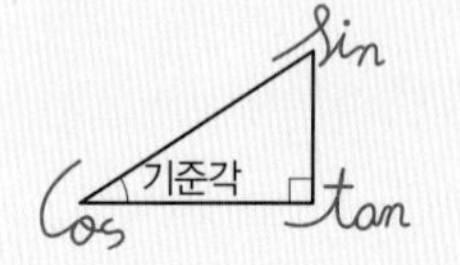

개념확인 **01** 오른쪽 그림의 직각삼각형 ABC에서 다음을 구하여라.

(1) $\sin A$　　(2) $\cos A$　　(3) $\tan A$

(4) $\sin C$　　(5) $\cos C$　　(6) $\tan C$

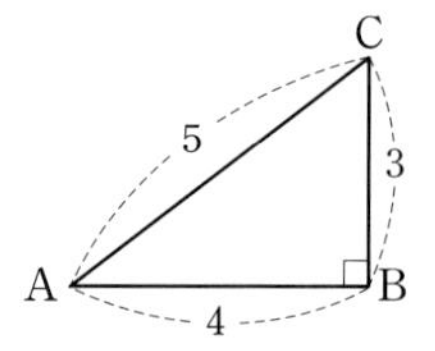

개념 2 특수한 각의 삼각비의 값

삼각비 \ A	$30°$	$45°$	$60°$
$\sin A$	$\frac{1}{2}$	$\frac{\sqrt{2}}{2}$	$\frac{\sqrt{3}}{2}$
$\cos A$	$\frac{\sqrt{3}}{2}$	$\frac{\sqrt{2}}{2}$	$\frac{1}{2}$
$\tan A$	$\frac{\sqrt{3}}{3}$	1	$\sqrt{3}$

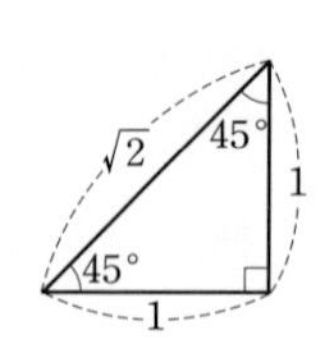

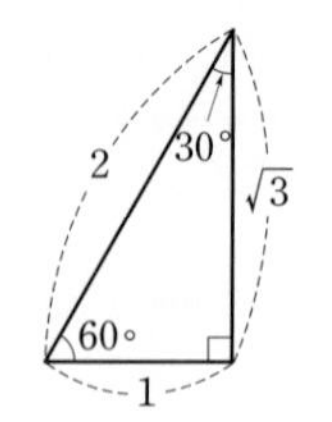

개념 α

▶ $\sin 30°=\cos 60°$
$\sin 45°=\cos 45°$
$\sin 60°=\cos 30°$

개념확인 **02** 다음을 계산하여라.

(1) $\sin 30°+\cos 60°$　　(2) $\sin 45°-\cos 45°$

(3) $\sin 60°\times\cos 60°$　　(4) $\tan 30°\div\tan 60°$

개념 ③ 예각의 삼각비의 값

(1) 예각의 삼각비의 값

반지름의 길이가 1인 사분원에서 예각 x에 대하여

① $\sin x=\dfrac{\overline{AB}}{\overline{OA}}=\dfrac{\overline{AB}}{1}=\overline{AB}$

② $\cos x=\dfrac{\overline{OB}}{\overline{OA}}=\dfrac{\overline{OB}}{1}=\overline{OB}$

③ $\tan x=\dfrac{\overline{CD}}{\overline{OD}}=\dfrac{\overline{CD}}{1}=\overline{CD}$

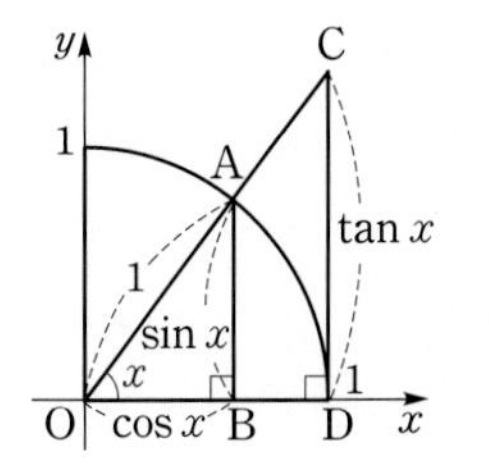

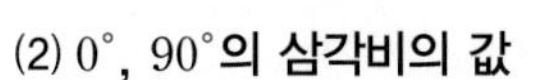

(2) $0°$, $90°$의 삼각비의 값

① $\sin 0°=0$, $\cos 0°=1$, $\tan 0°=0$

② $\sin 90°=1$, $\cos 90°=0$, $\tan 90°$의 값은 정할 수 없다.

> **개념 α**
> ▸ $0°\leq x\leq 90°$일 때, 삼각비의 값
> ① $0\leq\sin x\leq 1$
> ② $0\leq\cos x\leq 1$
> ③ $\tan x\geq 0$

개념확인 **03** 오른쪽 그림과 같이 반지름의 길이가 1인 사분원에서 다음을 구하여라.

(1) $\sin 59°$　　(2) $\cos 59°$　　(3) $\tan 59°$

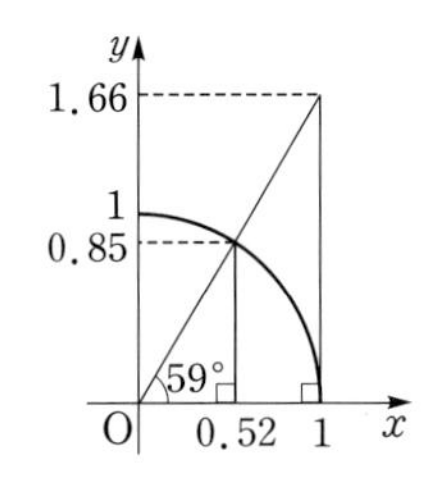

개념확인 **04** 다음을 계산하여라.

(1) $\sin 0°+\cos 90°$　　(2) $\sin 90°\times\tan 0°$

개념 ④ 삼각비의 표

(1) 삼각비의 표 : $0°$에서 $90°$까지의 각을 $1°$ 간격으로 나누어서 이들의 삼각비의 값을 표로 나타낸 것

(2) 삼각비의 표를 보는 법 : 삼각비의 표에서 각도의 가로줄과 sin, cos, tan의 세로줄이 만나는 곳의 수가 삼각비의 값이다.

참고 삼각비의 표에 있는 값은 대부분 반올림하여 얻은 값이지만 등호 =를 사용하여 나타낸다.

> **개념 α**
> ▸ 삼각비의 표

각	sin	cos	tan
65°	0.9063	0.4226	2.1445
66°	0.9135	0.4067	2.2460
67°	0.9205	0.3907	2.3559

$\sin 65°=0.9063$
$\cos 67°=0.3907$
$\tan 66°=2.2460$

개념확인 **05** 오른쪽 삼각비의 표를 보고, 다음을 구하여라.

(1) $\sin 21°$

(2) $\cos 23°$

(3) $\tan 22°$

각	sin	cos	tan
21°	0.3584	0.9336	0.3839
22°	0.3746	0.9272	0.4040
23°	0.3907	0.9205	0.4245

핵심유형으로 개념 정복하기

01. 삼각비의 값

정답 및 풀이 02쪽

핵심유형 1 삼각비 개념❶

오른쪽 그림과 같이 $\angle B=90^\circ$인 직각삼각형 ABC에서 $\overline{AC}=13$, $\overline{BC}=5$일 때, $\cos A+\sin C$의 값을 구하여라.

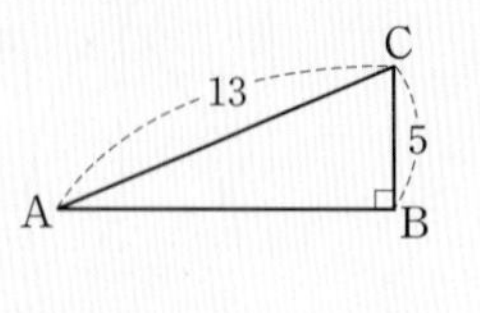

GUIDE
$\angle B=90^\circ$인 직각삼각형 ABC에서 $\cos A=\sin C=\dfrac{\overline{AB}}{\overline{AC}}$이다.

1-1 $\angle B=90^\circ$인 직각삼각형 ABC에서 $\tan A=\dfrac{\sqrt{21}}{2}$일 때, $\sin A$의 값은?

① $\dfrac{2\sqrt{21}}{21}$ ② $\dfrac{4\sqrt{21}}{21}$ ③ $\dfrac{\sqrt{21}}{5}$
④ $\dfrac{2}{5}$ ⑤ $\dfrac{4}{5}$

1-2 오른쪽 그림과 같은 직각삼각형 ABC에서 $\overline{AB}=6$, $\cos A=\dfrac{\sqrt{2}}{3}$일 때, $\overline{BC}$의 길이를 구하여라.

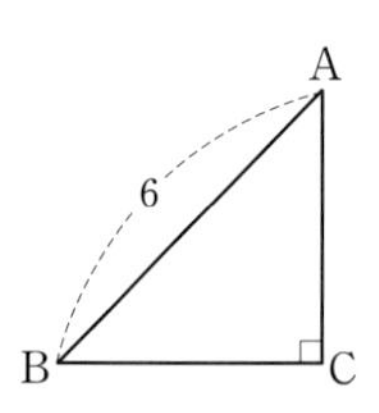

1-3 오른쪽 그림의 직각삼각형 ABC에서 $\overline{DE}\perp\overline{AB}$, $\overline{AB}=17$, $\overline{BC}=8$일 때, $\tan x$의 값을 구하여라.

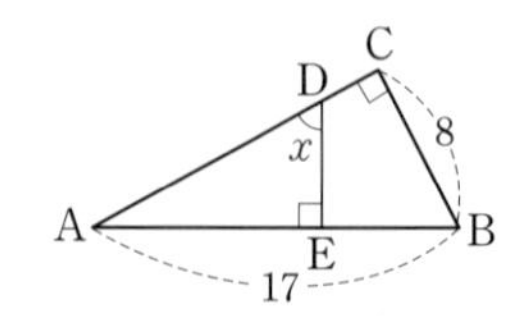

핵심유형 2 특수한 각의 삼각비의 값 개념❷

오른쪽 그림과 같은 두 직각삼각형 ABC와 BCD에서 $\angle A=60^\circ$, $\angle D=45^\circ$, $\overline{AB}=\sqrt{2}$ cm일 때, $\overline{CD}$의 길이를 구하여라.

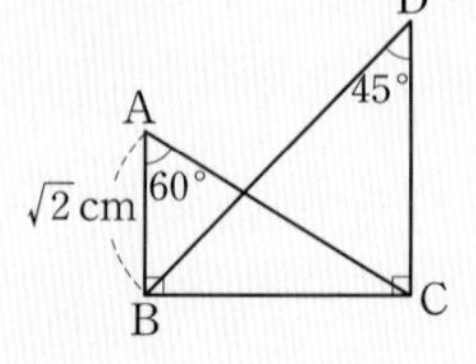

GUIDE
$\sin 30^\circ=\cos 60^\circ=\dfrac{1}{2}$, $\sin 45^\circ=\cos 45^\circ=\dfrac{\sqrt{2}}{2}$, $\sin 60^\circ=\cos 30^\circ=\dfrac{\sqrt{3}}{2}$
$\tan 30^\circ=\dfrac{\sqrt{3}}{3}$, $\tan 45^\circ=1$, $\tan 60^\circ=\sqrt{3}$

2-1 다음 중 옳지 않은 것은?

① $\sin 60^\circ-\sin 30^\circ=\dfrac{\sqrt{3}-1}{2}$
② $\sin 45^\circ+\cos 45^\circ=\sqrt{2}$
③ $\dfrac{\cos 30^\circ}{\sin 30^\circ}=\dfrac{\sqrt{3}}{4}$
④ $\tan 60^\circ\times\tan 30^\circ=1$
⑤ $\cos 60^\circ-\tan 45^\circ=-\dfrac{1}{2}$

2-2 $\sin A=\dfrac{\sqrt{3}}{2}$일 때, $\cos A\div\tan A$의 값을 구하여라. (단, $0^\circ<A<90^\circ$)

2-3 오른쪽 그림과 같은 직각삼각형 ABC에서 $\overline{BC}=4\sqrt{3}$ cm, $\angle A=60^\circ$일 때, $\overline{AB}+\overline{AC}$의 길이를 구하여라.

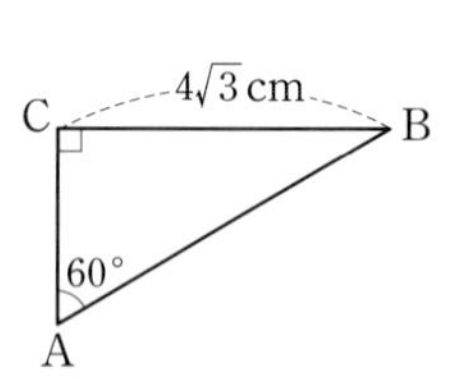

핵심유형 3 예각의 삼각비의 값 개념❸

오른쪽 그림과 같이 반지름의 길이가 1인 사분원에서 다음 중 옳지 않은 것은?

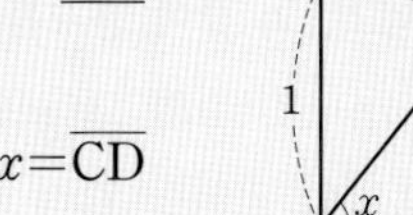

① $\sin x=\overline{AB}$ ② $\tan x=\overline{CD}$
③ $\sin y=\overline{OB}$ ④ $\cos y=\overline{AB}$
⑤ $\tan z=\overline{OD}$

GUIDE
반지름의 길이가 1인 사분원에서 예각의 삼각비의 값은 분모 또는 분자인 변의 길이가 1인 직각삼각형을 찾아서 구한다.

3-1 오른쪽 그림과 같이 좌표평면 위의 원점 O를 중심으로 하고 반지름의 길이가 1인 사분원에서 다음 중 옳은 것은?

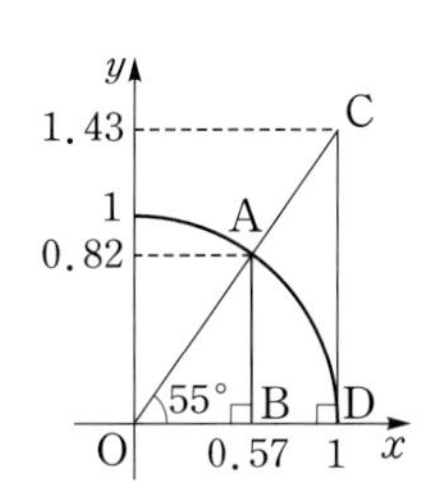

① $\sin 55^\circ=0.57$
② $\cos 55^\circ=0.82$
③ $\tan 55^\circ=1$
④ $\sin 35^\circ=0.82$
⑤ $\cos 35^\circ=0.82$

3-2 다음 중 옳은 것은?

① $\sin 0^\circ=1$ ② $\cos 90^\circ=1$
③ $\tan 0^\circ=1$ ④ $\tan 60^\circ=2\sin 60^\circ$
⑤ $\sin 90^\circ\times\cos 90^\circ-\tan 60^\circ\times\cos 0^\circ=1-\sqrt{3}$

3-3 $0^\circ<A<90^\circ$일 때, $\sqrt{(\cos A-1)^2}-\sqrt{(1-\cos A)^2}$을 간단히 하여라.

핵심유형 4 삼각비의 표 개념❹

다음 삼각비의 표를 이용하여 $x+y$의 값을 구하여라.

$\sin x=0.5150$, $\tan y=0.1944$

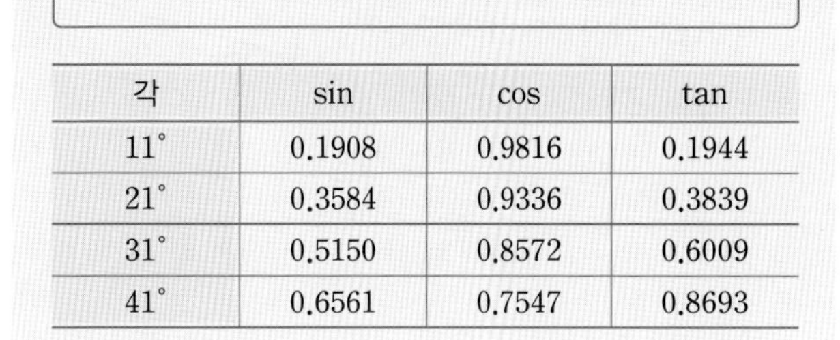

각	sin	cos	tan
11°	0.1908	0.9816	0.1944
21°	0.3584	0.9336	0.3839
31°	0.5150	0.8572	0.6009
41°	0.6561	0.7547	0.8693

GUIDE
삼각비의 표에서 삼각비의 값은 가로줄과 세로줄이 만나는 곳의 수이다.

4-1 다음 중 삼각비의 표에 대한 설명으로 옳지 않은 것은?

각	sin	cos	tan
27°	0.4540	0.8910	0.5095
28°	0.4695	0.8829	0.5317
29°	0.4848	0.8746	0.5543
30°	0.5000	0.8660	0.5774

① $\cos 28^\circ=0.8829$
② $\sin 30^\circ=0.5000$
③ $\tan 29^\circ=0.5543$
④ $\sin x=0.4540$일 때, $x=27^\circ$
⑤ $\cos y=0.8660$일 때, $y=28^\circ$

4-2 오른쪽 그림과 같은 직각삼각형 ABC에서 $\overline{AC}=10$ cm, $\angle A=36^\circ$일 때, 다음 삼각비의 표를 이용하여 $\overline{AB}$의 길이를 구하여라.

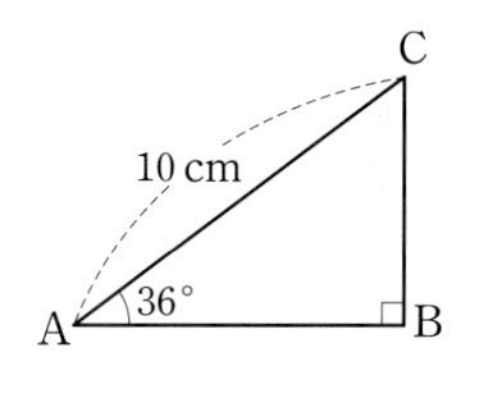

각	sin	cos	tan
54°	0.8090	0.5878	1.3764
55°	0.8192	0.5736	1.4281
56°	0.8290	0.5592	1.4826

기출문제로 실력 다지기

01. 삼각비의 값

정답 및 풀이 03쪽

잘나와요

01 오른쪽 그림과 같은 직각삼각형 ABC에서 $\cos A$의 값은?

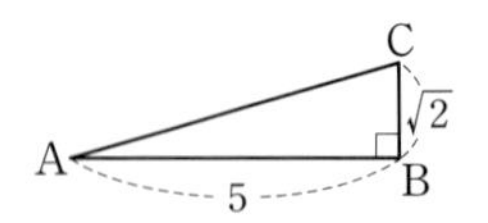

① $\frac{\sqrt{6}}{9}$　② $\frac{\sqrt{6}}{6}$　③ $\frac{5\sqrt{3}}{9}$　④ $\frac{\sqrt{3}}{3}$　⑤ $\frac{\sqrt{2}}{5}$

02 오른쪽 그림과 같은 직각삼각형 ABC에서 $\overline{BC}=4$, $\tan A=\frac{2}{5}$일 때, △ABC의 넓이는?

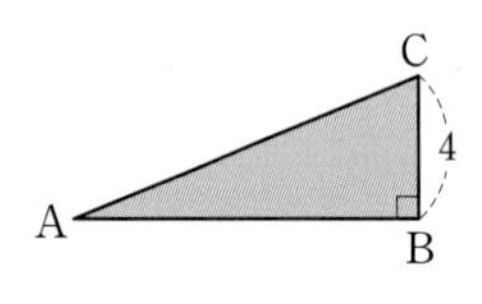

① 10　② 15　③ 20　④ 25　⑤ 30

03 오른쪽 그림의 직각삼각형 ABC에서 $\overline{AB}=4\sqrt{5}$, $\overline{AD}=5$, $\overline{DC}=3$일 때, $\tan B$의 값을 구하여라.

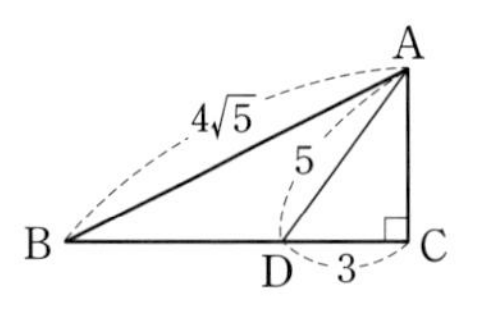

04 오른쪽 그림과 같은 정육면체에서 $\angle DFH=x$라 할 때, $\sin x$의 값은?

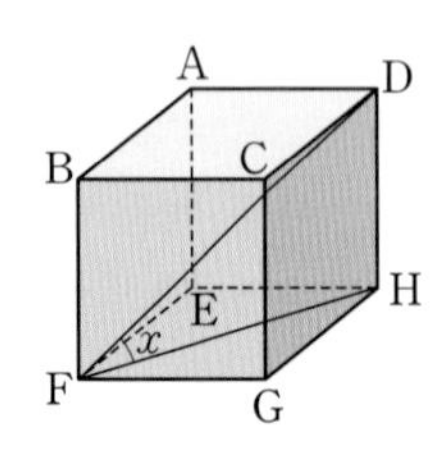

① $\frac{\sqrt{6}}{3}$　② $\frac{\sqrt{3}}{3}$　③ $\frac{\sqrt{2}}{3}$　④ $\frac{1}{3}$　⑤ $\frac{1}{2}$

05 오른쪽 그림과 같이 일차함수 $4x+3y-12=0$의 그래프와 x축, y축과의 교점을 각각 A, B라 할 때, $\sin A$의 값은?

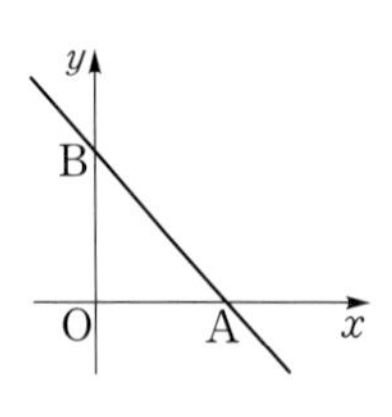

① $\frac{5}{6}$　② $\frac{4}{5}$　③ $\frac{3}{4}$　④ $\frac{3}{5}$　⑤ $\frac{1}{3}$

06 다음 보기 중 옳은 것을 모두 고른 것은?

보기

ㄱ. $\sin 30° - \cos 60° = 1$

ㄴ. $\tan 45° - \sqrt{2}\sin 45° = 0$

ㄷ. $\sin 45° \div \cos 45° - \tan 30° \times \cos 30° = \frac{1}{2}$

① ㄱ　② ㄴ　③ ㄱ, ㄴ　④ ㄱ, ㄷ　⑤ ㄴ, ㄷ

07 $\tan(x+30°)=\sqrt{3}$일 때 $\sin x - \cos 2x$의 값은? (단, $0° < x < 60°$)

① -1　② $-\frac{1}{2}$　③ 0　④ $\frac{1}{2}$　⑤ 1

잘나와요

08 오른쪽 그림과 같은 직각삼각형 ABC에서 $\overline{AD}\perp\overline{BC}$이고 $\angle B=60°$, $\overline{BD}=3$일 때, xy의 값은?

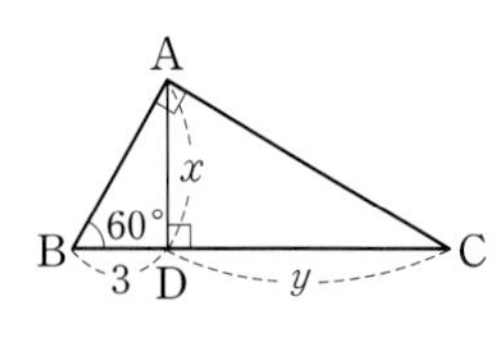

① 21　② $21\sqrt{3}$　③ 27　④ $27\sqrt{3}$　⑤ 30

09 삼각형의 세 내각의 크기의 비가 1 : 2 : 3이고, 세 각 중 크기가 가장 작은 각의 크기를 A라 할 때, $\sin A : \cos A : \tan A$는?

① $\sqrt{3} : 3 : 1$　② $\sqrt{3} : 3 : 2$
③ $\sqrt{3} : 1 : 2\sqrt{3}$　④ $1 : \sqrt{3} : 2\sqrt{3}$
⑤ $3 : 1 : 2\sqrt{3}$

10 오른쪽 그림과 같이 반지름의 길이가 1인 사분원에 대하여 $\cos 52° + \sin 38°$의 값을 구하여라.

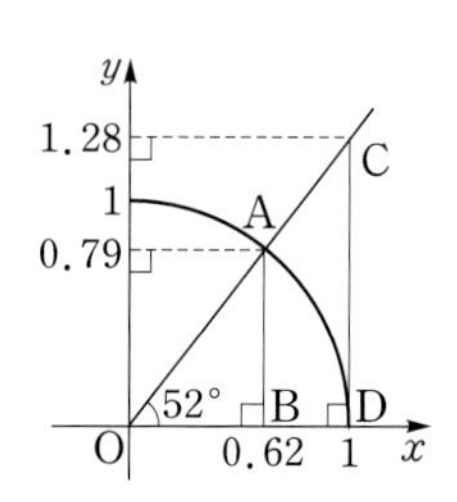

11 오른쪽 그림과 같이 반지름의 길이가 1인 사분원 위에 점 A가 있다. $A\left(\frac{1}{2}, \frac{\sqrt{3}}{2}\right)$일 때, $\overline{OA}$와 x축이 이루는 $\angle a$의 크기는?

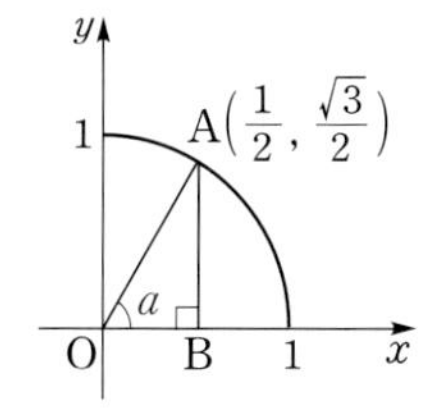

① 30°　② 45°
③ 60°　④ 70°
⑤ 80°

12 오른쪽 그림과 같이 반지름의 길이가 1인 부채꼴 ABC에서 $\overline{CD}=0.2453$일 때, 다음 삼각비의 표를 이용하여 $\angle x$의 크기를 구하여라.

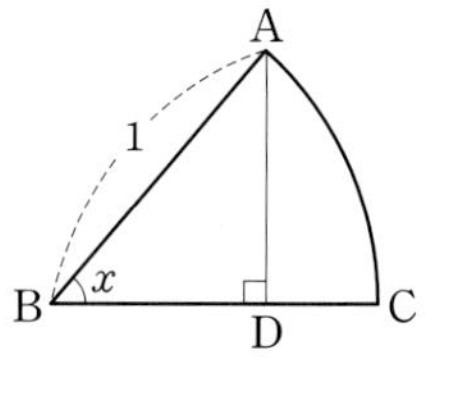

각	sin	cos	tan
40°	0.6428	0.7660	0.8391
41°	0.6561	0.7547	0.8693
42°	0.6691	0.7431	0.9004

잘나와요

13 $\cos 45° \times (\sin 45° - \tan 0°) + \cos 60° \times \sin 90°$의 값은?

① $-\frac{1}{2}$　② $-\frac{1}{4}$　③ 0
④ $\frac{1}{2}$　⑤ 1

서·술·형·문·제

풀이 과정을 자세히 쓰시오.

14 오른쪽 그림과 같이 $\angle BAC=90°$인 직각삼각형 ABC에서 $\overline{AH} \perp \overline{BC}$이고 $\overline{AB}=6$, $\overline{AC}=8$일 때, $\sin x \times \tan y$의 값을 구하여라.

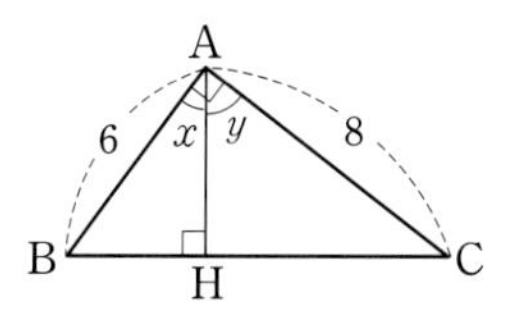

[단계] ❶ $\overline{BC}$의 길이 구하기
❷ $\angle BCA=x$, $\angle CBA=y$임을 알기
❸ $\sin x$, $\tan y$의 값 구하기
❹ $\sin x \times \tan y$의 값 구하기

답 ________

내신 up

15 오른쪽 그림과 같이 반지름의 길이가 1인 사분원에서 $\angle AOB=60°$일 때, 색칠한 부분의 넓이를 구하여라.

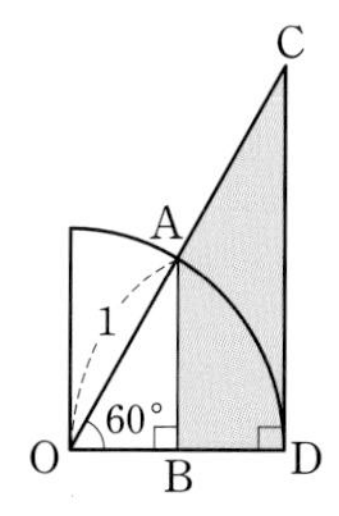

답 ________

58쪽 기출문제로 내신대비로 반복학습하세요!

02 삼각비의 활용

V. 삼각비

정답 및 풀이 04쪽

개념 1 직각삼각형의 변의 길이

$\angle C=90^\circ$인 직각삼각형 ABC에서

(1) $\angle B$의 크기와 빗변의 길이 c를 알 때,

$$a=c\cos B,\ b=c\sin B$$

(2) $\angle B$의 크기와 밑변의 길이 a를 알 때,

$$b=a\tan B,\ c=\frac{a}{\cos B}$$

(3) $\angle B$의 크기와 높이 b를 알 때,

$$a=\frac{b}{\tan B},\ c=\frac{b}{\sin B}$$

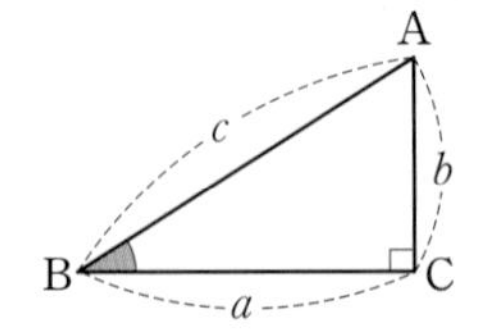

개념 α

▸ $\cos B=\frac{a}{c}$, $\sin B=\frac{b}{c}$, $\tan B=\frac{b}{a}$ 임을 이용하여 각 조건에 맞게 식을 세울 수 있다.

개념확인 **01** 오른쪽 그림과 같은 직각삼각형 ABC에서 $\overline{AB}=10$ cm, $\angle B=40^\circ$일 때, 다음을 구하여라. (단, $\sin 40^\circ=0.64$, $\cos 40^\circ=0.77$, $\tan 40^\circ=0.84$로 계산한다.)

(1) $\overline{AC}$의 길이 (2) $\overline{BC}$의 길이

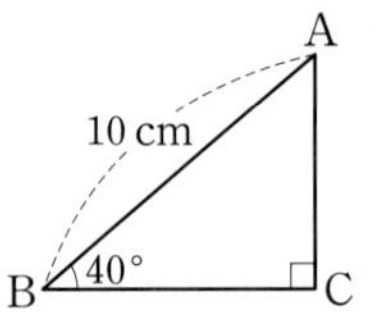

개념 2 일반 삼각형의 변의 길이

(1) $\triangle ABC$에서 두 변의 길이 a, c와 그 끼인각 $\angle B$의 크기를 알 때,

$$\overline{AC}=\sqrt{(c\sin B)^2+(a-c\cos B)^2}$$

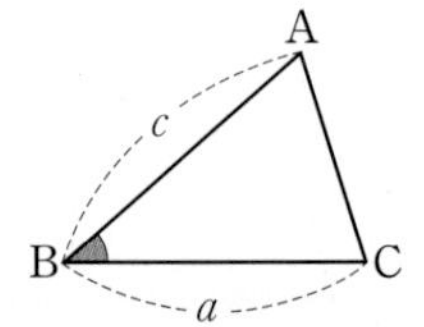
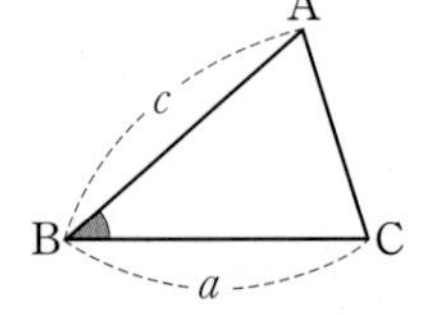

(2) $\triangle ABC$에서 한 변의 길이 a와 그 양 끝 각 $\angle B$, $\angle C$의 크기를 알 때,

$$\overline{AC}=\frac{a\sin B}{\sin A},\ \overline{AB}=\frac{a\sin C}{\sin A}\quad \angle A=180^\circ-(\angle B+\angle C)$$

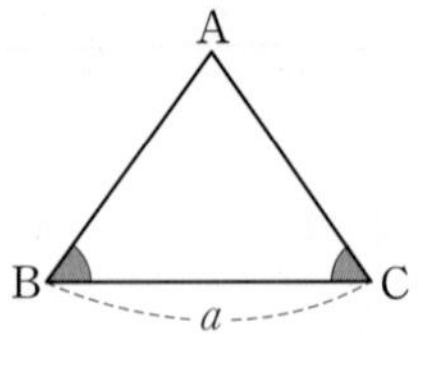

개념 α

▸ 삼각비는 직각삼각형에서만 적용되므로 일반 삼각형에서는 한 꼭짓점에서 그 대변에 수선을 그어 직각삼각형을 만들어야 한다.

개념확인 **02** 오른쪽 그림의 $\triangle ABC$에서 $\overline{AB}=6$ cm, $\overline{BC}=5\sqrt{3}$ cm, $\angle B=30^\circ$일 때, 다음을 구하여라.

(1) $\overline{AH}$의 길이

(2) $\overline{BH}$의 길이

(3) $\overline{CH}$의 길이

(4) $\overline{AC}$의 길이

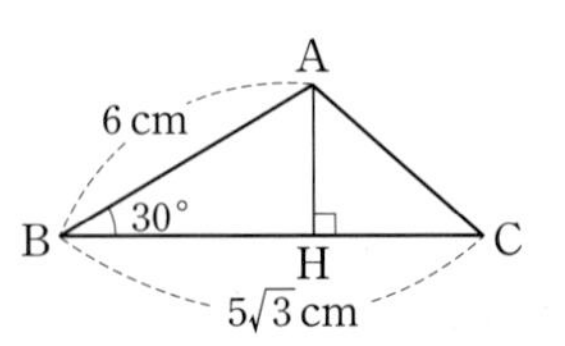

개념 ③ 실생활에서 직각삼각형의 변의 길이의 활용

(1) 실생활에서 직각삼각형의 변의 길이의 활용

① 주어진 그림에서 직각삼각형을 찾는다.

② 삼각비를 이용하여 각 변의 길이를 구한다.

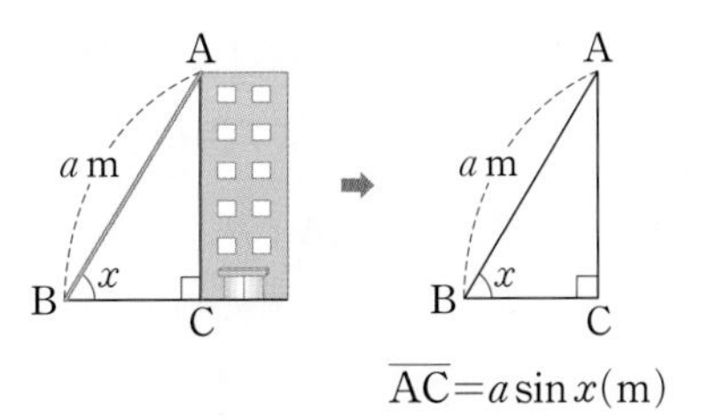

> **개념 α**
> ▸ 삼각비를 이용하면 직접 측정하기 어려운 거리, 사물의 높이 등 실생활과 관련된 여러 가지 문제를 해결할 수 있다.

개념확인 **03** 오른쪽 그림과 같이 15 m 떨어진 지점에서 나무 꼭대기를 올려다본 각의 크기가 30°일 때, 나무의 높이는?

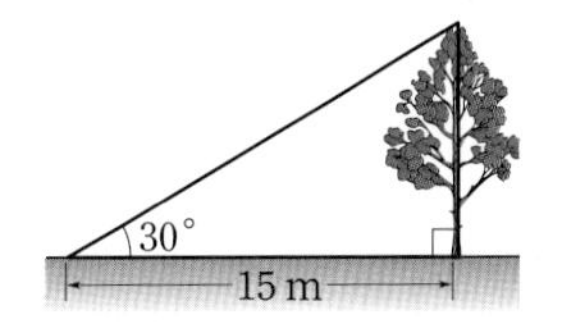

① $6\sqrt{2}$ m ② $5\sqrt{3}$ m

③ $10\sqrt{2}$ m ④ $10\sqrt{3}$ m

⑤ $15\sqrt{3}$ m

개념 ④ 일반 삼각형의 높이

△ABC에서 한 변의 길이 a와 그 양 끝각 ∠B, ∠C의 크기를 알 때, 높이 h는

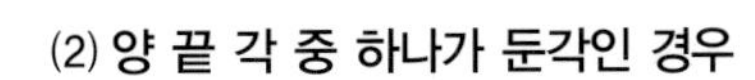

(1) 양 끝 각이 모두 예각인 경우

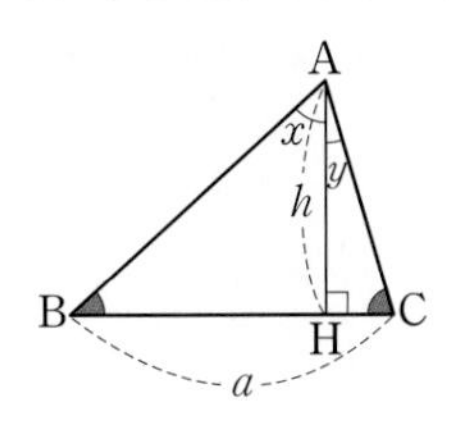

$$h=\frac{a}{\tan x+\tan y}$$

(2) 양 끝 각 중 하나가 둔각인 경우

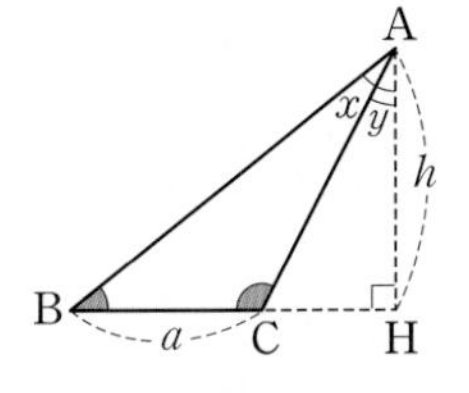

$$h=\frac{a}{\tan x-\tan y}$$

> **개념 α**
> ▸ 공식을 외우기보다는 수선을 이용하여 직각삼각형을 만든 후 삼각비를 이용한다.

04 오른쪽 그림의 △ABC에서 $\overline{BC}=10$, ∠B=60°, ∠C=45°일 때, 다음 물음에 답하여라.

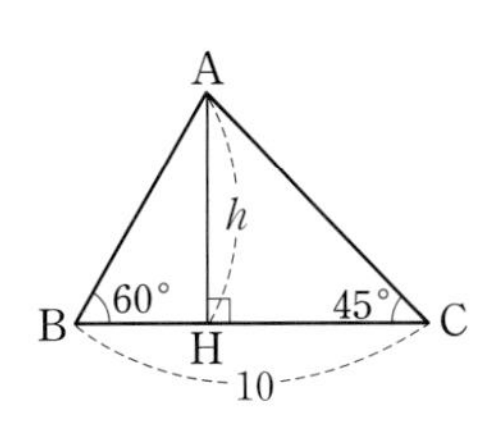

(1) △ABH에서 $\overline{BH}$의 길이를 h를 사용하여 나타내어라.

(2) △ACH에서 $\overline{CH}$의 길이를 h를 사용하여 나타내어라.

(3) $\overline{BC}=\overline{BH}+\overline{CH}$임을 이용하여 h의 값을 구하여라.

개념 5 삼각형의 넓이

$\triangle ABC$에서 두 변의 길이 a, c와 그 끼인각 $\angle B$의 크기를 알 때, 넓이 S는

(1) $\angle B$가 예각일 때

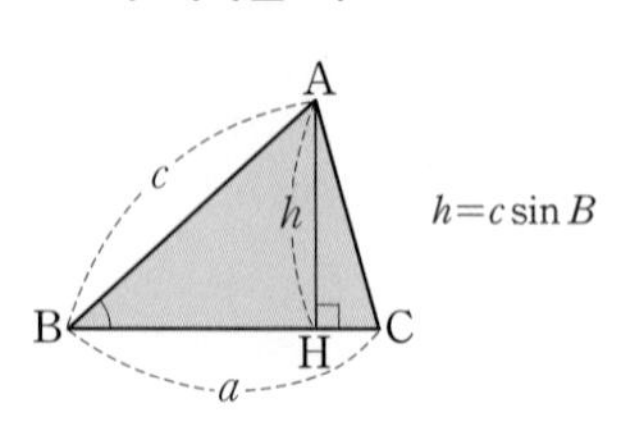

$S=\frac{1}{2}ac\sin B$

(2) $\angle B$가 둔각일 때

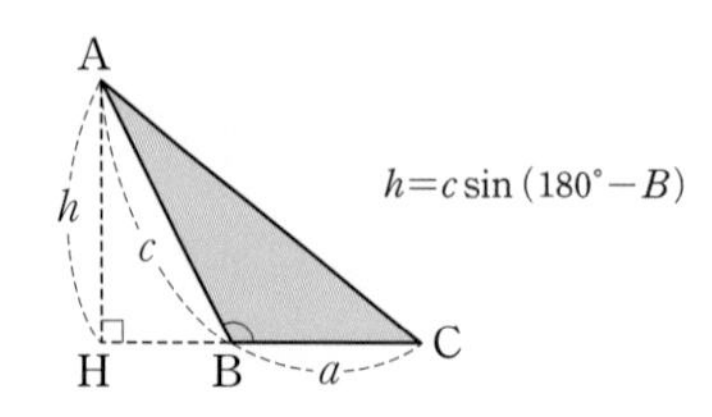

$S=\frac{1}{2}ac\sin(180^\circ-B)$

> **개념 α**
> ▸ $\triangle ABC$에서 $\angle B=90^\circ$이면 넓이 S는
> $S=\frac{1}{2}ac\sin 90^\circ$
> $=\frac{1}{2}ac$

개념확인 **05** 다음 그림과 같은 $\triangle ABC$의 넓이를 구하여라.

(1)

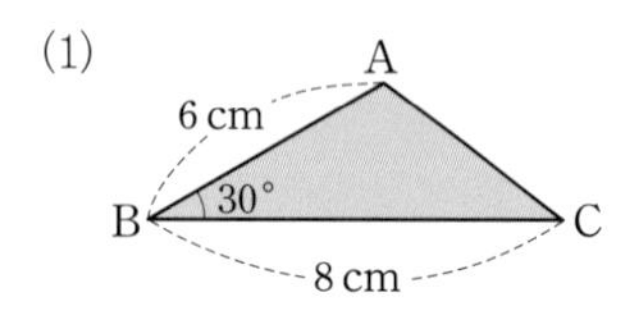

(2)

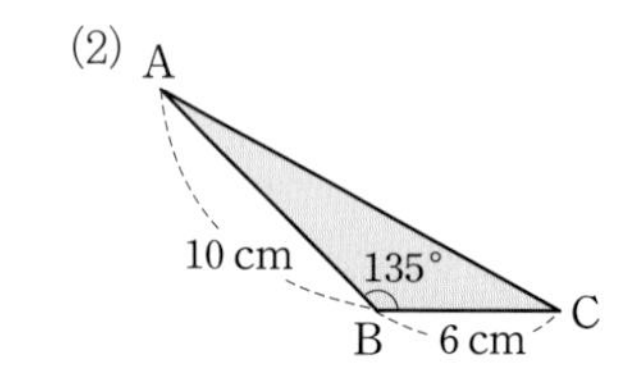

개념 6 사각형의 넓이

(1) 평행사변형의 넓이

평행사변형 ABCD의 이웃하는 두 변의 길이가 a, b이고 그 끼인 각 $\angle x$가 예각일 때, 넓이 S는

$S=ab\sin x$

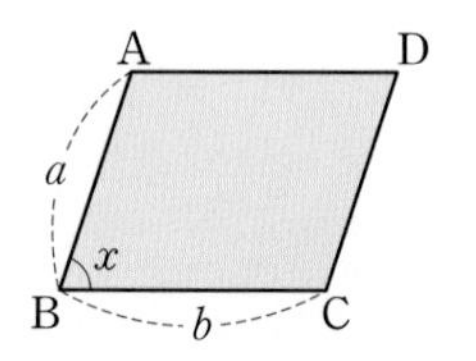

(2) 사각형의 넓이

□ABCD의 두 대각선의 길이가 a, b이고 두 대각선이 이루는 각 $\angle x$가 예각일 때, 넓이 S는

$S=\frac{1}{2}ab\sin x$

> **개념 α**
> ▸ 사각형의 넓이는 두 개의 삼각형으로 나누어 구할 수 있다.

개념확인 **06** 다음 그림과 같은 사각형의 넓이를 구하여라.

(1) 평행사변형 ABCD

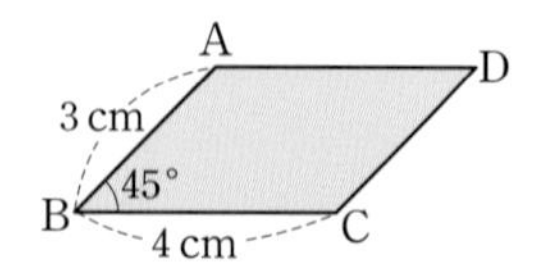

(2) 사각형 ABCD

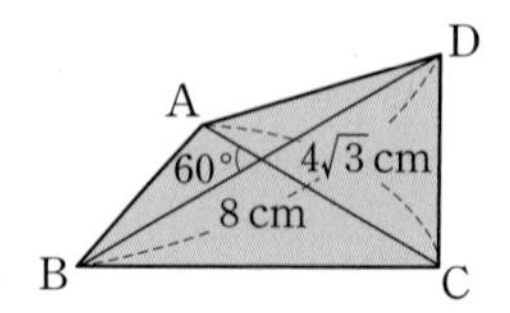

정답 및 풀이 05쪽

핵심유형 1 직각삼각형의 변의 길이 개념❶

오른쪽 그림과 같은 직각삼각형 ABC에서 $\overline{AC}$의 길이를 나타내는 식을 모두 고르면? (정답 2개)

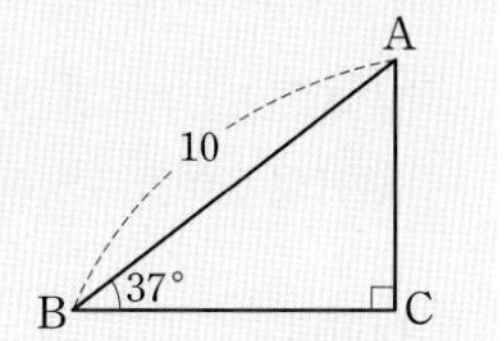

① $10\sin 37°$ ② $10\cos 37°$
③ $10\tan 37°$ ④ $10\sin 53°$
⑤ $10\cos 53°$

GUIDE
$\angle C=90°$인 직각삼각형 ABC에서 $\overline{AB}$의 길이와 $\angle B$의 크기가 주어질 때, $\overline{AC}=\overline{AB}\times\sin B$, $\overline{BC}=\overline{AB}\times\cos B$

1-1 오른쪽 그림의 직각삼각형 ABC에 대하여 다음 중 옳지 않은 것은?

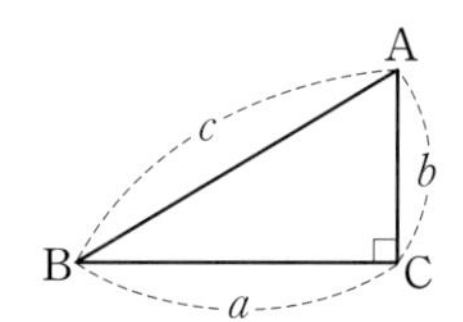

① $a=c\sin A$
② $a=b\tan A$
③ $a=c\cos B$
④ $b=c\sin B$
⑤ $b=c\tan B$

1-2 오른쪽 그림과 같은 직사각형 ABCD에서 x의 값을 구하여라.

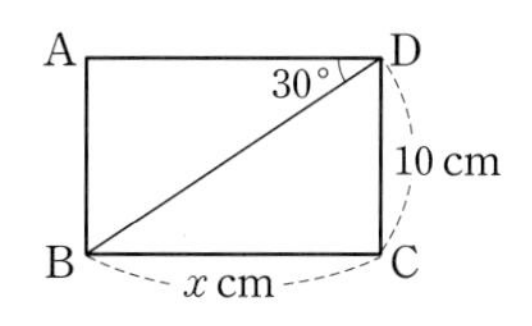

1-3 오른쪽 그림의 직육면체에서 $\overline{AB}=3$ cm, $\overline{CF}=4$ cm, $\angle CFG=30°$일 때, 이 직육면체의 부피는?

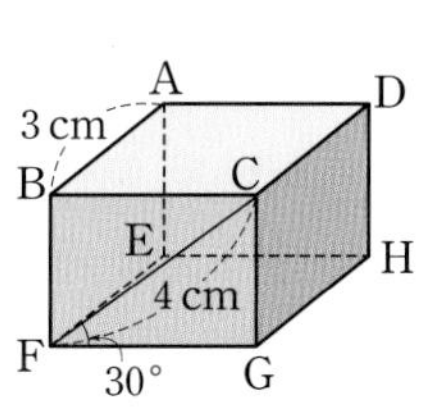

① 10 cm^3 ② $10\sqrt{2}\text{ cm}^3$
③ $10\sqrt{3}\text{ cm}^3$ ④ $12\sqrt{2}\text{ cm}^3$
⑤ $12\sqrt{3}\text{ cm}^3$

핵심유형 2 일반 삼각형의 변의 길이 개념❷

오른쪽 그림과 같은 △ABC에서 $\angle C=60°$, $\overline{AC}=8$ cm, $\overline{BC}=10$ cm일 때, $\overline{AB}$의 길이를 구하여라.

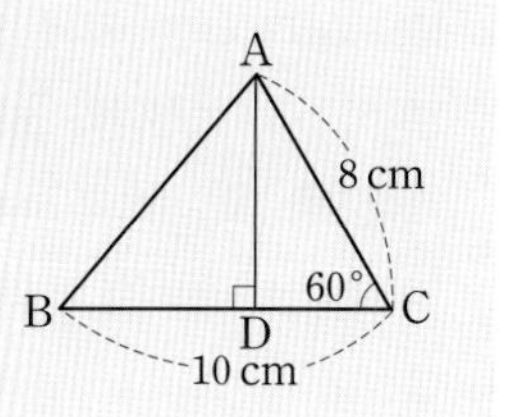

GUIDE
주어진 두 변의 길이와 그 끼인 각의 크기를 이용하여 $\overline{AD}$ ⇨ $\overline{CD}$ ⇨ $\overline{BD}$ ⇨ $\overline{AB}$의 순서로 길이를 구한다.

2-1 오른쪽 그림과 같은 평행사변형 ABCD에서 대각선 AC의 길이를 구하여라.

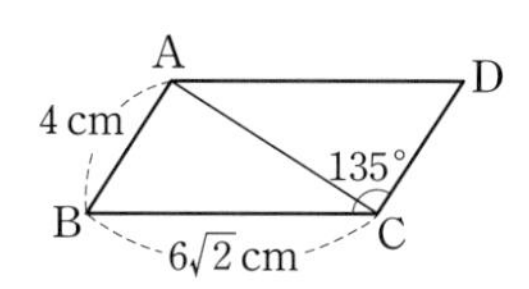

2-2 오른쪽 그림과 같은 △ABC에서 $\overline{BC}=10\sqrt{2}$ cm, $\angle B=45°$, $\angle C=75°$일 때, $\overline{AC}$의 길이는?

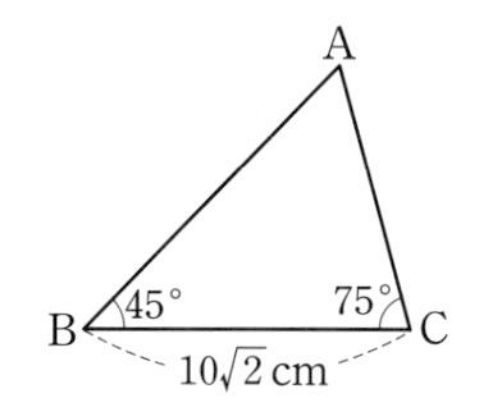

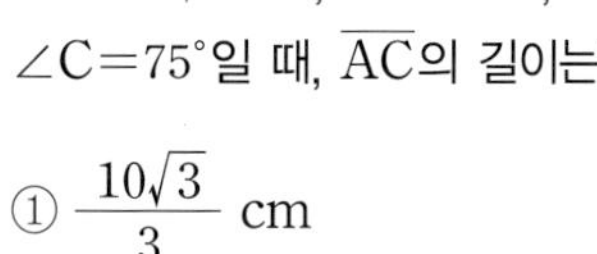

① $\dfrac{10\sqrt{3}}{3}$ cm

② $\dfrac{20\sqrt{3}}{3}$ cm

③ $\dfrac{10\sqrt{6}}{3}$ cm

④ $10\sqrt{2}$ cm

⑤ $10\sqrt{3}$ cm

2-3 오른쪽 그림과 같은 △ABC에서 $\angle B=60°$, $\angle C=45°$, $\overline{AB}=6$ cm일 때, $\overline{BC}$의 길이를 구하여라.

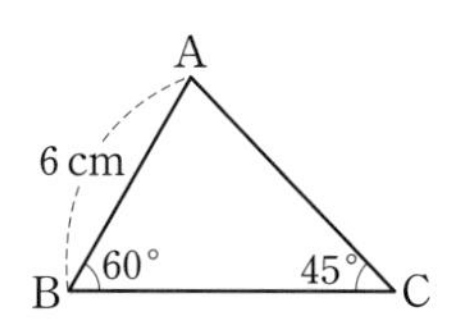

핵심유형 3 실생활에서 직각삼각형의 변의 길이의 활용 개념❸

오른쪽 그림과 같이 동현이가 어느 건물로부터 100 m 떨어진 B지점에서 건물의 꼭대기 P를 올려다 본 각의 크기가 $20°$이었다. 동현이의 눈높이가 1.5 m일 때, 건물의 높이를 구하여라. (단, $\sin 20°=0.34$, $\cos 20°=0.94$, $\tan 20°=0.36$으로 계산한다.)

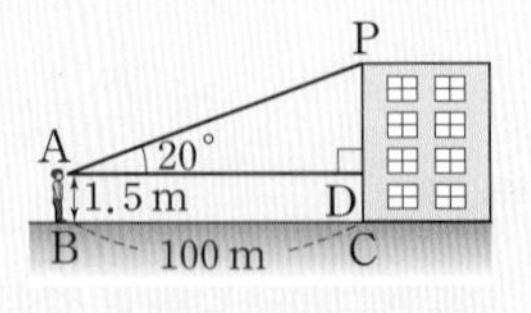

GUIDE
먼저 주어진 그림에서 직각삼각형을 찾아 삼각비를 이용한다.

3-1 지면에 수직으로 서 있던 나무가 오른쪽 그림과 같이 부러졌다. 이때 부러지기 전의 나무의 높이를 구하여라.

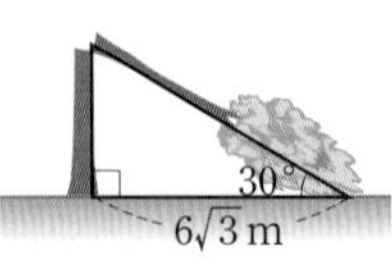

3-2 오른쪽 그림과 같이 수평면과 $28°$만큼 기울어진 비탈길의 C지점에서 지면까지의 거리가 20 m이다. 이때 A지점에서 C지점까지의 거리를 구하여라.

(단, $\sin 28°=0.5$, $\cos 28°=0.9$로 계산한다.)

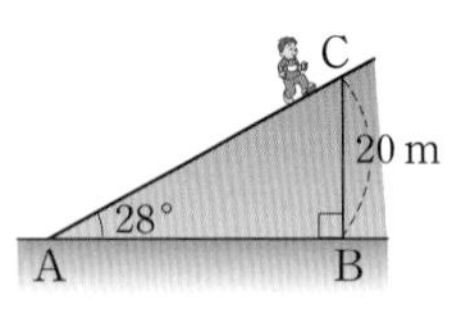

3-3 오른쪽 그림과 같이 지면으로부터 2800 m 상공에서 날고 있는 비행기가 수평면과 $21°$를 유지하면서 매초 200 m의 속도로 착륙하려고 한다. 이때 착륙하는 데 걸리는 시간은? (단, $\sin 21°=0.35$, $\cos 21°=0.93$, $\tan 21°=0.38$로 계산한다.)

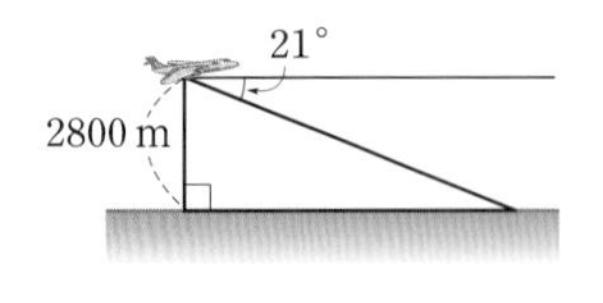

① 36초 ② 37초 ③ 38초 ④ 39초 ⑤ 40초

핵심유형 4 일반 삼각형의 높이 개념❹

오른쪽 그림과 같이 12 m 떨어진 지면 위의 두 지점 B, C에서 하늘에 떠 있는 풍선 A를 올려다본 각의 크기가 각각 $45°$, $60°$이다. 이때 지면으로부터 풍선까지의 높이 $\overline{AH}$의 길이를 구하여라.

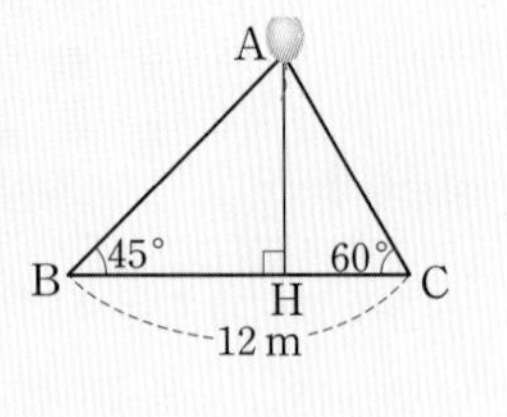

GUIDE
일반 삼각형의 높이 구하기
① 한 각에서 밑변에 수선을 그어 직각삼각형 2개로 나눈다.
② tan를 이용하여 두 삼각형의 밑변의 길이를 구한다.
③ 밑변의 길이에 대한 식을 세운 후, 높이를 구한다.

4-1 오른쪽 그림과 같이 나무를 사이에 두고 150 m 떨어진 두 지점 B, C에서 나무의 꼭대기 A를 올려다본 각의 크기가 각각 $45°$, $30°$일 때, 나무의 높이 $\overline{AH}$의 길이를 구하여라.

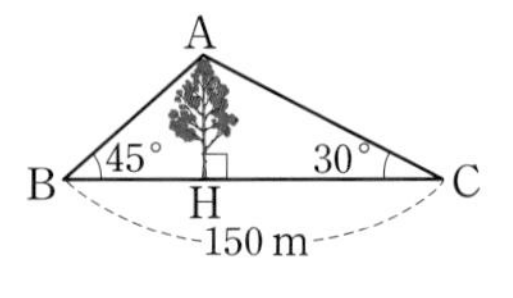

4-2 오른쪽 그림의 $\triangle ABC$에서 $\angle B=45°$, $\angle ACH=60°$, $\overline{BC}=12$ cm일 때, $\overline{AH}$의 길이를 구하여라.

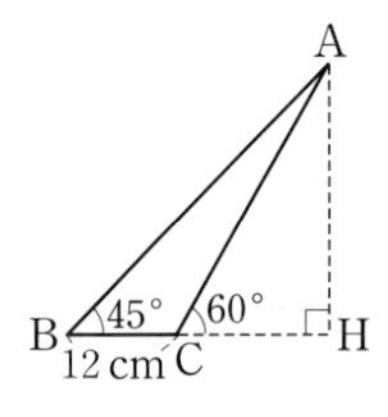

4-3 오른쪽 그림과 같이 60 m 떨어진 두 지점 B, C에서 산 꼭대기 A를 올려다본 각의 크기가 각각 $30°$, $60°$일 때, 산의 높이를 구하여라.

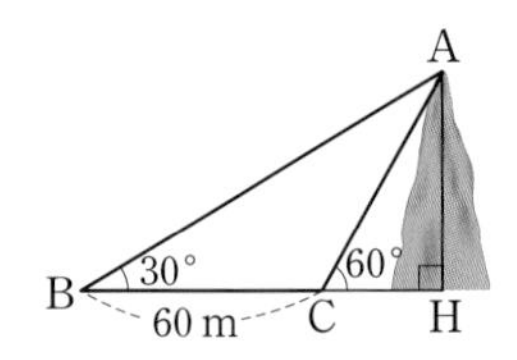

핵심유형 5 삼각형의 넓이 개념 ⑤

오른쪽 그림과 같이 $\overline{AB}=\overline{AC}=8$ cm, $\angle B=75°$인 이등변삼각형 ABC의 넓이를 구하여라.

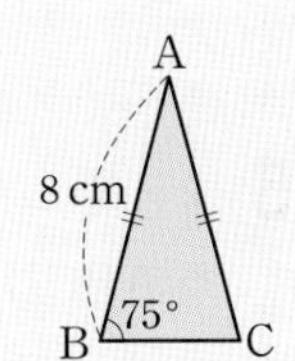

GUIDE

$\triangle ABC=\frac{1}{2}\times\overline{AB}\times\overline{AC}\times\sin A$

5-1 오른쪽 그림과 같이 $\overline{AC}=8$, $\overline{BC}=6$인 △ABC의 넓이가 $12\sqrt{2}$일 때, ∠C의 크기를 구하여라.

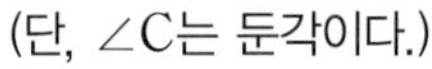
(단, ∠C는 둔각이다.)

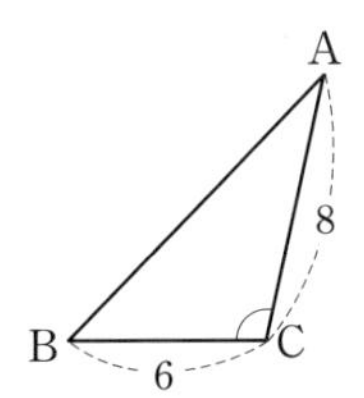

5-2 오른쪽 그림에서 점 G가 △ABC의 무게중심일 때, △AGC의 넓이를 구하여라.

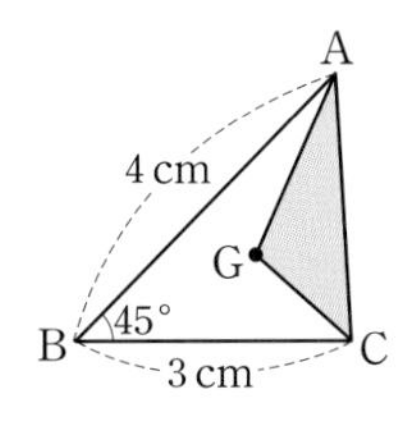

5-3 오른쪽 그림과 같은 △ABC의 넓이가 $24\sqrt{3}$ cm²일 때, $\overline{BC}$의 길이를 구하여라.

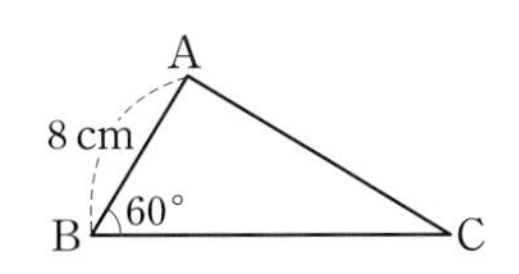

핵심유형 6 사각형의 넓이 개념 ⑥

오른쪽 그림과 같은 사각형 ABCD의 넓이는?

① $10\sqrt{2}$ cm²　② $10\sqrt{3}$ cm²

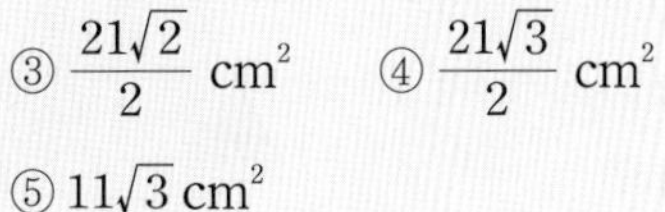
③ $\frac{21\sqrt{2}}{2}$ cm²　④ $\frac{21\sqrt{3}}{2}$ cm²

⑤ $11\sqrt{3}$ cm²

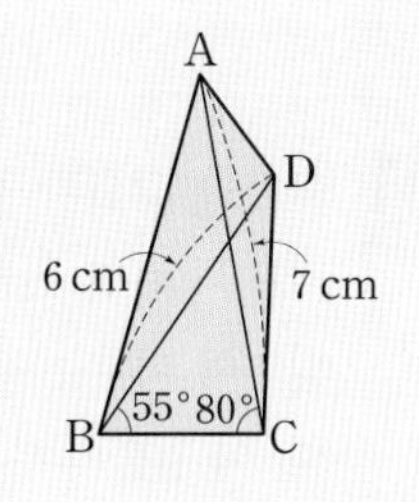

GUIDE

□ABCD에서 두 대각선의 길이 a, b와 두 대각선이 이루는 예각 x의 크기를 알면 □ABCD$=\frac{1}{2}ab\sin x$

6-1 오른쪽 그림과 같은 평행사변형 ABCD의 넓이가 20 cm²일 때, $\angle x$의 크기를 구하여라. (단, $\angle x$는 예각이다.)

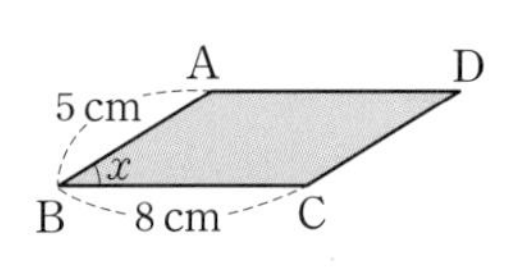

6-2 오른쪽 그림과 같은 평행사변형 ABCD에서 $\overline{AB}=8$ cm, $\overline{AD}=12$ cm, $\angle B=60°$일 때, △AOD의 넓이를 구하여라.

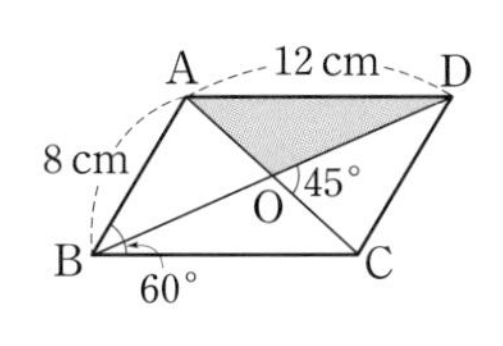

6-3 오른쪽 그림과 같은 등변사다리꼴 ABCD에서 두 대각선이 이루는 각의 크기가 45°이고, 넓이가 $12\sqrt{2}$ cm²일 때, $\overline{BD}$의 길이를 구하여라.

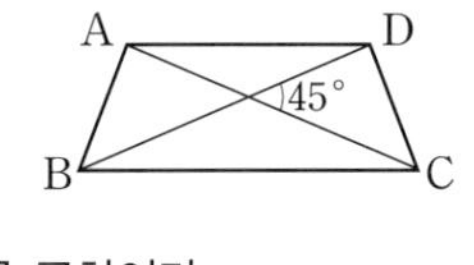

정답 및 풀이 07쪽

01 오른쪽 그림과 같이 모선의 길이가 12 cm인 원뿔이 있다. 모선과 밑면이 이루는 각의 크기가 60°일 때, 이 원뿔의 부피는?

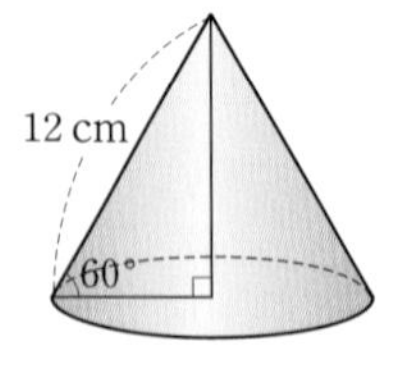

① $24\pi\ \text{cm}^3$ ② $36\sqrt{2}\pi\ \text{cm}^3$
③ $36\sqrt{3}\pi\ \text{cm}^3$ ④ $72\pi\ \text{cm}^3$
⑤ $72\sqrt{3}\pi\ \text{cm}^3$

02 오른쪽 그림과 같이 10 m 만큼 떨어진 두 건물 A, B가 있다. A 건물 옥상에서 B건물을 올려다본 각도는 30°이고 내려다본 각도는 45°일 때, B건물의 높이를 구하여라.

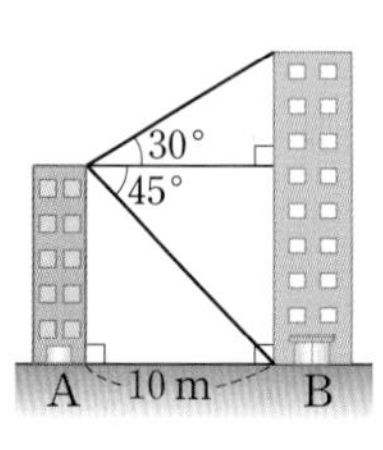

03 오른쪽 그림과 같이 길이가 50 cm인 실에 추를 매달았더니 B지점과 B′지점 사이를 일정한 속도로 움직이고 있다. ∠BOA=∠B′OA=60°일 때 A지점과 B지점에서의 추의 높이의 차는? (단, $\overline{\text{OA}}$는 지면과 수직이고 추의 크기는 무시한다.)

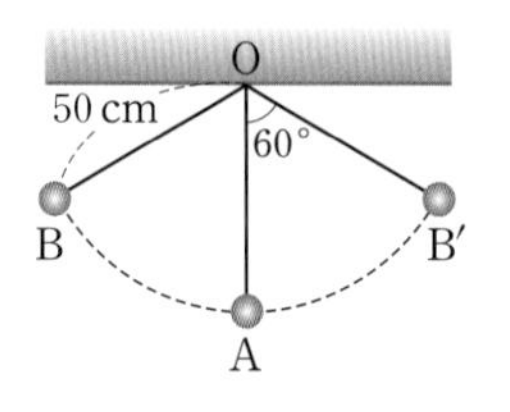

① 10 cm ② 15 cm ③ 20 cm
④ 25 cm ⑤ 30 cm

잘나와요

04 오른쪽 그림의 △ABC에서 $\overline{\text{BC}}=8$, $\overline{\text{AC}}=3\sqrt{2}$, ∠C=45°일 때, $\overline{\text{AB}}$의 길이는?

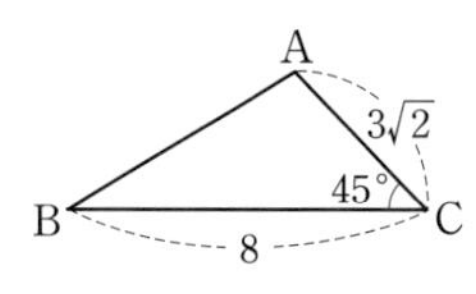

① $3\sqrt{3}$ ② $\sqrt{30}$ ③ $\sqrt{34}$
④ 6 ⑤ $8\sqrt{2}$

05 오른쪽 그림과 같은 평행사변형 ABCD에서 ∠ABC=60°일 때, $\overline{\text{BD}}$의 길이를 구하여라.

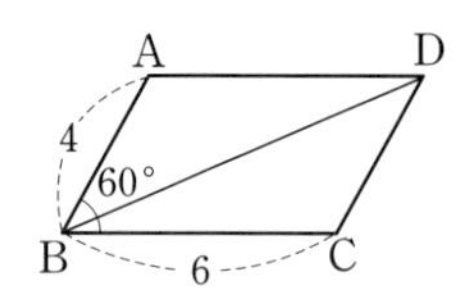

06 호수 양쪽에 있는 두 지점 A, B 사이의 거리를 알기 위하여 오른쪽 그림과 같이 각의 크기와 거리를 측정하였다. 두 지점 A, B 사이의 거리를 구하여라.

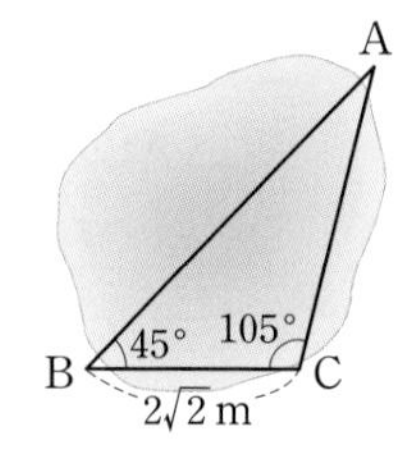

07 오른쪽 그림과 같은 △ABC에서 $\overline{\text{BC}}=100$ m, ∠B=30°, ∠BAC=15°일 때, x의 값을 구하여라.

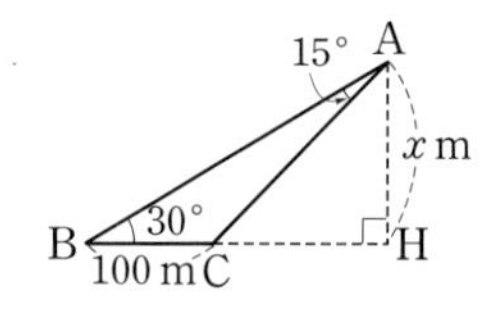

08 오른쪽 그림과 같이 50 m 떨어진 지점 A, B를 지나는 직선의 바로 위쪽에 기구 C가 떠 있다. 두 지점 A, B에서 기구를 올려다본 각의 크기가 각각 45°, 75°일 때, 지면으로부터 이 기구까지의 높이 $\overline{\text{CH}}$의 길이를 나타낸 식은?

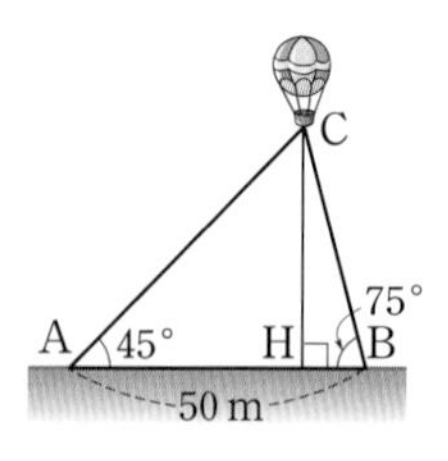

① $\dfrac{50}{1-\tan 15°}$ ② $\dfrac{50}{1+\tan 15°}$
③ $\dfrac{50}{1-\tan 75°}$ ④ $\dfrac{50}{1+\tan 75°}$
⑤ $50(1+\tan 15°)$

09 오른쪽 그림과 같은 △ABC에서 $\overline{AB}=8$, $\overline{BC}=10$, $\cos B=\frac{1}{2}$일 때, △ABC의 넓이는?

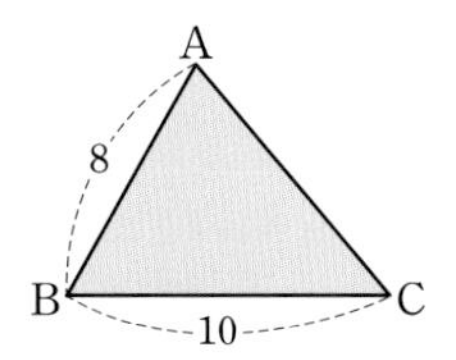

① $10\sqrt{2}$ ② $10\sqrt{3}$ ③ $20\sqrt{2}$
④ $20\sqrt{3}$ ⑤ 40

잘나와요

10 오른쪽 그림과 같이 반지름의 길이가 2 cm인 원 O에 내접하는 정육각형의 넓이는?

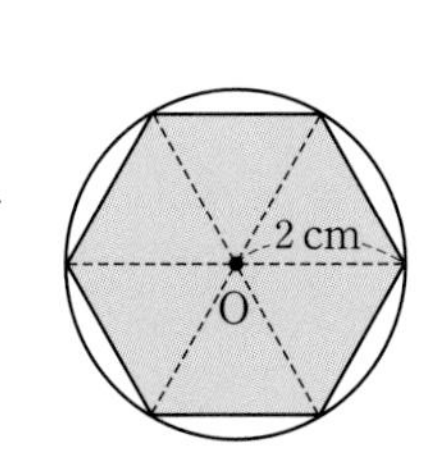

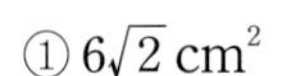

① $6\sqrt{2}$ cm² ② $6\sqrt{3}$ cm²
③ $12\sqrt{2}$ cm² ④ $12\sqrt{3}$ cm²
⑤ $18\sqrt{3}$ cm²

11 오른쪽 그림과 같은 평행사변형 ABCD의 넓이가 $24\sqrt{3}$ cm²일 때, $\overline{AD}$의 길이를 구하여라.

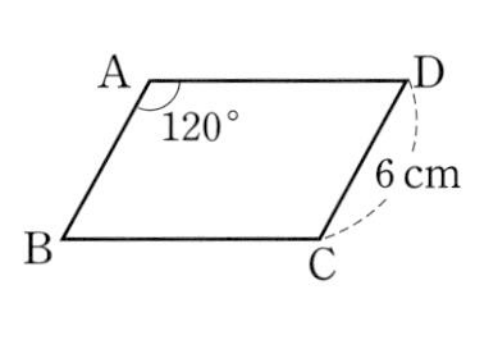

12 오른쪽 그림에서 $\overline{AB}=4$, $\overline{BC}=2\sqrt{5}$, $\overline{BD}=6\sqrt{3}$, ∠BOC=120°일 때, □ABCD의 넓이는?

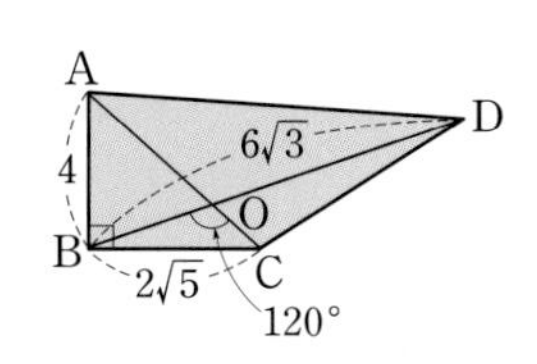

① 18 ② $18\sqrt{3}$ ③ 27
④ 36 ⑤ $36\sqrt{3}$

내신 up

13 오른쪽 그림과 같은 △ABC에서 ∠BAC=120°이고 $\overline{AD}$는 ∠A의 이등분선일 때, $\overline{AD}$의 길이를 구하여라.

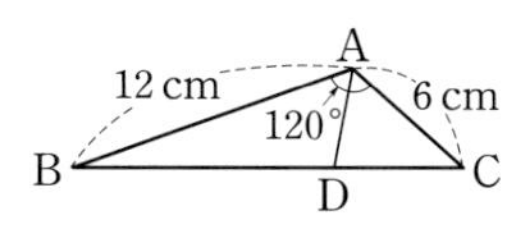

서·술·형·문·제

풀이 과정을 자세히 쓰시오.

14 오른쪽 그림과 같은 △ABC에서 $\overline{AB}=14$, $\overline{AC}=7\sqrt{6}$, ∠B=60°, ∠C=45°일 때, $\overline{BC}$의 길이를 구하여라.

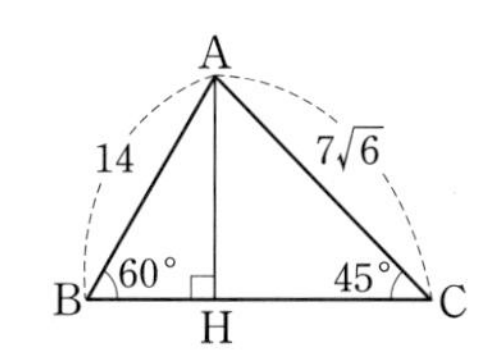

[단계] ❶ $\overline{BH}$의 길이 구하기
❷ $\overline{CH}$의 길이 구하기
❸ $\overline{BC}$의 길이 구하기

답 ____________

15 오른쪽 그림과 같은 □ABCD의 넓이를 구하여라.

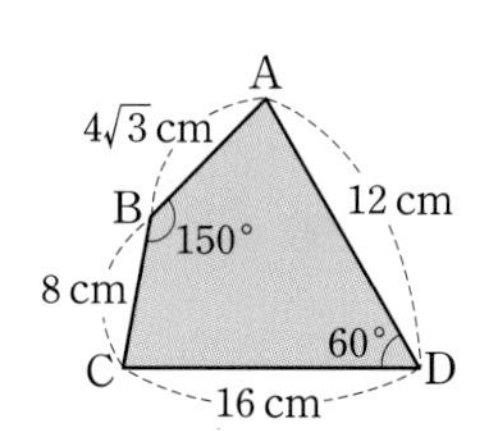

답 ____________

60쪽 기출문제로 내신대비로 반복학습하세요!

03 원과 직선

VI. 원의 성질

정답 및 풀이 09쪽

개념 1 현의 수직이등분선

(1) 원의 중심에서 현에 내린 수선은 그 현을 이등분한다.

➡ $\overline{AB}\perp\overline{OM}$이면 $\overline{AM}=\overline{BM}$

(2) 원에서 현의 수직이등분선은 그 원의 중심을 지난다.

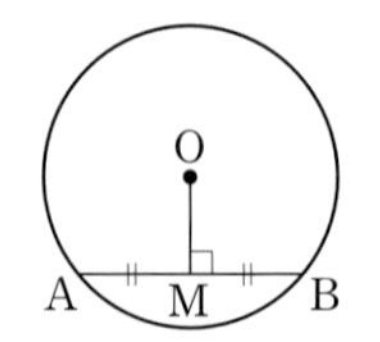

개념 α

▸ 현의 길이 또는 원의 중심에서 현까지의 거리를 구할 때, 직각삼각형을 찾아 피타고라스 정리를 이용한다.

개념확인 01 다음 그림에서 x의 값을 구하여라.

(1)

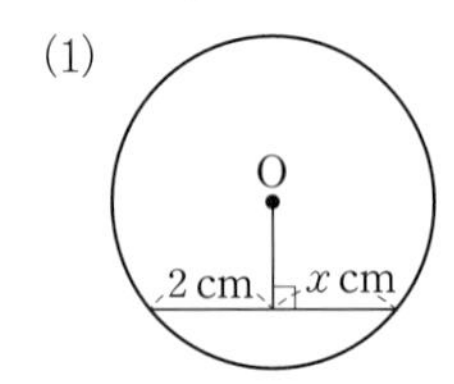

(2)

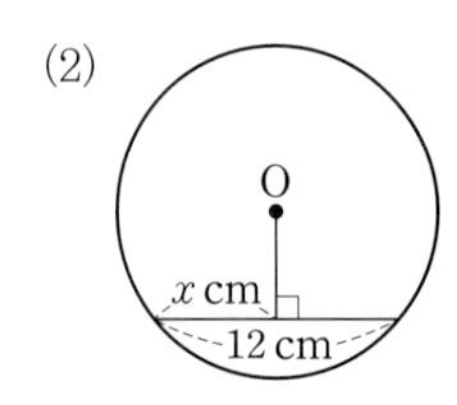

(3)

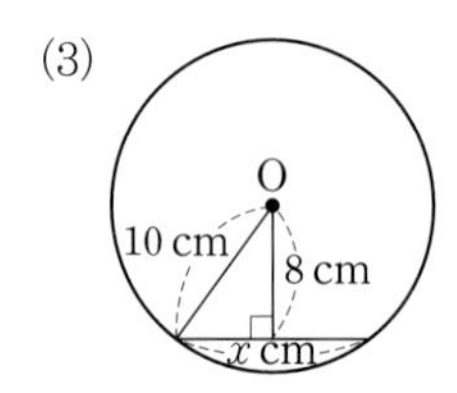

개념 2 현의 길이

(1) 한 원의 중심으로부터 같은 거리에 있는 두 현의 길이는 같다.

➡ $\overline{OM}=\overline{ON}$이면 $\overline{AB}=\overline{CD}$

(2) 한 원에서 길이가 같은 두 현은 원의 중심으로부터 같은 거리에 있다.

➡ $\overline{AB}=\overline{CD}$이면 $\overline{OM}=\overline{ON}$

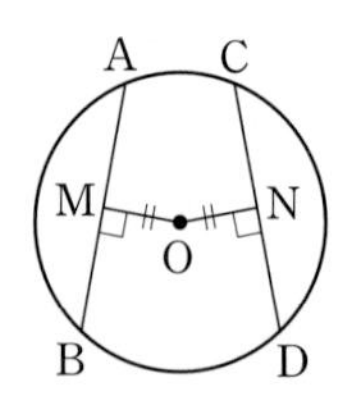

개념 α

▸ 원 O는 △ABC의 외접원이고 $\overline{OM}=\overline{ON}$이면 △ABC는 $\overline{AB}=\overline{AC}$인 이등변삼각형이다.

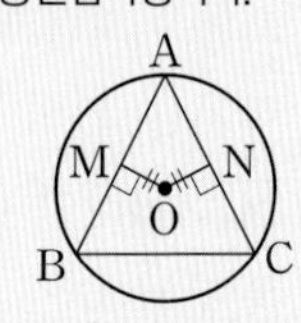

개념확인 02 다음 그림에서 x의 값을 구하여라.

(1)

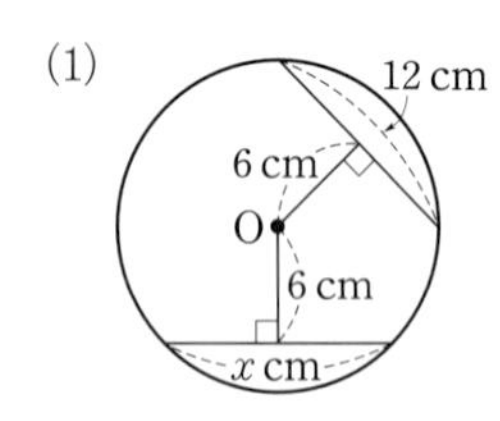

(2)

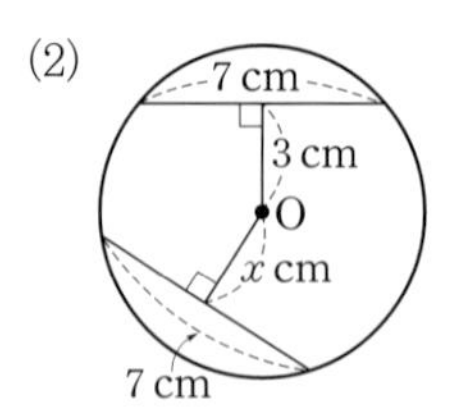

개념확인 03 오른쪽 그림에서 원 O는 △ABC의 외접원이고, $\overline{OM}=\overline{ON}$일 때, 다음 물음에 답하여라.

(1) △ABC는 어떤 삼각형인지 말하여라.

(2) ∠B의 크기를 구하여라.

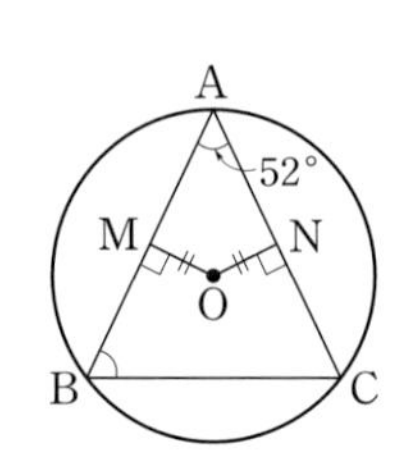

개념 3 원의 접선의 길이

(1) **접선의 길이** : 원 O 밖의 한 점 P에서 원 O에 접선을 그을 때 접점을 각각 A, B라 하면 $\overline{PA}$, $\overline{PB}$의 길이가 점 P에서 원 O에 그은 접선의 길이이다.

(2) 원 O 밖의 한 점 P에서 원 O에 그은 두 접선의 길이는 같다.

➡ $\overline{PA}=\overline{PB}$

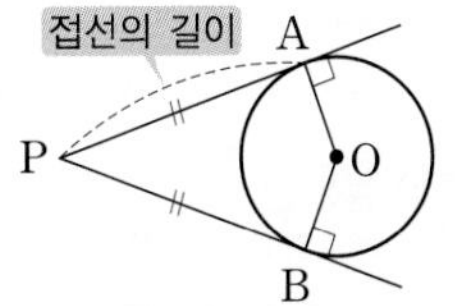

개념 α

▶ 원의 접선과 반지름

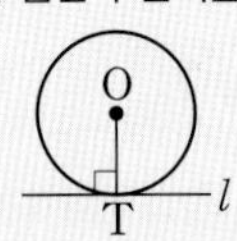

원의 접선은 그 접점을 지나는 반지름과 서로 수직이다. ⇨ $\overline{OT}\perp l$

개념확인 **04** 다음 그림에서 두 반직선 PA, PB는 두 점 A, B를 각각 접점으로 하는 원 O의 접선일 때, x의 값을 구하여라.

(1)

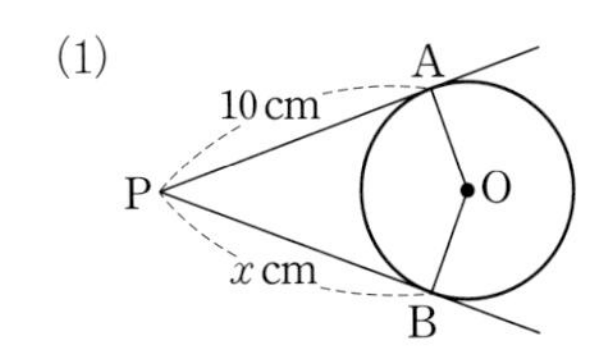

(2)

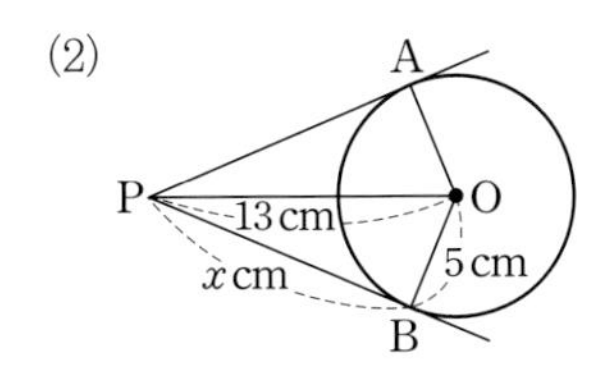

개념 4 삼각형의 내접원과 외접사각형의 성질

(1) **삼각형의 내접원**

원 O가 △ABC에 내접하고 내접원의 반지름의 길이가 r일 때

① $\overline{AD}=\overline{AF}$, $\overline{BD}=\overline{BE}$, $\overline{CE}=\overline{CF}$

② △ABC의 둘레의 길이 : $a+b+c=2(x+y+z)$

③ △ABC의 넓이 : $\frac{1}{2}r(a+b+c)$ → △ABC=△OAB+△OBC+△OCA

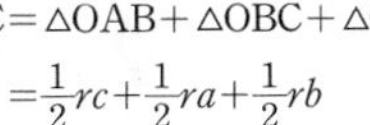

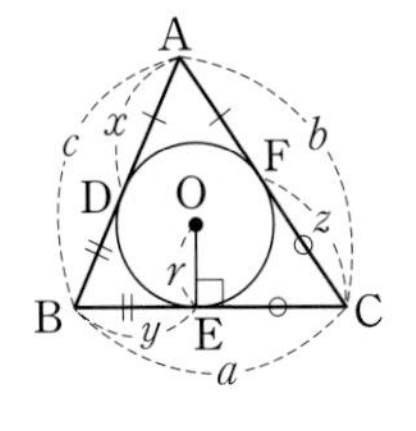

(2) **외접사각형의 성질**

① 원 O의 외접사각형의 두 쌍의 대변의 길이의 합은 서로 같다.

➡ $\overline{AB}+\overline{CD}=\overline{AD}+\overline{BC}$

② 대변의 길이의 합이 서로 같은 사각형은 원에 외접한다.

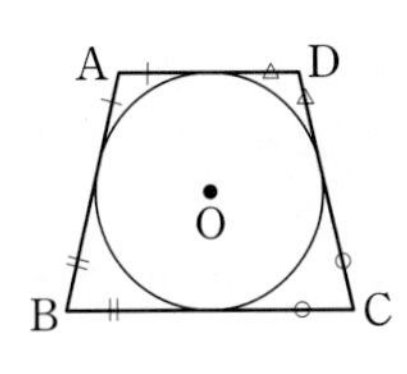

개념 α

▶ 외접사각형의 성질

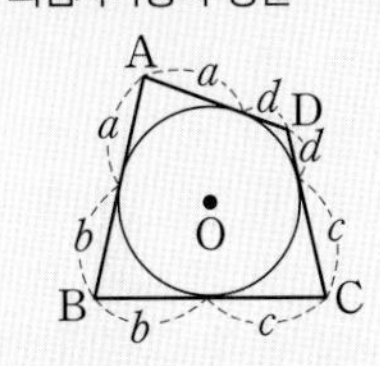

$\overline{AB}+\overline{CD}$
$=(a+b)+(c+d)$
$=(a+d)+(b+c)$
$=\overline{AD}+\overline{BC}$

개념확인 **05** 오른쪽 그림과 같이 △ABC의 내접원 O가 세 점 P, Q, R에서 접하고 있다. $\overline{AP}=3$, $\overline{BQ}=6$, $\overline{CR}=4$일 때, 다음을 구하여라.

(1) $\overline{AR}$의 길이　　(2) $\overline{BP}$의 길이

(3) $\overline{CQ}$의 길이　　(4) △ABC의 둘레의 길이

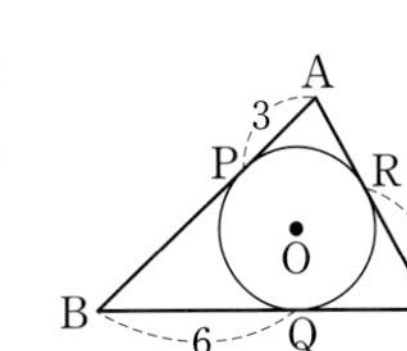

개념확인 **06** 다음 그림에서 □ABCD가 원 O에 외접할 때, x의 값을 구하여라.

(1)

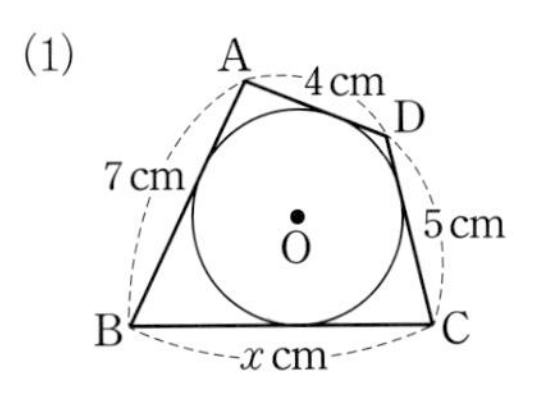

(2)

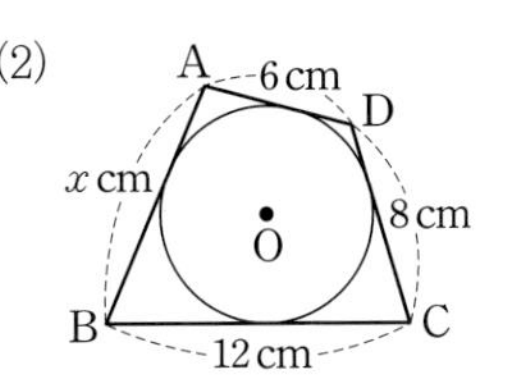

핵심유형으로 개념 정복하기

03. 원과 직선

정답 및 풀이 09쪽

핵심유형 1 현의 수직이등분선 개념❶

오른쪽 그림과 같은 원 O에서 $\overline{OD}\perp\overline{AB}$이고, $\overline{AB}=30$, $\overline{DC}=9$일 때, 원의 반지름의 길이를 구하여라.

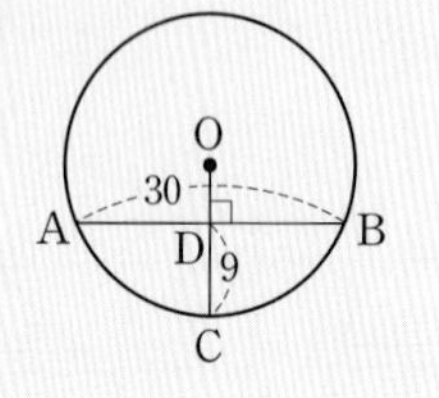

GUIDE
원의 중심에서 현에 내린 수선은 그 현을 이등분한다.

1-1 오른쪽 그림과 같이 반지름의 길이가 5 cm인 원 O에서 $\overline{AB}=8$ cm일 때, x의 값을 구하여라.

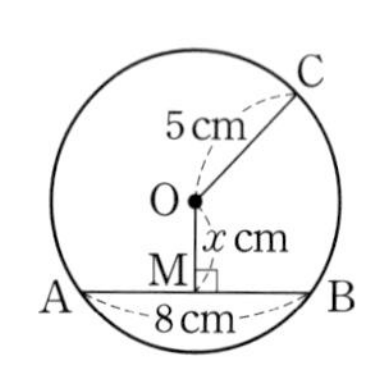

1-2 오른쪽 그림의 원 O에서 $\overline{AB}\perp\overline{OC}$이고, $\overline{OM}=4$ cm, $\overline{MC}=2$ cm일 때, $\overline{AB}$의 길이를 구하여라.

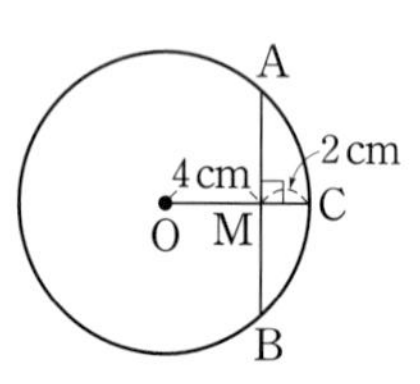

1-3 오른쪽 그림에서 $\overset{\frown}{AB}$는 원의 일부분이다. $\overline{AD}=\overline{BD}$, $\overline{AB}\perp\overline{CD}$이고, $\overline{AB}=12$, $\overline{CD}=2$일 때, 이 원의 반지름의 길이를 구하여라.

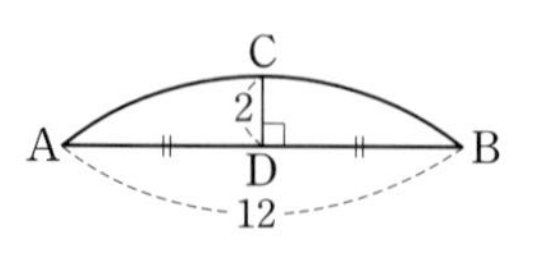

핵심유형 2 현의 길이 개념❷

오른쪽 그림과 같은 원 O에서 $\overline{OB}=5$, $\overline{OM}=\overline{ON}=4$일 때, $\overline{CD}$의 길이를 구하여라.

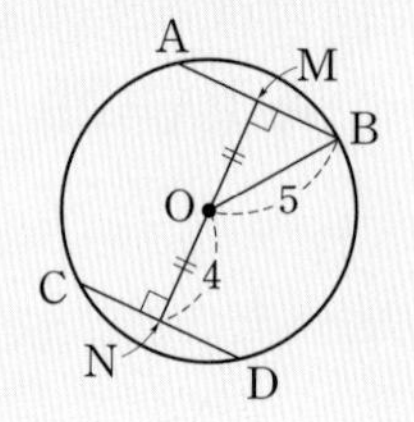

GUIDE
한 원의 중심으로부터 같은 거리에 있는 두 현의 길이는 같다.

2-1 오른쪽 그림과 같은 원 O에서 $\overline{OC}=10$ cm, $\overline{AB}=\overline{CD}=16$ cm일 때, $\overline{OM}+\overline{ON}$의 길이를 구하여라.

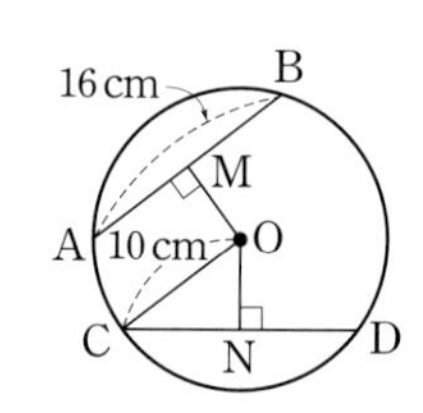

2-2 오른쪽 그림과 같이 원 O의 중심에서 두 현 AB, AC에 내린 수선의 발을 각각 M, N이라 하자. $\overline{OM}=\overline{ON}$, $\angle ABC=48°$일 때, $\angle MON$의 크기를 구하여라.

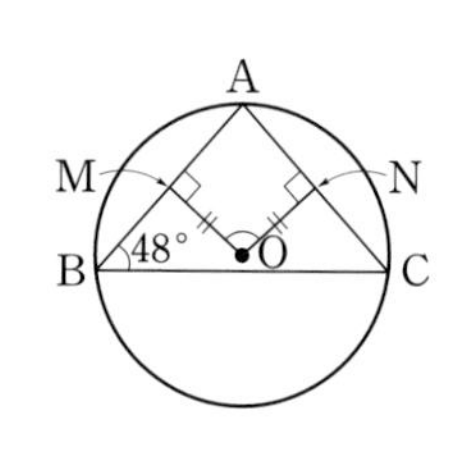

2-3 오른쪽 그림과 같은 원 O에서 $\overline{OD}=\overline{OE}=\overline{OF}$, $\overline{AD}=4$ cm일 때, $\triangle ABC$의 넓이를 구하여라.

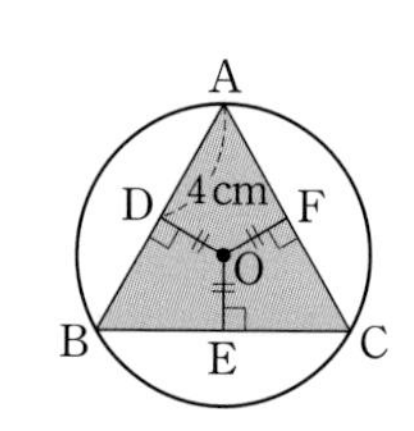

핵심유형 3 원의 접선의 길이 개념❸

오른쪽 그림에서 점 A, B는 원 O 밖의 한 점 P에서 원 O에 각각 그은 두 접선의 접점이다. $\angle APB=70^\circ$일 때, $\angle PAB$의 크기를 구하여라.

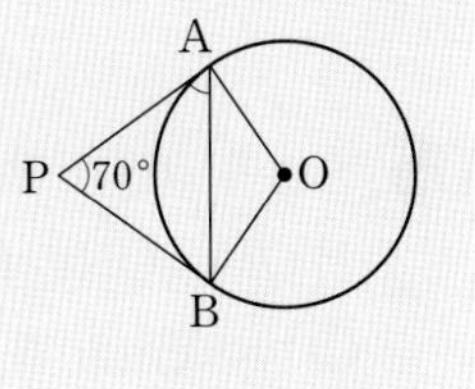

GUIDE
원 밖의 한 점에서 그 원에 그은 두 접선의 길이는 같다.

3-1 오른쪽 그림에서 반직선 PT는 원 O의 접선이고 점 T는 접점이다. $\overline{PT}=8$ cm, $\overline{PA}=4$ cm일 때, 원 O의 반지름의 길이를 구하여라.

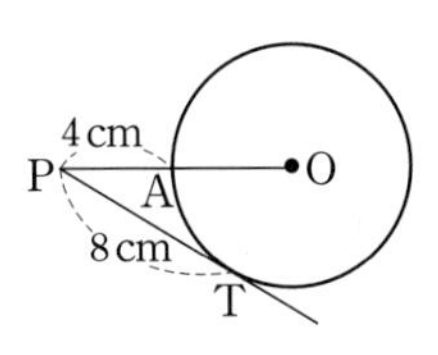

3-2 오른쪽 그림에서 $\overrightarrow{AD}$, $\overrightarrow{AF}$, $\overline{BC}$는 원 O의 접선이고 세 점 D, E, F는 접점이다. $\overline{AB}=9$ cm, $\overline{AC}=8$ cm, $\overline{BC}=7$ cm일 때, $\overline{CF}$의 길이를 구하여라.

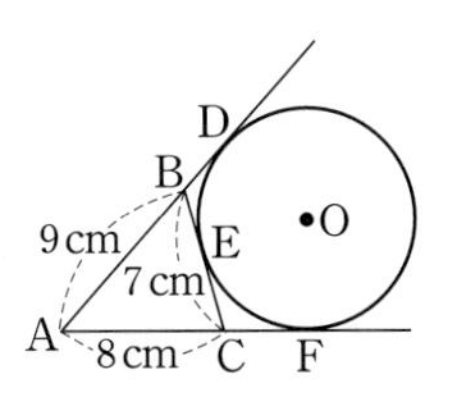

3-3 오른쪽 그림에서 두 점 C, D는 원 O의 지름 AB의 양 끝점에서 그은 접선과 원 O 위의 한 점 P에서 그은 접선이 각각 만나는 점이다. $\overline{AC}=3$ cm, $\overline{BD}=5$ cm일 때, $\overline{CD}$의 길이를 구하여라.

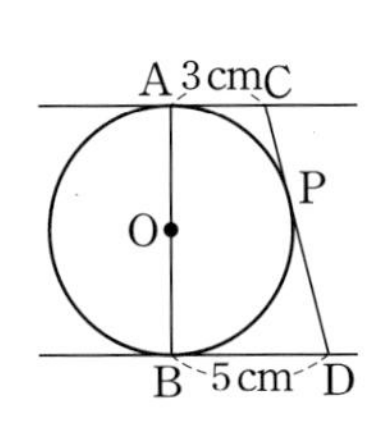

핵심유형 4 삼각형의 내접원과 외접사각형의 성질 개념❹

오른쪽 그림에서 □ABCD는 네 점 E, F, G, H에서 원 O에 접한다. 이때 $\overline{AH}+\overline{CF}$의 길이를 구하여라.

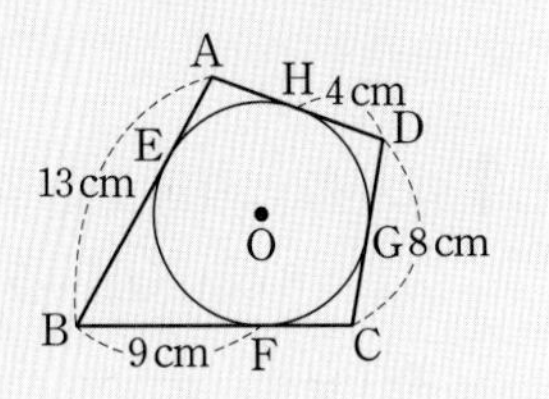

GUIDE
외접사각형의 두 쌍의 대변의 길이의 합은 서로 같다.

4-1 오른쪽 그림에서 □ABCD는 원 O에 외접하고 $\overline{AD}=7$ cm, $\overline{AB}=11$ cm이다. $\overline{BC}:\overline{CD}=3:2$일 때, $\overline{BC}$의 길이를 구하여라.

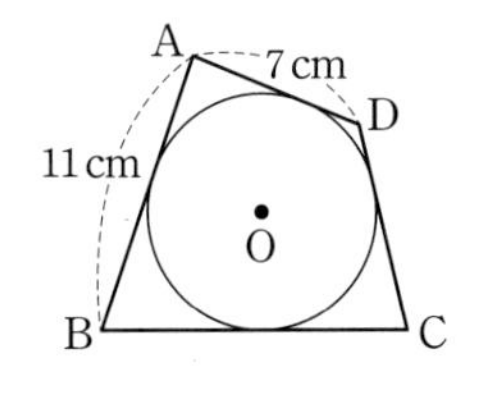

4-2 오른쪽 그림에서 원 O는 △ABC의 내접원이고 세 점 D, E, F는 그 접점일 때, $\overline{AD}$의 길이를 구하여라.

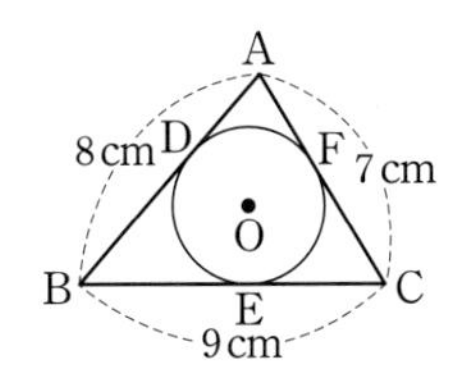

4-3 오른쪽 그림에서 □ABCD는 반지름의 길이가 4 cm인 원 O에 외접하고 네 점 E, F, G, H는 그 접점이다. $\angle B=90^\circ$, $\overline{BC}=11$ cm, $\overline{CD}=10$ cm일 때, $\overline{DH}$의 길이를 구하여라.

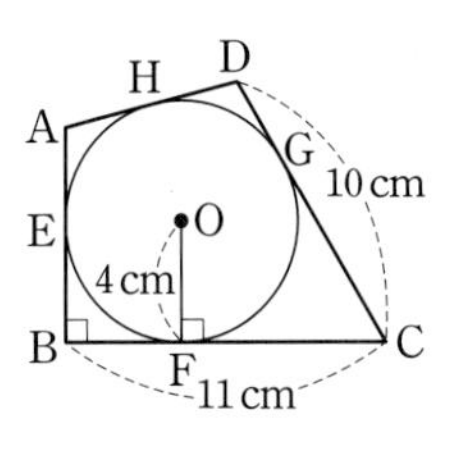

기출문제로 실력 다지기

정답 및 풀이 10쪽

01 오른쪽 그림과 같은 원 O에서 $\overline{AB}=8$ cm, $\overline{OH}=5$ cm일 때, x의 값은?

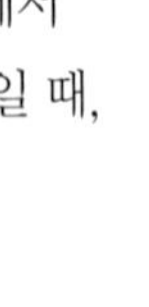

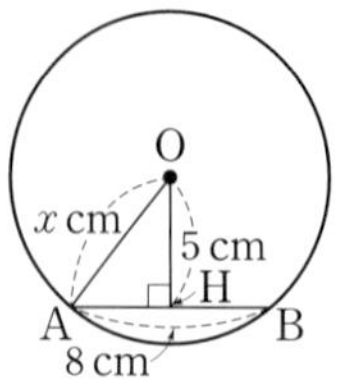

① $\sqrt{35}$ ② 6 ③ $\sqrt{37}$ ④ $\sqrt{39}$ ⑤ $\sqrt{41}$

02 오른쪽 그림과 같은 원 O의 반지름의 길이는?

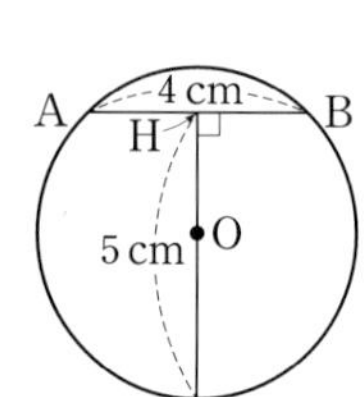

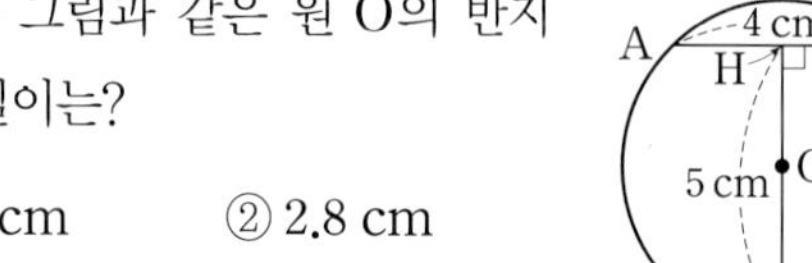

① 2.7 cm ② 2.8 cm ③ 2.9 cm ④ 3 cm ⑤ 3.1 cm

03 오른쪽 그림과 같이 중심이 O로 같은 두 원에서 $\overline{OP}$와 작은 원의 교점을 M, 큰 원의 현 PQ와 작은 원의 접점을 T라 하자. $\overline{OM}=6$ cm, $\overline{PM}=4$ cm일 때, $\overline{PQ}$의 길이를 구하여라.

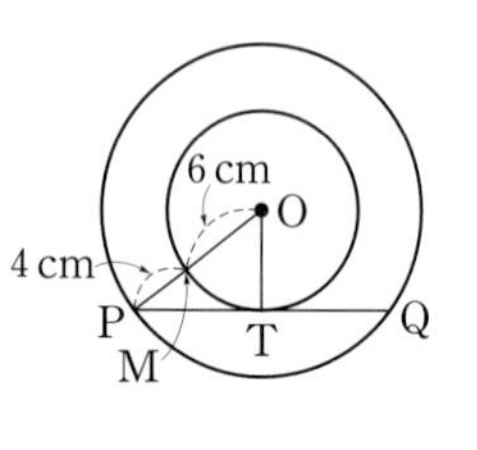

내신 up

04 오른쪽 그림과 같이 반지름의 길이가 8 cm인 원 O를 현 AB를 접는 선으로 하여 접었더니 $\overset{\frown}{AB}$가 원의 중심 O를 지나게 되었다. 이때 $\overline{AB}$의 길이는?

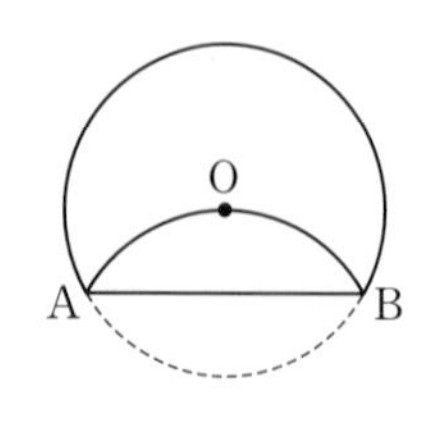

① 8 cm ② $8\sqrt{2}$ cm ③ $8\sqrt{3}$ cm ④ 9 cm ⑤ $9\sqrt{3}$ cm

05 오른쪽 그림과 같은 원 O에서 $\overline{OM}=\overline{ON}=4$ cm, $\overline{CD}=8$ cm일 때, x의 값을 구하여라.

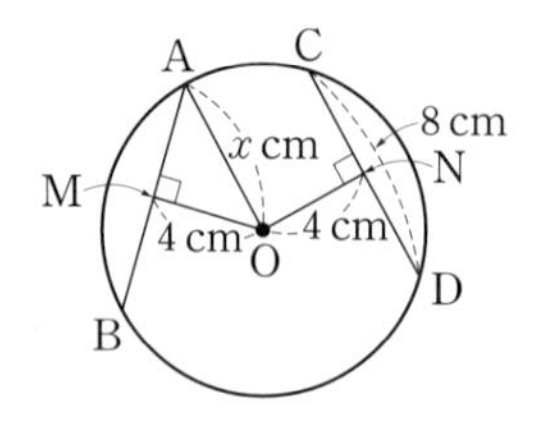

잘나와요

06 오른쪽 그림에서 $\overline{OM}=\overline{ON}$, $\angle MON=150°$일 때, $\angle ACB$의 크기는?

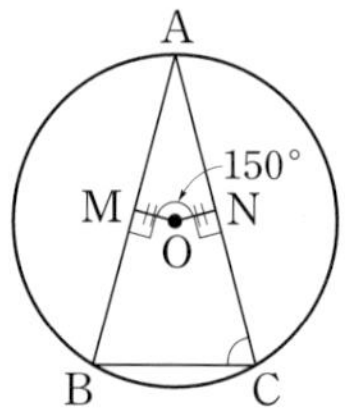

① 60° ② 65° ③ 70° ④ 75° ⑤ 80°

07 오른쪽 그림의 원 O에서 두 점 A, B는 점 P에서 원 O에 그은 두 접선의 접점일 때, x의 값을 구하여라.

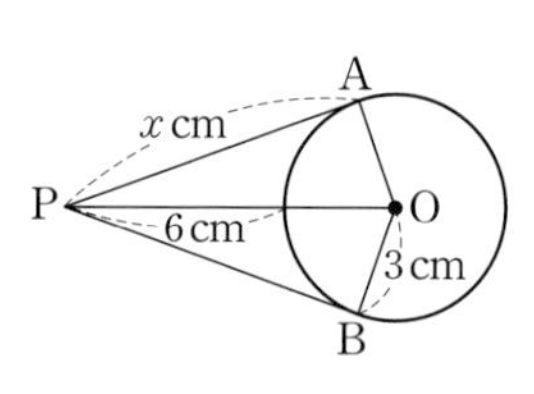

내신 up

08 오른쪽 그림에서 $\overline{BC}$, $\overline{AE}$, $\overline{AF}$는 각각 세 점 D, E, F를 접점으로 하는 원 O의 접선일 때, △ABC의 둘레의 길이를 구하여라.

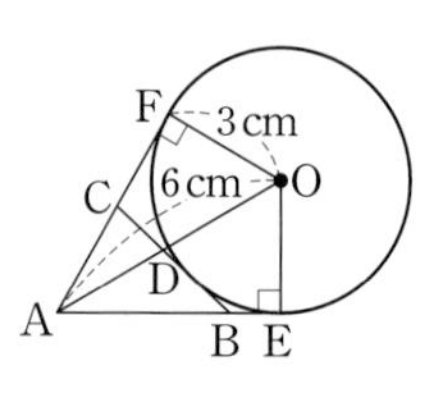

09 오른쪽 그림과 같이 원 O의 지름 AB의 양 끝점에서 그은 접선과 원 O 위의 점 P에서 그은 접선이 만나는 점을 각각 C, D라 할 때, $\overline{AB}$의 길이를 구하여라.

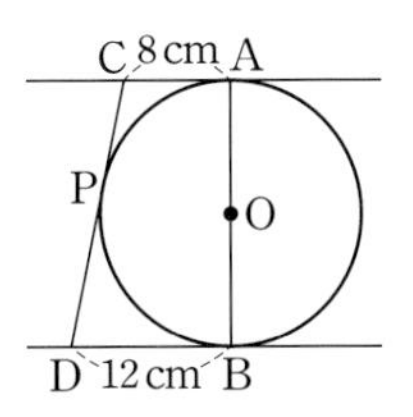

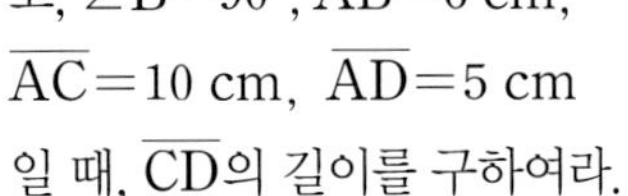

10 오른쪽 그림에서 원 O는 △ABC의 내접원이고, 세 점 D, E, F는 접점이다. $\overline{AD}=4$ cm, $\overline{AB}=11$ cm, $\overline{AC}=10$ cm일 때, $\overline{BC}$의 길이를 구하여라.

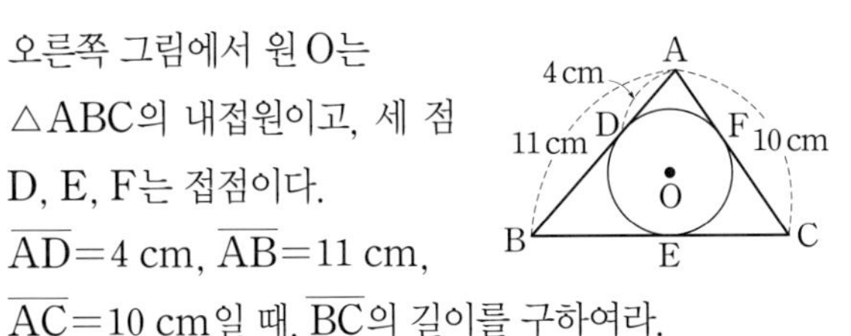

11 오른쪽 그림에서 원 O는 △ABC의 내접원이고 세 점 D, E, F는 접점일 때, $\overline{BE}-\overline{CF}$의 길이를 구하여라.

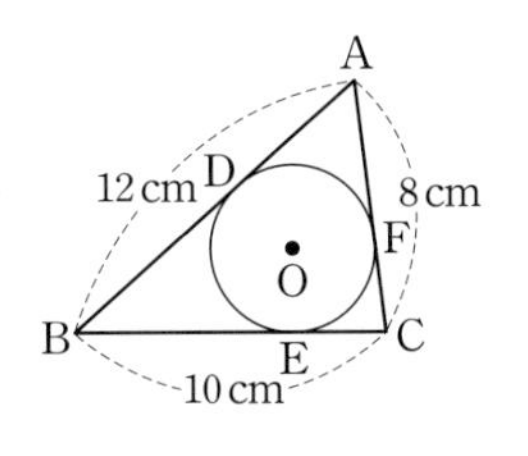

잘나와요

12 오른쪽 그림과 같이 □ABCD는 원 O에 외접하고, $\overline{AB}=6$ cm, $\overline{BC}=9$ cm, $\overline{AD}=5$ cm일 때, $\overline{CD}$의 길이는?

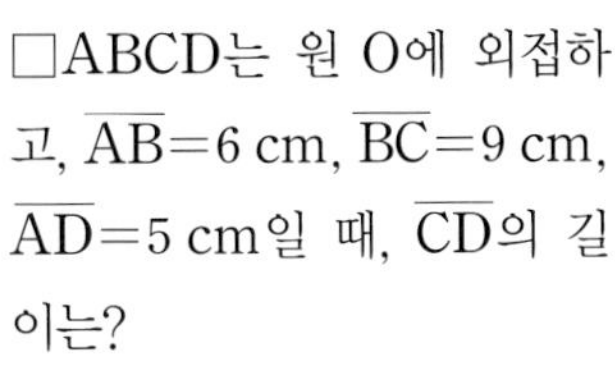

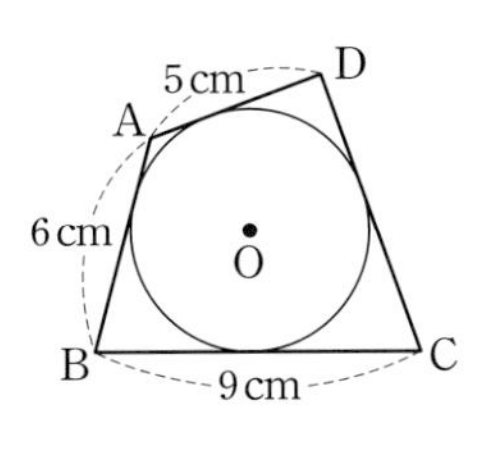

① 6 cm ② 6.5 cm ③ 7 cm
④ 7.5 cm ⑤ 8 cm

13 오른쪽 그림과 같이 □ABCD가 원 O에 외접하고, ∠B=90°, $\overline{AB}=6$ cm, $\overline{AC}=10$ cm, $\overline{AD}=5$ cm일 때, $\overline{CD}$의 길이를 구하여라.

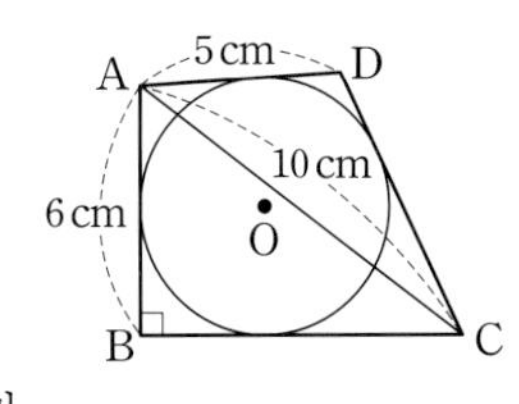

서·술·형·문·제

풀이 과정을 자세히 쓰시오.

14 진흙에 쇠구슬을 떨어뜨렸더니 오른쪽 그림과 같은 구덩이가 생겼다. 이 쇠구슬의 반지름의 길이를 구하여라.

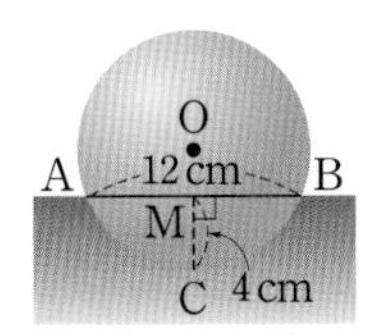

[단계] ❶ 쇠구슬의 반지름의 길이를 r cm로 놓고 반지름의 길이를 구하는 식 세우기
❷ 쇠구슬의 반지름의 길이 구하기

답 ______________

15 오른쪽 그림에서 원 O는 ∠C=90°인 △ABC의 내접원이고, 세 점 D, E, F는 접점이다. $\overline{AC}=3$ cm, $\overline{BC}=4$ cm일 때, 원 O의 반지름의 길이를 구하여라.

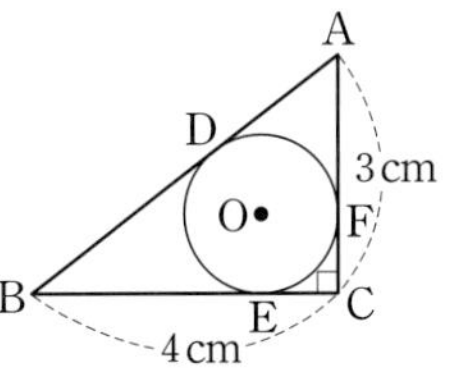

답 ______________

66쪽 기출문제로 내신대비로 반복학습하세요!

04 원주각

정답 및 풀이 11쪽

개념 1 원주각과 중심각의 크기

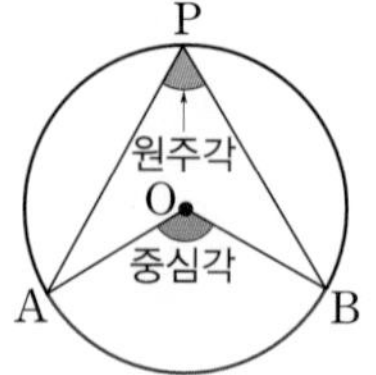

(1) **원주각** : 원 O에서 호 AB 위에 있지 않은 원 위의 한 점 P에 대하여 ∠APB를 호 AB에 대한 원주각이라 한다.

(2) **원주각과 중심각 사이의 관계** : 한 원에서 한 호에 대한 원주각의 크기는 그 호에 대한 중심각의 크기의 $\frac{1}{2}$이다.

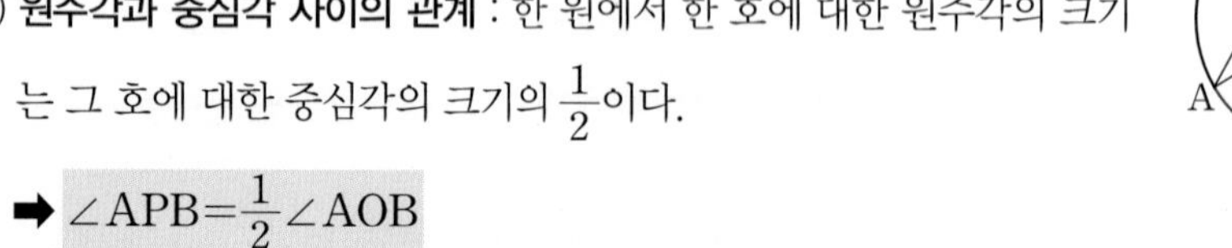

➡ $\angle APB = \frac{1}{2}\angle AOB$

개념 α

▸ 한 원에서 한 호에 대한 중심각은 1개이고, 원주각은 무수히 많다.

개념확인 **01** 다음 그림에서 $\angle x$의 크기를 구하여라.

(1)

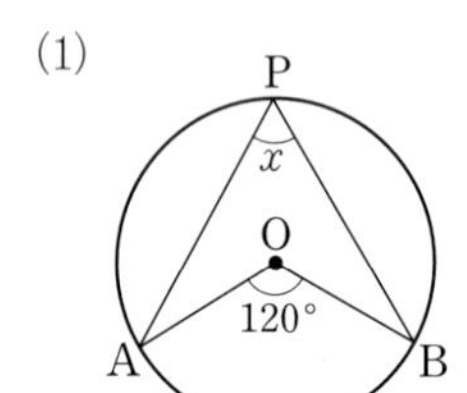

(2)

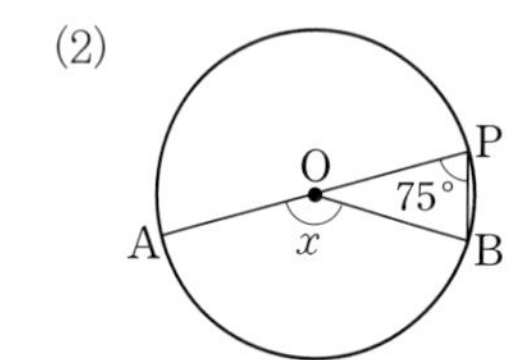

(3)

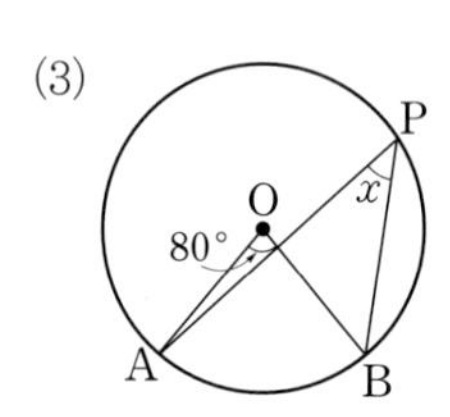

개념 2 원주각의 성질

(1) 한 원에서 한 호에 대한 원주각의 크기는 모두 같다.

➡ $\angle APB = \angle AQB = \angle ARB$

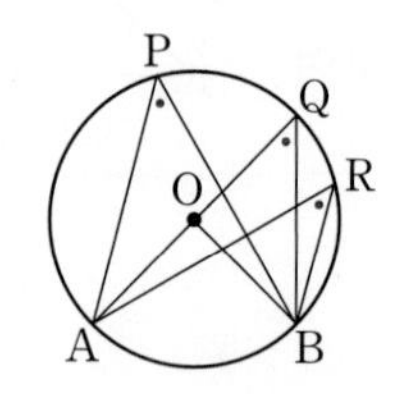

(2) 반원에 대한 원주각의 크기는 90°이다.

➡ $\angle APB = 90^\circ$

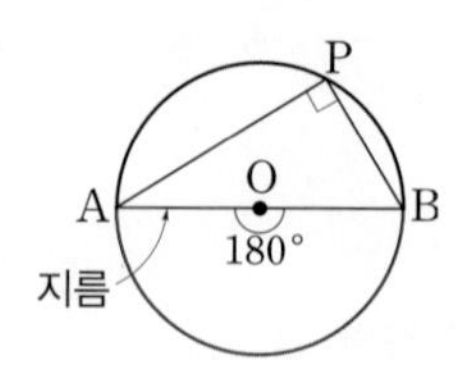

개념 α

▸ 한 호에 대한 원주각
$\angle APB = \angle AQB$
$= \angle ARB = \frac{1}{2}\angle AOB$

▸ 반원에 대한 원주각
중심각의 크기는 180°이므로
$\angle APB = \frac{1}{2} \times 180^\circ$
$= 90^\circ$

개념확인 **02** 다음 그림에서 $\angle x$의 크기를 구하여라.

(1)

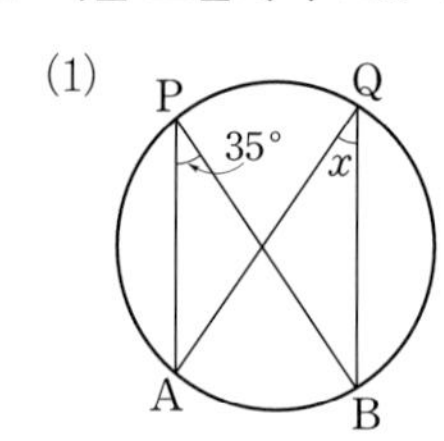

(2)

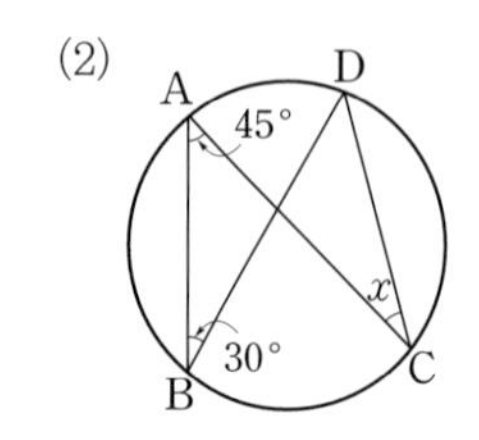

(3)

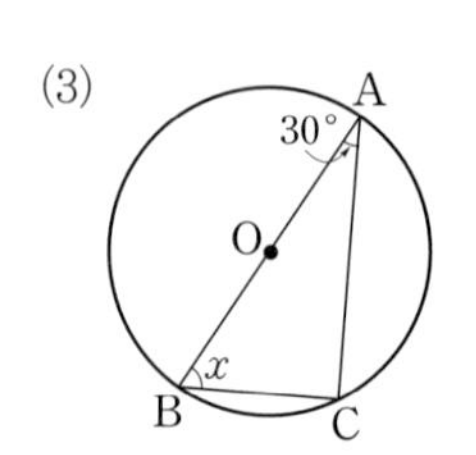

개념 ③ 원주각의 크기와 호의 길이

한 원에서

(1) 길이가 같은 호에 대한 원주각의 크기는 서로 같다.

➡ $\widehat{AB}=\widehat{CD}$이면 $\angle APB=\angle CQD$

(2) 크기가 같은 원주각에 대한 호의 길이는 서로 같다.

➡ $\angle APB=\angle CQD$이면 $\widehat{AB}=\widehat{CD}$

(3) 호의 길이는 그 호에 대한 원주각의 크기에 정비례한다.

주의 원주각의 크기와 현의 길이는 정비례하지 않는다.

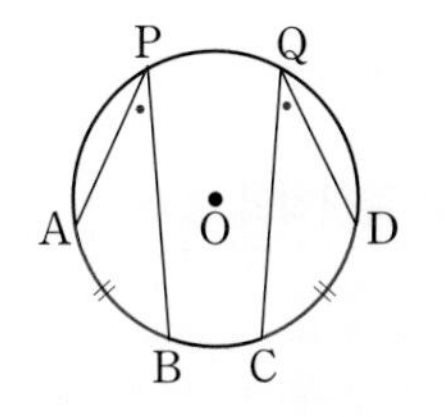

개념 α

▸ 호의 길이는 그 호에 대한 중심각의 크기에 정비례하므로 그 호에 대한 원주각의 크기에도 정비례한다.

개념확인 03 다음 그림에서 x의 값을 구하여라.

(1)

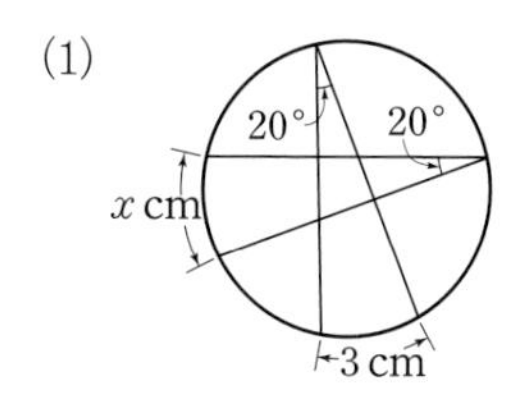

(2)

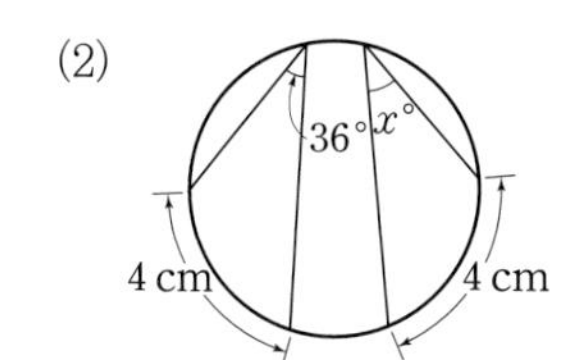

(3)

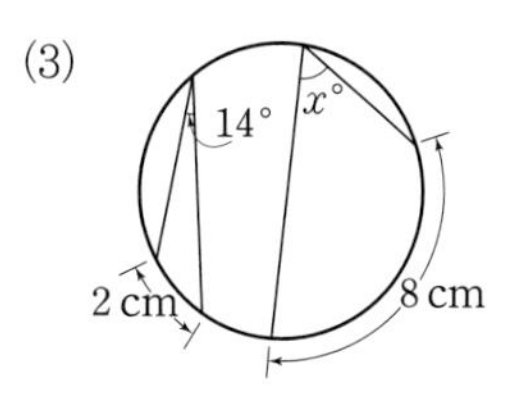

개념 ④ 네 점이 한 원 위에 있을 조건

두 점 C, D가 직선 AB에 대하여 같은 쪽에 있을 때

$\angle ACB=\angle ADB$이면 네 점 A, B, C, D는 한 원 위에 있다.

참고 네 점 A, B, C, D가 한 원 위에 있으면 $\angle ACB=\angle ADB$이다.

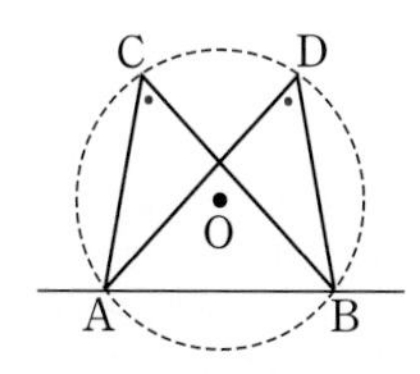

개념 α

▸ 직선 AB에 대하여 두 점 C, D가 다른 방향에 있으면 $\angle ACB=\angle ADB$이어도 네 점 A, B, C, D는 한 원 위에 있다고 할 수 없다.

개념확인 04 다음 그림 중에서 네 점 A, B, C, D가 한 원 위에 있는 것을 모두 찾아라.

(1)

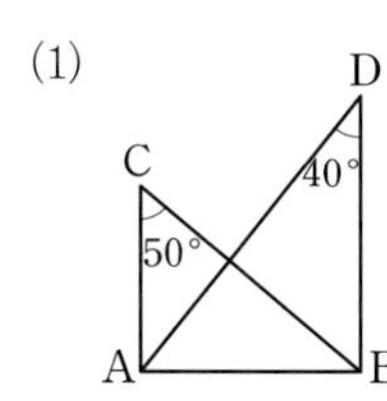

(2)

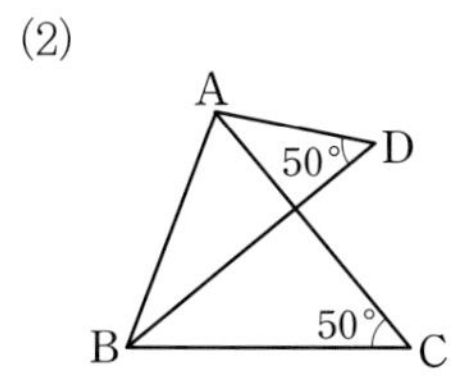

(3)

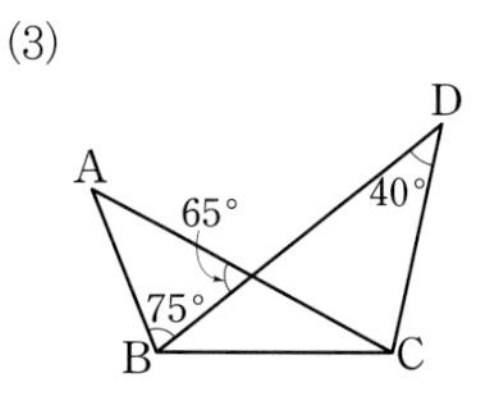

개념확인 05 오른쪽 그림에서 네 점 A, B, C, D가 한 원 위에 있도록 하는 $\angle x$의 크기를 구하여라.

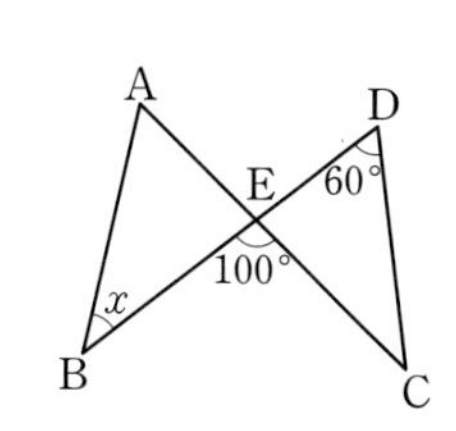

핵심유형으로 개념 정복하기

정답 및 풀이 11쪽

핵심유형 1 원주각과 중심각의 크기 개념❶

오른쪽 그림의 원 O에서 $\angle D=110^\circ$일 때, $\angle x+\angle y$의 크기를 구하여라.

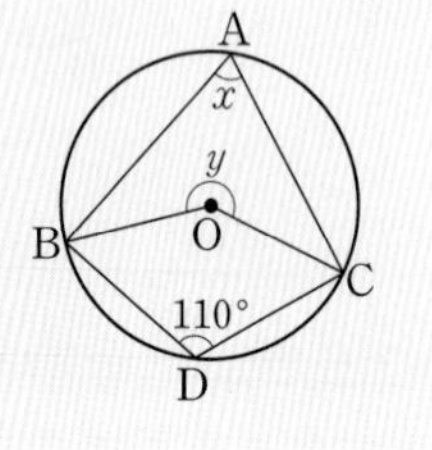

GUIDE

한 호에 대한 원주각의 크기는 중심각의 크기의 $\frac{1}{2}$이다.

1-1 오른쪽 그림의 원 O에서 $\angle x$의 크기를 구하여라.

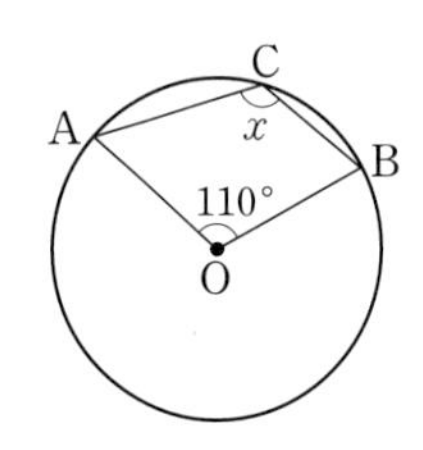

1-2 오른쪽 그림에서 $\overline{PA}$, $\overline{PB}$는 원 O의 접선이고, 두 점 A, B는 접점이다. $\angle APB=40^\circ$일 때, $\angle x$의 크기는?

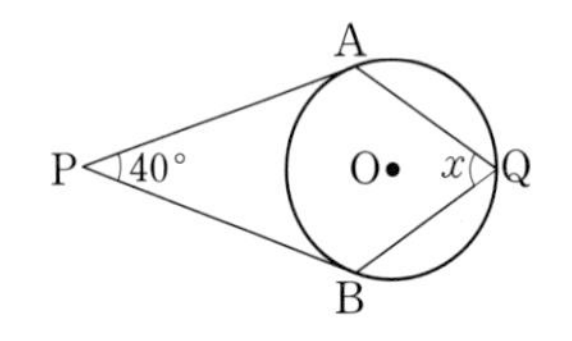

① 60° ② 65° ③ 70°
④ 75° ⑤ 80°

1-3 오른쪽 그림의 원 O에서 $\angle ACD=28^\circ$, $\angle BED=30^\circ$일 때, $\angle AOB$의 크기를 구하여라.

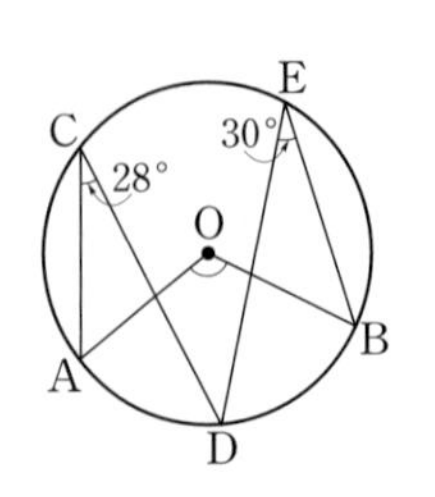

핵심유형 2 원주각의 성질 개념❷

오른쪽 그림에서 $\overline{AC}$는 원 O의 지름이고 $\angle DBC=60^\circ$일 때, $\angle x$의 크기를 구하여라.

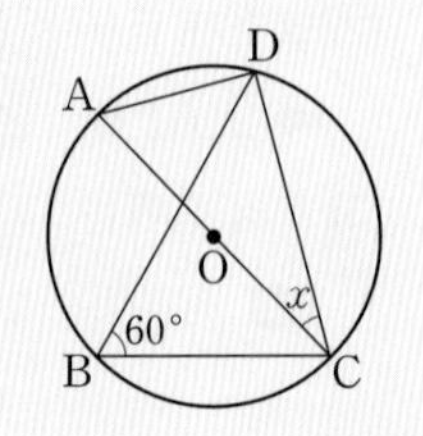

GUIDE

반원에 대한 원주각의 크기는 90°이고, 한 호에 대한 원주각의 크기는 서로 같다.

2-1 오른쪽 그림에서 $\angle D=25^\circ$, $\angle E=35^\circ$일 때, $\angle x$의 크기는?

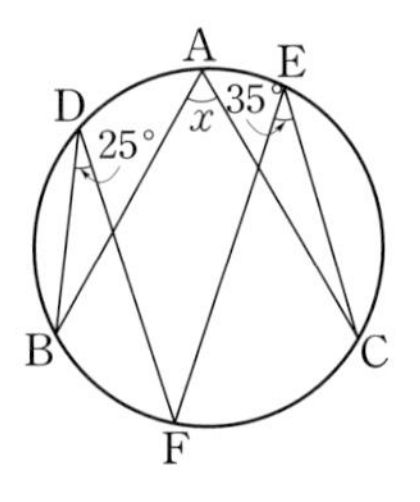

① 50° ② 55°
③ 60° ④ 65°
⑤ 70°

2-2 오른쪽 그림에서 $\overline{AB}$는 원 O의 지름이고, $\angle APR=50^\circ$일 때, $\angle x$의 크기를 구하여라.

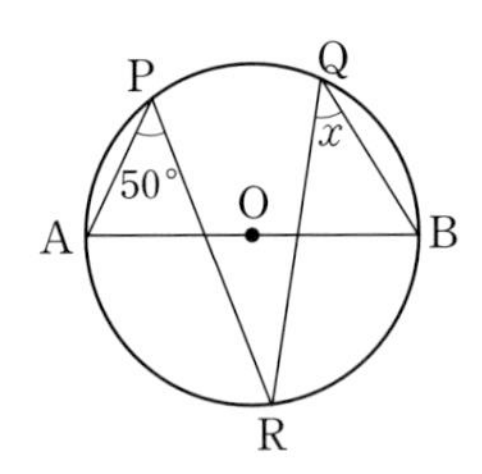

2-3 오른쪽 그림에서 $\overline{AC}$, $\overline{BD}$의 연장선의 교점을 P, $\overline{AD}$, $\overline{CB}$의 교점을 Q라 할 때, $\angle x$의 크기를 구하여라.

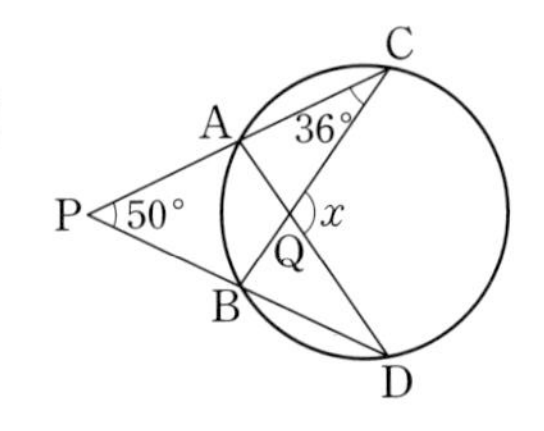

핵심유형 3 원주각의 크기와 호의 길이 개념 ❸

오른쪽 그림에서 $\widehat{AB}$는 원의 둘레의 길이의 $\frac{1}{12}$이고, $\widehat{CD}$는 원의 둘레의 길이의 $\frac{1}{9}$일 때, $\angle APB$의 크기를 구하여라.

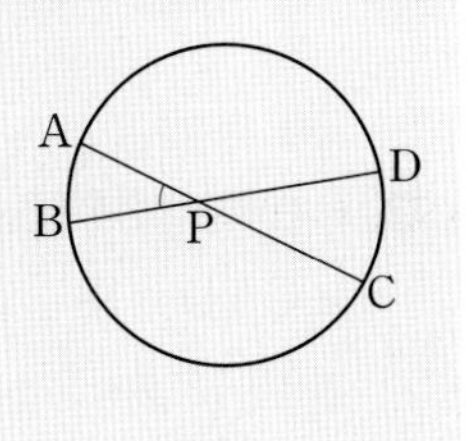

GUIDE
한 원에서 모든 호에 대한 원주각의 크기의 합은 $180°$이고, 원주각의 크기와 호의 길이는 정비례한다.

3-1 오른쪽 그림에서 $\widehat{AC}=\widehat{BD}$이고 $\angle ABC=26°$일 때, $\angle x$의 크기를 구하여라.

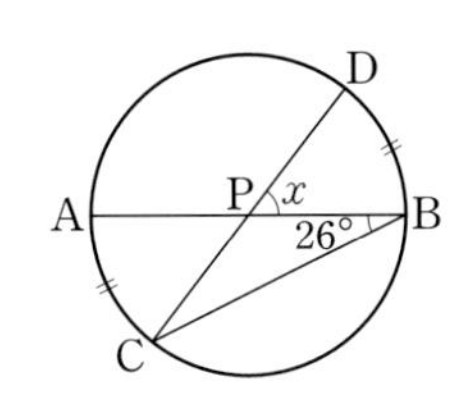

3-2 오른쪽 그림의 원 O에서
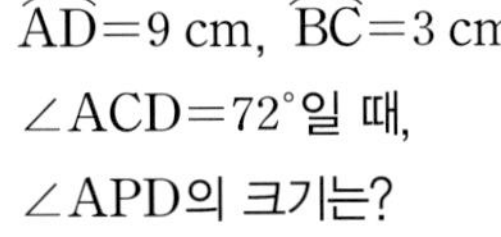
$\widehat{AD}=9$ cm, $\widehat{BC}=3$ cm, $\angle ACD=72°$일 때, $\angle APD$의 크기는?

① $40°$　② $42°$　③ $44°$
④ $46°$　⑤ $48°$

3-3 오른쪽 그림에서 $\triangle ABC$는 원 O에 내접하고
$\widehat{AB} : \widehat{BC} : \widehat{CA}=3 : 4 : 5$
일 때, $\angle B$의 크기를 구하여라.

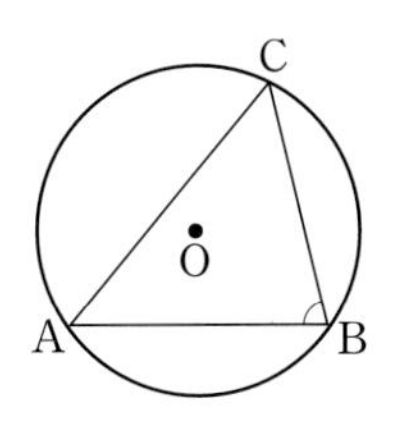

핵심유형 4 네 점이 한 원 위에 있을 조건 개념 ❹

다음 중 네 점 A, B, C, D가 한 원 위에 있지 않은 것은?

①　②　③　④　⑤

GUIDE
한 직선에 대하여 같은 쪽에 있는 각의 크기가 같은지 확인한다.

4-1 다음 보기 중 네 점 A, B, C, D가 한 원 위에 있는 것을 모두 골라라.

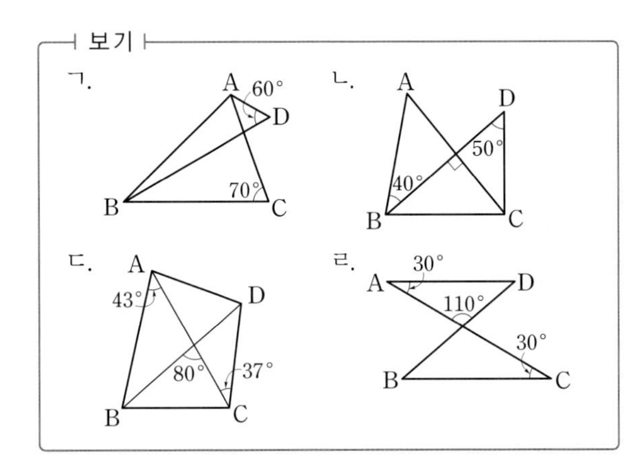

4-2 오른쪽 그림에서 네 점 A, B, C, D는 한 원 위에 있을 때, $\angle DPC$의 크기는?

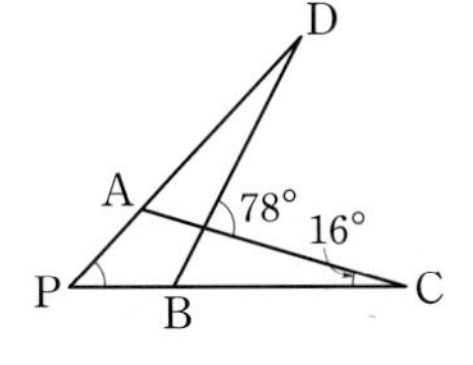

① $44°$　② $46°$
③ $48°$　④ $50°$
⑤ $52°$

정답 및 풀이 12쪽

잘나와요

01 오른쪽 그림의 원 O에서 $\angle ACB=55°$일 때, $\angle x$의 크기는?

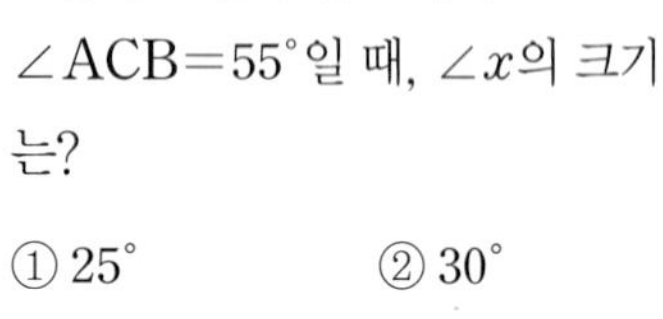

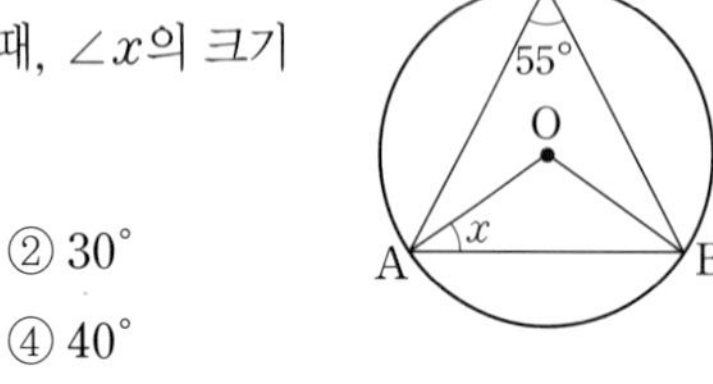

① 25° ② 30° ③ 35° ④ 40° ⑤ 45°

02 오른쪽 그림의 원 O에서 $\angle ACB=50°$, $\angle DOB=60°$일 때, $\angle x$의 크기는?

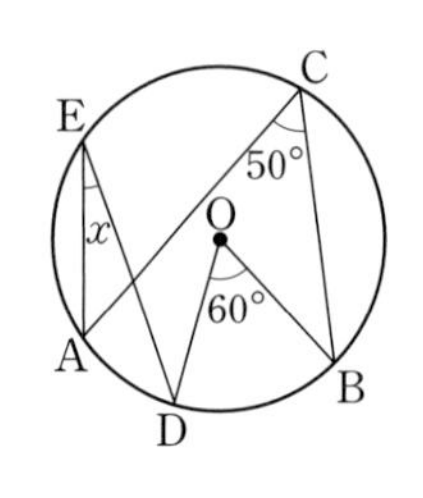

① 10° ② 15° ③ 20° ④ 25° ⑤ 30°

03 무대의 길이가 8 m인 원 모양의 공연장이 있다. 오른쪽 그림과 같이 공연장 무대의 양 끝을 바라본 각의 크기가 30°일 때, 이 공연장의 지름의 길이를 구하여라.

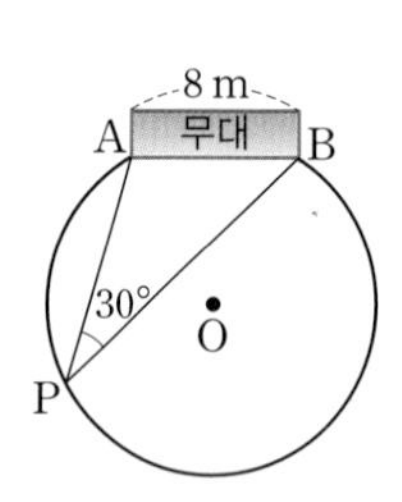

내신 up

04 오른쪽 그림의 원 O에서 $\overrightarrow{TA}$, $\overrightarrow{TB}$는 접선이고, 두 점 A, B는 접점이다. $\angle ATB=70°$일 때, $\angle x-\angle y$의 크기를 구하여라.

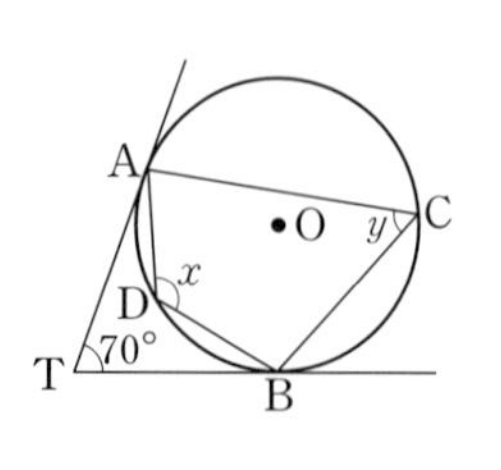

05 오른쪽 그림의 원 O에서 $\angle CAD=18°$, $\angle APB=68°$일 때, $\angle y-\angle x$의 크기는?

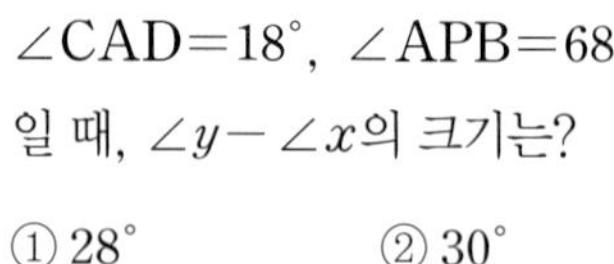

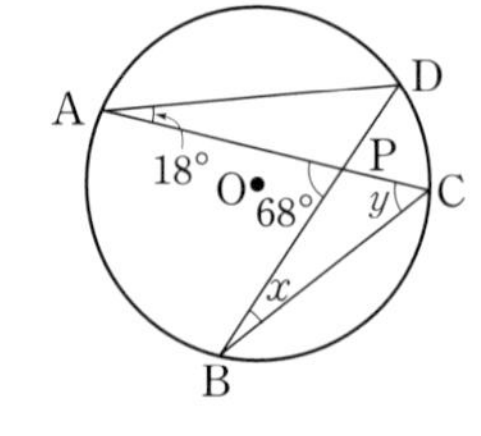

① 28° ② 30° ③ 32° ④ 34° ⑤ 36°

06 오른쪽 그림에서 $\overline{AB}$는 원 O의 지름이고 $\angle BAD=34°$일 때, $\angle x$의 크기는?

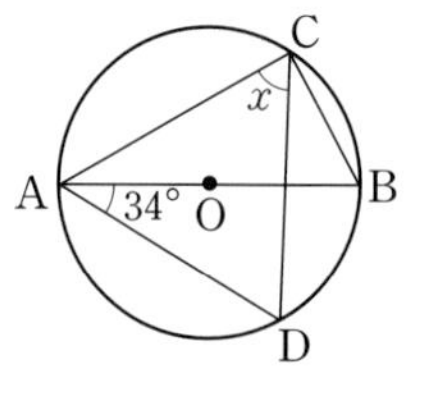

① 54° ② 56° ③ 58° ④ 60° ⑤ 62°

07 오른쪽 그림과 같은 반원 O에서 $\angle APB=56°$일 때, $\angle x$의 크기를 구하여라.

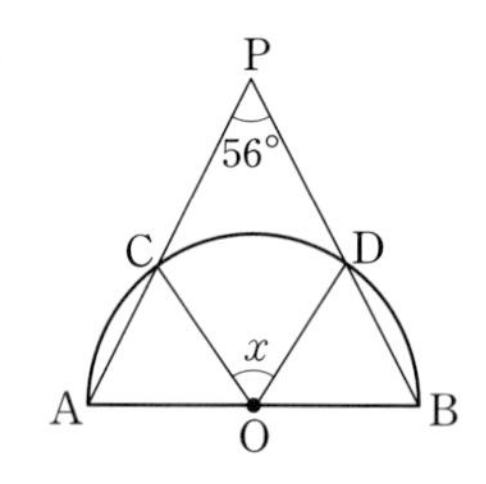

내신 up

08 오른쪽 그림과 같이 원 O에 내접하는 △ABC에서 $\tan A=2$, $\overline{BC}=4\sqrt{3}$일 때, 원 O의 지름의 길이를 구하여라.

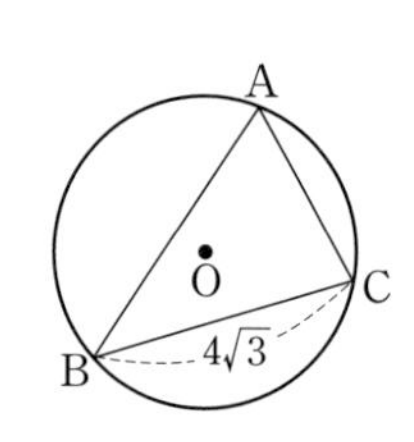

09 오른쪽 그림에서 $\overline{AB}$는 원 O의 지름이고, $\overset{\frown}{AC} : \overset{\frown}{CB} = 2 : 3$, $\overset{\frown}{AD} : \overset{\frown}{DB} = 1 : 2$일 때, $\angle BPD$의 크기는?

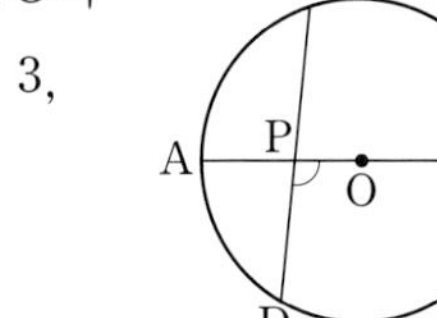
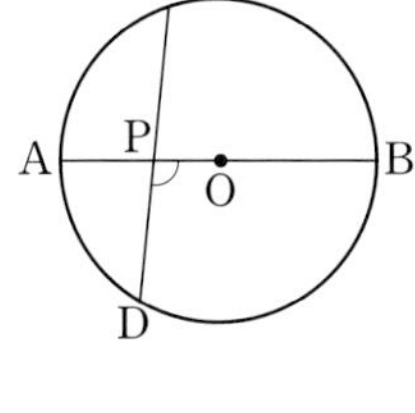

① $94°$ ② $96°$ ③ $98°$ ④ $100°$ ⑤ $102°$

잘나와요
10 오른쪽 그림에서 $\overline{AD}$는 원 O의 지름이고, $\overset{\frown}{BC} = 3\text{ cm}$, $\overset{\frown}{DE} = 5\text{ cm}$이다. $\angle ADE = 50°$일 때, $\angle x$의 크기를 구하여라.

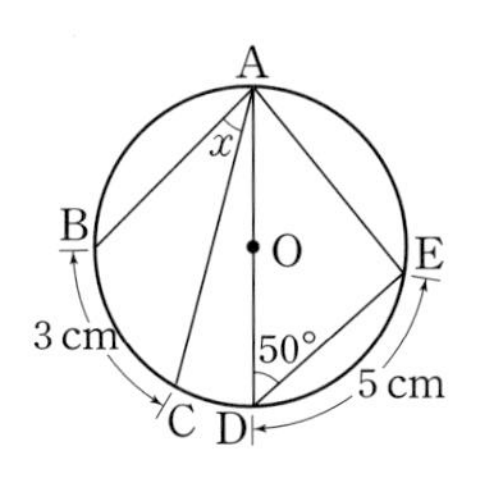

11 오른쪽 그림에서 원 O의 두 현 AB와 CD가 이루는 각의 크기가 $60°$이다. $\overset{\frown}{AD} = 2\pi$, $\overset{\frown}{CB} = 4\pi$일 때, $\angle BAC$의 크기를 구하여라.

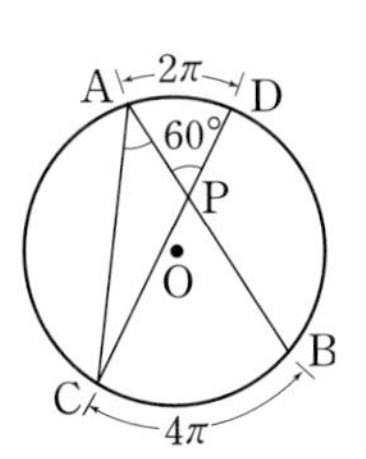

12 다음 중 네 점 A, B, C, D가 한 원 위에 있는 것은?

①
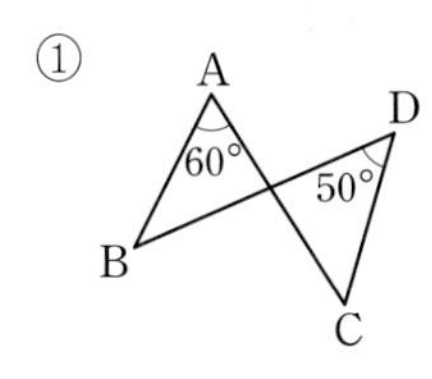

②
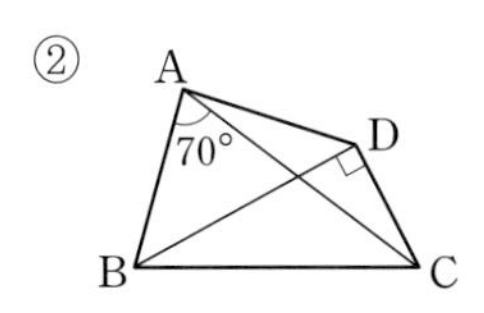

③
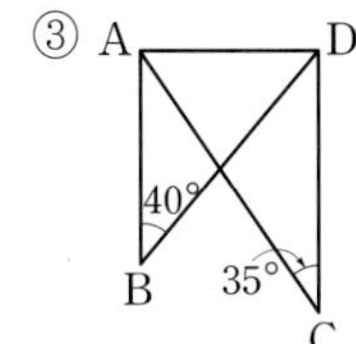

④
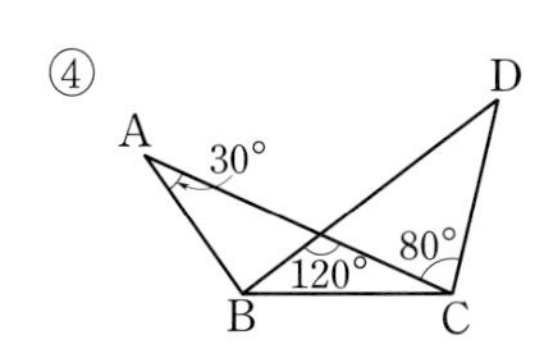

⑤
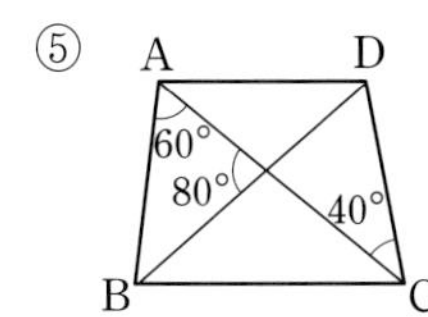

13 오른쪽 그림에서 네 점 A, B, C, D가 한 원 위에 있을 때, $\angle x - \angle y$의 크기는?

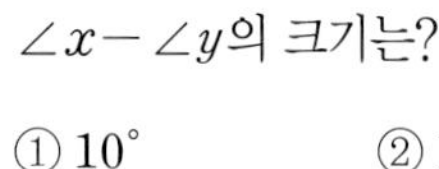

① $10°$ ② $12°$ ③ $15°$ ④ $18°$ ⑤ $20°$

서·술·형·문·제

풀이 과정을 자세히 쓰시오.

14 오른쪽 그림에서 점 P는 원 O의 두 현 AB, CD의 연장선의 교점이다. $\angle AOC = 80°$, $\angle BOD = 30°$일 때, $\angle x$의 크기를 구하여라.

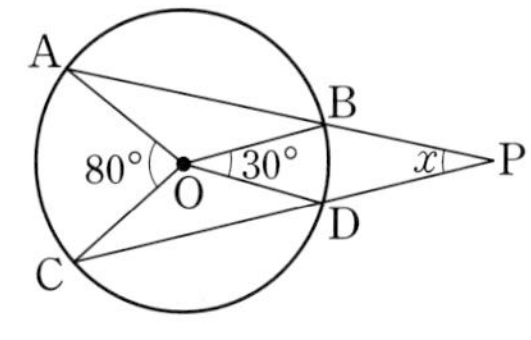

[단계] ❶ $\angle ADC$의 크기 구하기
❷ $\angle DAB$의 크기 구하기
❸ $\angle x$의 크기 구하기

답 ______

15 오른쪽 그림의 원에서 $\angle BPD = 50°$이고, $\overset{\frown}{AC} : \overset{\frown}{BD} = 2 : 7$일 때, $\angle BQD$의 크기를 구하여라.

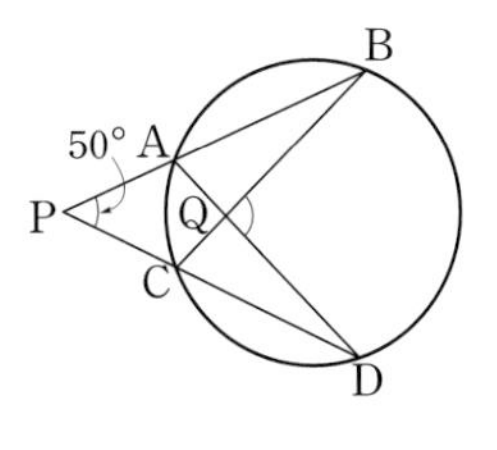

답 ______

68쪽 기출문제로 내신대비로 반복학습하세요!

05 원주각의 활용

정답 및 풀이 13쪽

개념 1 원에 내접하는 사각형의 성질

(1) 원에 내접하는 사각형의 성질

원에 내접하는 사각형에서

① 한 쌍의 대각의 크기의 합은 180°이다.

➡ $\angle A+\angle C=\angle B+\angle D=180^\circ$

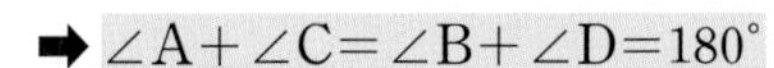

② 한 외각의 크기는 그 내대각의 크기와 같다.

➡ $\angle DCE=\angle A$

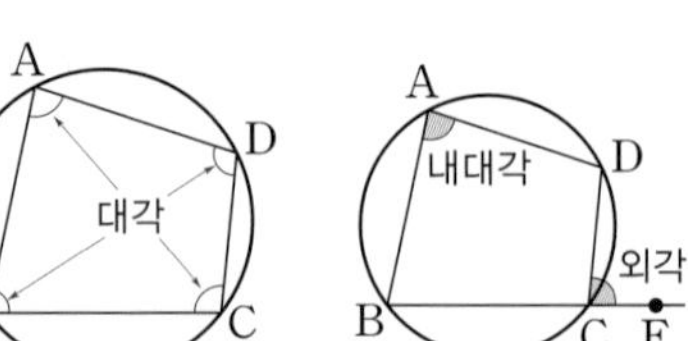

(2) 사각형이 원에 내접하기 위한 조건

① 한 쌍의 대각의 크기의 합이 180°인 사각형은 원에 내접한다.

② 한 외각의 크기와 그 내대각의 크기가 같은 사각형은 원에 내접한다.

개념 α

▸ 원에 항상 내접하는 사각형
① 정사각형
② 직사각형
③ 등변사다리꼴

개념확인 **01** 다음 □ABCD 중에서 원에 내접하는 것을 모두 찾아라.

(1)

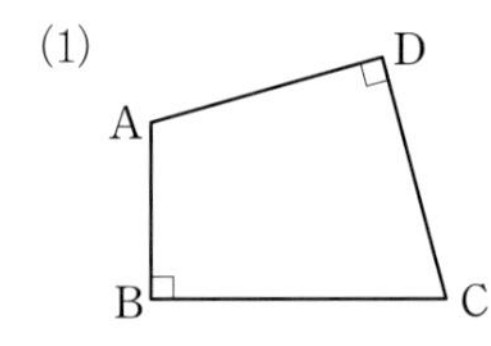

(2)

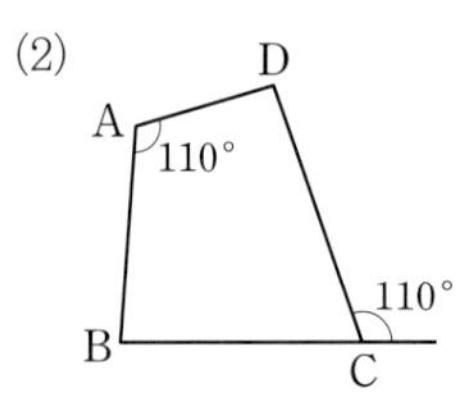

(3)

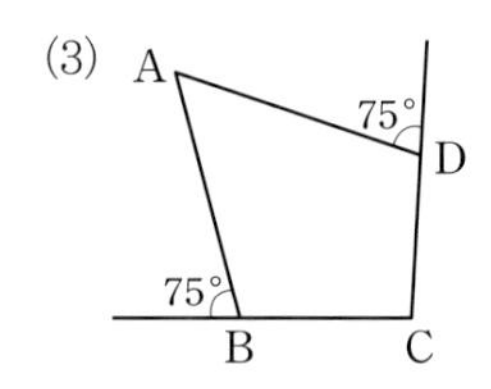

개념 2 접선과 현이 이루는 각

원의 접선과 그 접점을 지나는 현이 이루는 각의 크기는 그 각의 내부에 있는 호에 대한 원주각의 크기와 같다.

➡ $\angle BAT=\angle BCA$

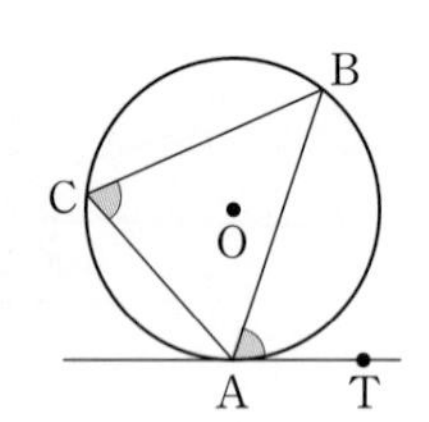

개념 α

▸ 접선이 되기 위한 조건
원 O에서
$\angle BAT=\angle BCA$이면
직선 AT는 이 원의 접선이다.

개념확인 **02** 다음 그림에서 $\overleftrightarrow{AT}$가 원 O의 접선일 때, $\angle x$, $\angle y$의 크기를 각각 구하여라.

(1)

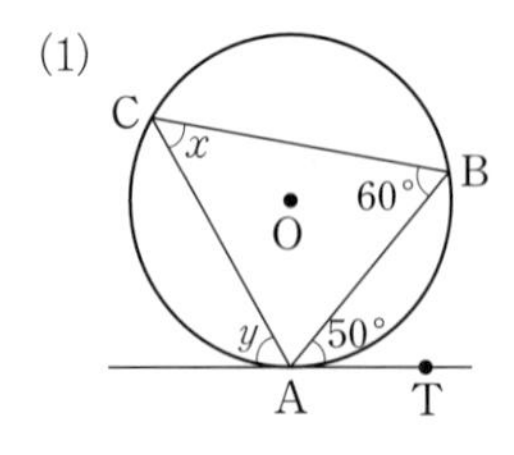

(2)

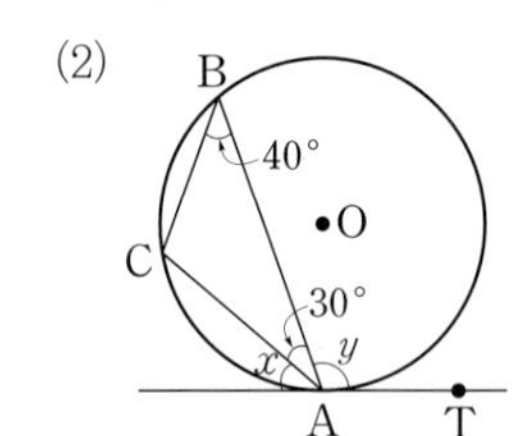

정답 및 풀이 13쪽

핵심유형 1 원에 내접하는 사각형의 성질 개념❶

오른쪽 그림과 같이 □ABCD가 원 O에 내접하고 $\angle BCD=108^\circ$일 때, $\angle x+\angle y$의 크기를 구하여라.

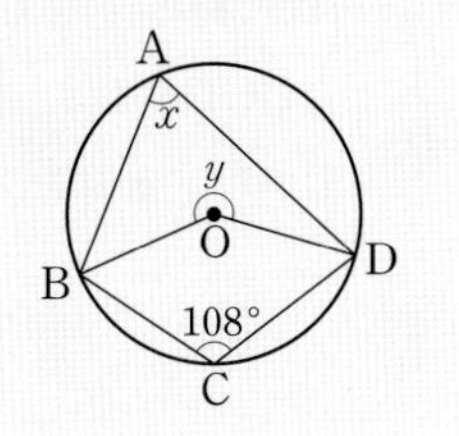

GUIDE
□ABCD가 원에 내접하면 두 쌍의 대각의 크기의 합이 180°이다.

1-1 오른쪽 그림과 같이 원 O에 내접하는 □ABCD가 있다. $\angle BOD=160^\circ$일 때, $\angle x$의 크기를 구하여라.

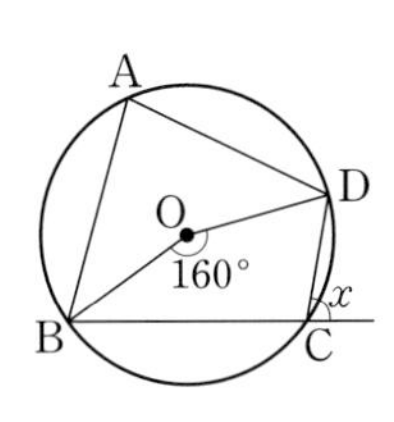

1-2 다음 중 □ABCD가 원에 내접하지 않는 것을 모두 고르면? (정답 2개)

①
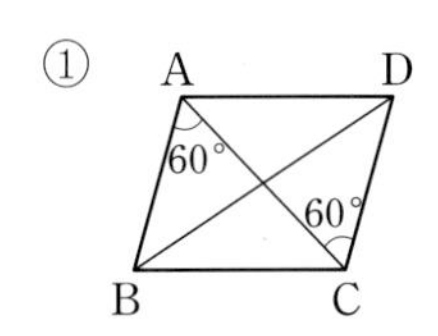

②
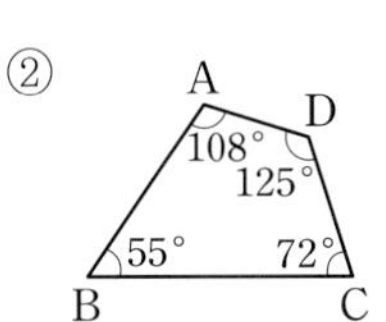

③
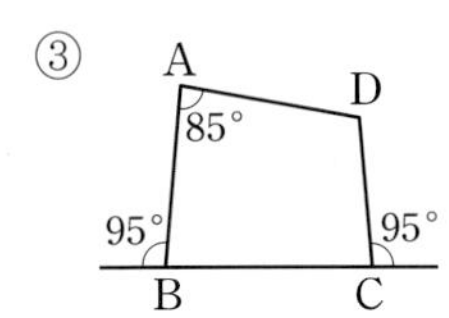

④
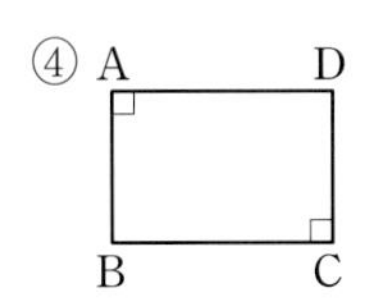

⑤
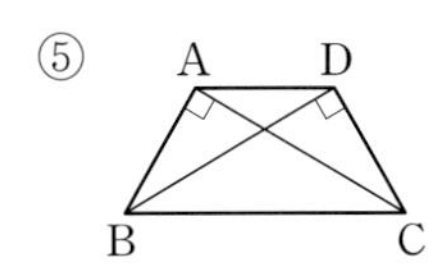

1-3 오른쪽 그림과 같이 □ABCD가 원에 내접할 때, $\angle x$의 크기를 구하여라.

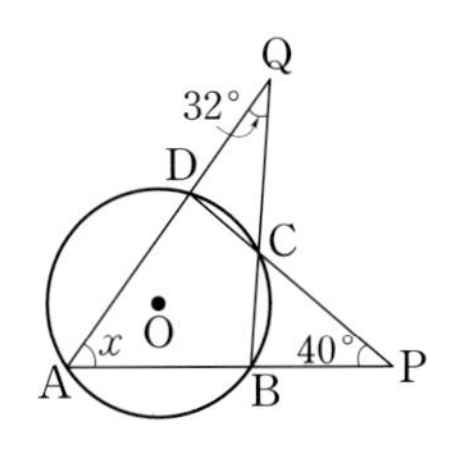

핵심유형 2 접선과 현이 이루는 각 개념❷

오른쪽 그림의 원 O에서 $\overleftrightarrow{AT}$는 원의 접선이고, 점 A가 접점이다. $\angle CAT=75^\circ$일 때, $\angle x+\angle y$의 크기를 구하여라.

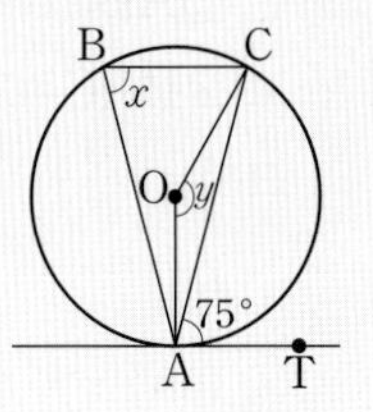

GUIDE
원의 접선과 그 접점을 지나는 현이 이루는 각의 크기는 그 각의 내부에 있는 호에 대한 원주각의 크기와 같다.

2-1 오른쪽 그림에서 $\overrightarrow{PT}$는 원 O의 접선이고, $\overline{AB}$는 지름일 때, $\angle APT$의 크기를 구하여라.

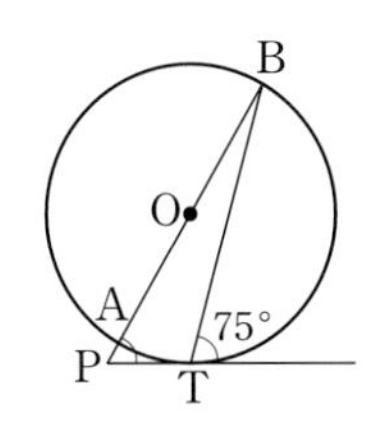

2-2 오른쪽 그림과 같이 지름의 길이가 12 cm인 원 O에서 $\overleftrightarrow{PT}$는 접선이고, $\angle BPT=60^\circ$일 때, $\overline{BP}$의 길이는?

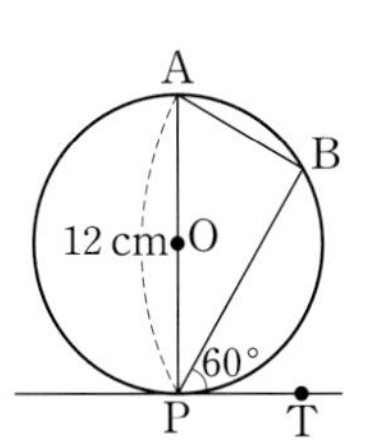

① 6 cm ② 8 cm
③ $6\sqrt{2}$ cm ④ $6\sqrt{3}$ cm
⑤ 10 cm

2-3 오른쪽 그림에서 원 O는 △ABC의 내접원이면서 △DEF의 외접원이다. $\angle ABC=46^\circ$, $\angle DEF=50^\circ$일 때, $\angle x$의 크기는?

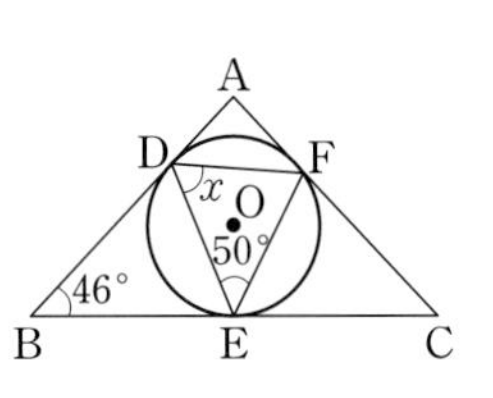

① 50° ② 52° ③ 55°
④ 60° ⑤ 63°

기출문제로 실력 다지기

정답 및 풀이 14쪽

01 오른쪽 그림과 같이 원에 내접하는 □ABCD에서 $\overline{AB}=\overline{AC}$이고 $\angle BAC=38°$일 때, $\angle x$의 크기는?

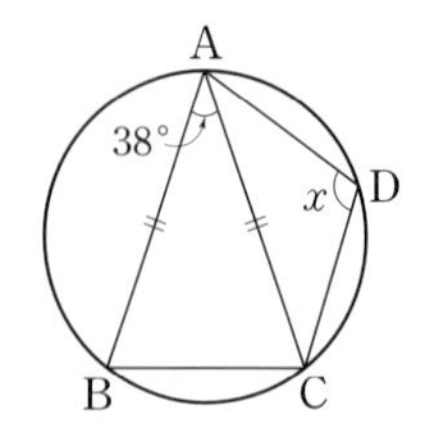

① 105° ② 107° ③ 109° ④ 111° ⑤ 113°

02 오른쪽 그림과 같이 □ABCD는 원에 내접하고, $\overline{DA}$와 $\overline{CB}$의 연장선은 점 P에서 만난다. $\angle DPC=40°$, $\angle ABC=110°$일 때, $\angle x$의 크기를 구하여라.

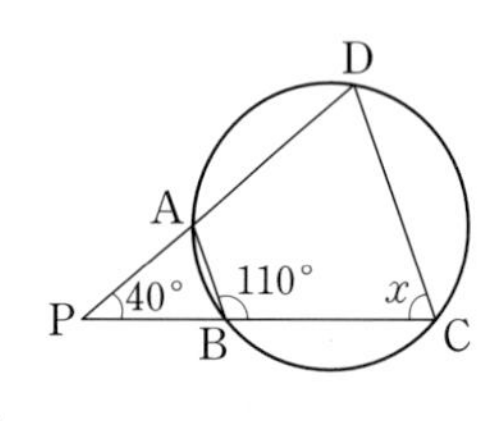

03 오른쪽 그림에서 □ABCD는 원에 내접하고, $\overline{AD}$와 $\overline{BC}$의 연장선의 교점을 P, $\overline{AB}$와 $\overline{CD}$의 연장선의 교점을 Q라 하자. $\angle APB=30°$, $\angle BQC=40°$일 때, $\angle x$의 크기를 구하여라.

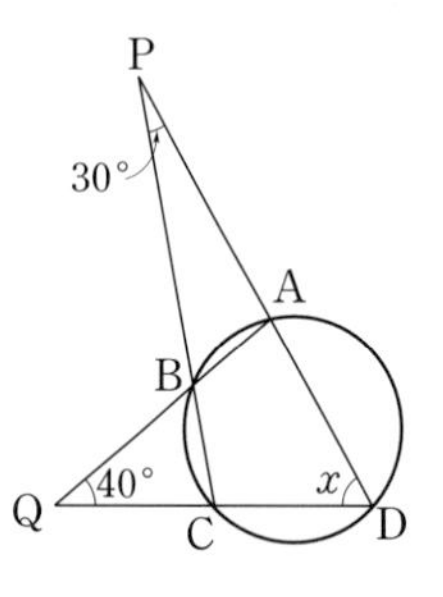

04 오른쪽 그림에서 두 점 P, Q는 두 원의 교점이고 $\angle A=85°$, $\angle B=80°$일 때, $\angle x$의 크기는?

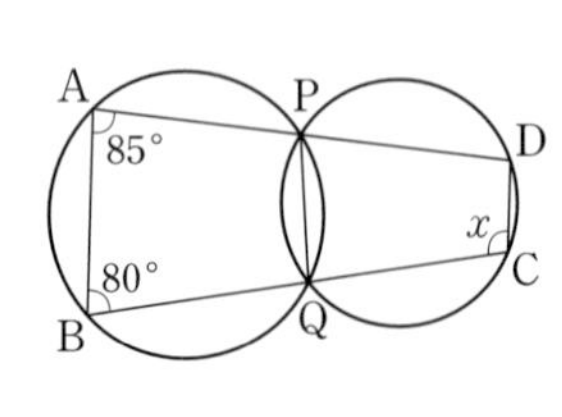

① 80° ② 85° ③ 90° ④ 95° ⑤ 100°

내신 up

05 오른쪽 그림에서 오각형 ABCDE가 원 O에 내접하고, $\angle COD=60°$, $\angle ABC=120°$일 때, $\angle x$의 크기를 구하여라.

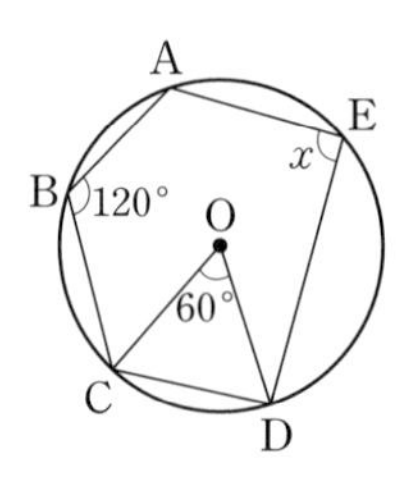

잘나와요

06 다음 보기 중 항상 원에 내접하는 사각형을 모두 고른 것은?

보기		
ㄱ. 사다리꼴	ㄴ. 평행사변형	ㄷ. 마름모
ㄹ. 직사각형	ㅁ. 정사각형	ㅂ. 등변사다리꼴

① ㄹ, ㅁ, ㅂ ② ㄱ, ㄴ, ㄷ, ㄹ ③ ㄱ, ㄴ, ㄷ, ㅁ ④ ㄴ, ㄷ, ㅁ, ㅂ ⑤ ㄱ, ㄴ, ㄷ, ㄹ, ㅁ, ㅂ

07 다음 그림의 □ABCD 중 원에 내접하지 않는 것은?

①
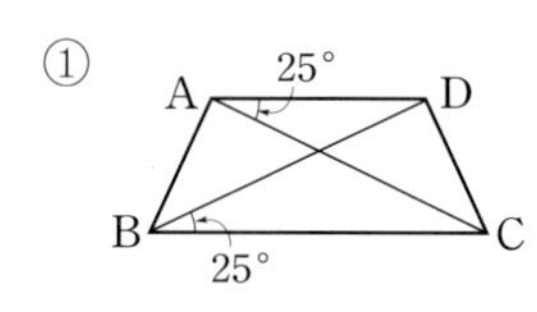

②
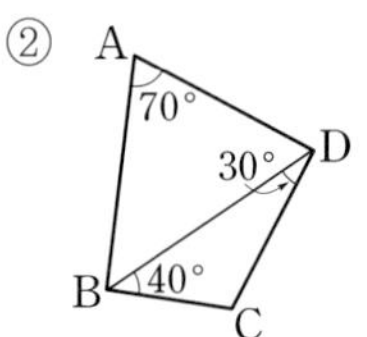

③
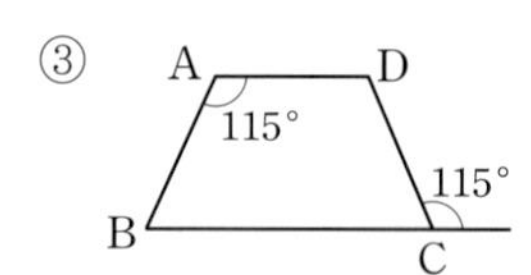

④
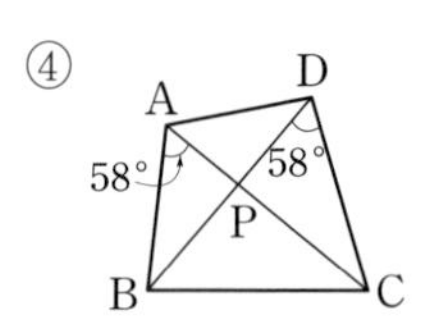

⑤
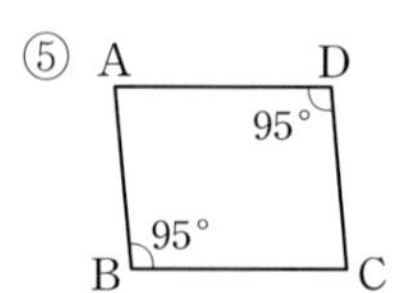

08 오른쪽 그림에서 $\overline{AT}$는 원 O의 접선이고, $\overline{BA}=\overline{BT}$, $\angle BTA=40°$일 때, $\angle CAB$의 크기를 구하여라.

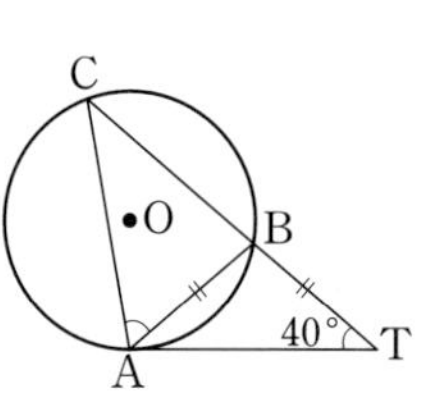

09 오른쪽 그림에서 직선 AT는 원 O의 접선이고, □ABCD는 원 O에 내접할 때, $\angle x$의 크기는?

① 28° ② 32°
③ 56° ④ 60°
⑤ 64°

10 오른쪽 그림에서 $\overrightarrow{PT}$는 원 O의 접선이고 $\overline{AB}$는 원 O의 지름이다. $\overline{PT}=\overline{TB}$일 때, $\angle x$의 크기를 구하여라.

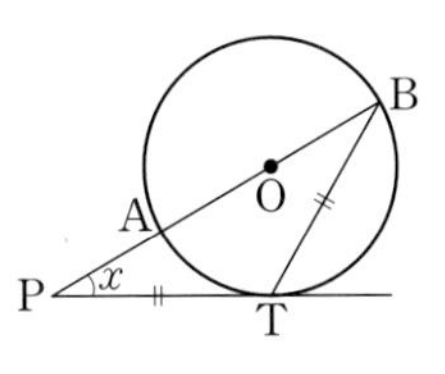

잘나와요

11 오른쪽 그림에서 직선 CE가 원의 접선이고 $\angle BAD=80°$, $\angle BDC=30°$일 때, $\angle x$의 크기를 구하여라.

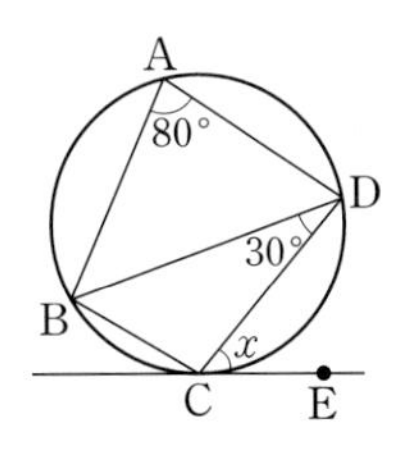

12 오른쪽 그림에서 원 O는 △ABC의 내접원이면서 △DEF의 외접원이다. $\angle BAC=54°$, $\angle EFD=52°$일 때, $\angle x$의 크기는?

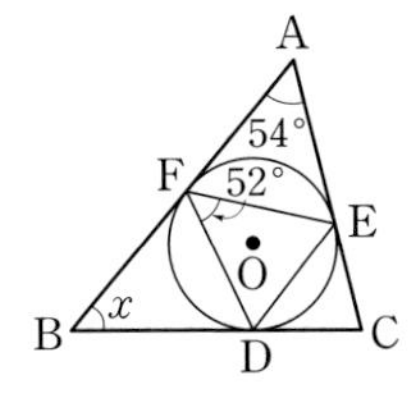

① 50° ② 52° ③ 53°
④ 55° ⑤ 56°

13 오른쪽 그림에서 $\overleftrightarrow{TT'}$은 두 원의 공통인 접선이고 점 P는 접점이다. $\angle PAC=80°$, $\angle PDB=55°$일 때, $\angle x$의 크기는?

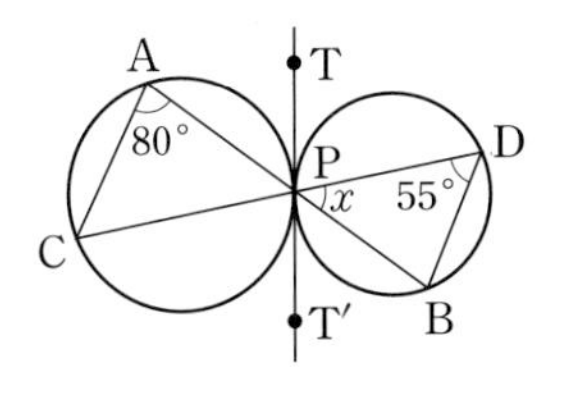

① 30° ② 35° ③ 40°
④ 45° ⑤ 50°

서·술·형·문·제

풀이 과정을 자세히 쓰시오.

14 오른쪽 그림에서 □ABCD가 원에 내접할 때, $\angle x-\angle y$의 크기를 구하여라.

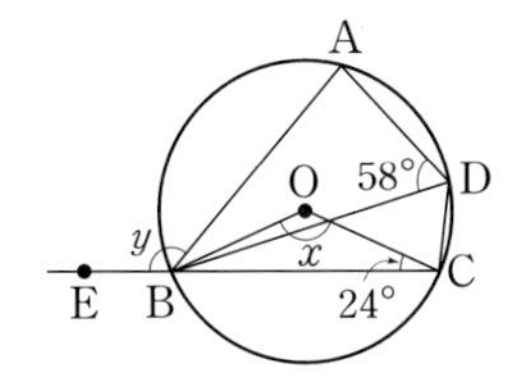

[단계] ❶ $\angle x$의 크기 구하기
❷ $\angle y$의 크기 구하기
❸ $\angle x-\angle y$의 크기 구하기

답 __________

내신 up

15 오른쪽 그림에서 $\overline{AB}$는 원 O의 지름이고 직선 HT는 원 O의 접선이다. $\overline{AH}\perp\overline{HT}$이고 $\overline{AB}=10$ cm, $\overline{AH}=4$ cm일 때, $\overline{HT}$의 길이를 구하여라.

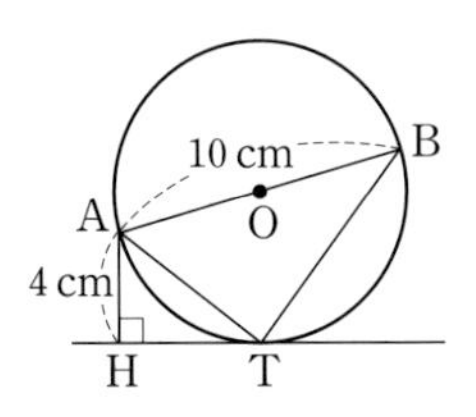

답 __________

70쪽 기출문제로 내신대비로 반복학습하세요!

06 대푯값

정답 및 풀이 15쪽

개념 1 대푯값과 평균

(1) **대푯값** : 자료 전체의 특징을 대표적으로 나타내는 값

참고 대푯값에는 평균, 중앙값, 최빈값 등이 있으며 그 중에서 평균을 가장 많이 사용한다.

(2) **평균** : 전체 변량의 총합을 변량의 개수로 나눈 값

$$(\text{평균})=\frac{(\text{변량})\text{의 총합}}{(\text{변량})\text{의 개수}}$$

예 자료 75, 68, 70, 67, 80에서 $(\text{평균})=\frac{75+68+70+67+80}{5}=\frac{360}{5}=72$

개념 α

▸ 평균은 극단적인 값이 없는 자료의 대푯값으로 적절하다.

개념확인 **01** 다음 자료는 민우네 반 학생 6명의 여름방학 동안의 봉사활동 시간을 조사하여 나타낸 것이다. 봉사활동 시간의 평균을 구하여라.

(단위 : 시간)

12	8	10	7	6	11

개념 2 중앙값

(1) **중앙값** : 자료의 변량을 작은 값부터 크기순으로 나열할 때, 중앙에 위치한 값

n개의 변량을 작은 값부터 크기순으로 나열할 때,

① n이 홀수인 경우 : $\frac{n+1}{2}$번째 값이 중앙값이다.

예 자료가 4, 3, 1, 2, 5일 때, 작은 값부터 크기순으로 나열하면 1, 2, 3, 4, 5이므로 (중앙값)=3

② n이 짝수인 경우 : $\frac{n}{2}$번째와 $\left(\frac{n}{2}+1\right)$번째 값의 평균이 중앙값이다.

예 자료가 3, 4, 1, 6, 2, 5일 때, 작은 값부터 크기순으로 나열하면 1, 2, 3, 4, 5, 6이므로

$(\text{중앙값})=\frac{3+4}{2}=3.5$

참고 자료의 개수가 짝수일 때는 중앙값이 주어진 자료의 값이 아닐 수도 있다.

개념 α

▸ 자료의 값 중에서 극단적인 값이 있는 경우에는 평균보다 중앙값이 대푯값으로 적절하다.

개념확인 **02** 다음 자료는 어느 반 학생 10명이 한 달 동안 읽은 책의 수를 조사하여 나타낸 것이다. 한 달 동안 읽은 책의 수의 중앙값을 구하여라.

(단위 : 권)

4	8	2	5	10	11	7	12	6	14

개념 ③ 최빈값

(1) **최빈값** : 자료의 변량 중에서 가장 많이 나타나는 값

① 자료의 값 중에서 도수가 가장 큰 값이 최빈값이다.

예 자료가 1, 3, 3, 5, 5, 5일 때, 최빈값은 5이다.

② 최빈값은 여러 개 있을 수 있다.

예 자료가 1, 2, 2, 3, 4, 4, 5일 때, 최빈값은 2, 4이다.

③ 각 변량의 도수가 모두 같으면 최빈값은 없다.

예 자료가 3, 4, 5, 6, 7일 때, 각 자료의 도수가 모두 같으므로 최빈값은 없다.
자료가 2, 2, 3, 3, 4, 4일 때, 최빈값은 없다.

개념 α

▸ 변량의 개수가 많거나 변량이 중복되어 나타나는 자료, 숫자로 나타내지 못하는 자료의 대푯값으로 유용하다.

개념확인 **03** 다음 자료는 어느 반 학생 10명의 운동화의 크기를 조사하여 나타낸 것이다. 운동화의 크기의 최빈값을 구하여라.

(단위 : mm)

245	235	240	250	245	235	250	245	255	250

개념확인 **04** 다음 줄기와 잎 그림은 어느 반 학생 10명의 하루 동안 이모티콘 사용 건수를 조사하여 그린 것이다. 이 자료의 중앙값과 최빈값을 차례대로 구하여라.

이모티콘 사용 건수

(0|5는 5건)

줄기	잎
0	5
1	0 4 9
2	1 2 5 8
3	3 3

정답 및 풀이 15쪽

핵심유형 1 평균 개념❶

다음 표는 예원이의 일주일 동안의 운동시간을 조사하여 나타낸 것이다. 운동시간의 평균이 35분일 때, x의 값을 구하여라.

요일	월	화	수	목	금	토	일
운동시간(분)	36	24	30	23	x	42	50

GUIDE

$(\text{평균})=\frac{(\text{변량})\text{의 총합}}{(\text{변량})\text{의 개수}}$

1-1 다음 자료는 형준이네 반 학생 5명의 윗몸일으키기 기록을 조사하여 나타낸 것이다. 윗몸일으키기 기록의 평균을 구하여라.

(단위 : 회)

33　24　32　25　36

1-2 지현이가 3회에 걸쳐 본 수학 시험 점수의 평균이 77점이었다. 4회까지의 평균이 80점 이상이 되려면 4회째의 시험에서 몇 점 이상을 받아야 하는지 구하여라.

1-3 다음 표는 다현이와 승환이의 일주일 동안의 인터넷 사용 시간을 조사하여 나타낸 것이다. 다현이와 승환이의 평균 인터넷 사용 시간을 차례대로 구하고, 누가 인터넷 사용 시간이 많은지 구하여라.

(단위 : 시간)

요일	일	월	화	수	목	금	토
다현	3	2	1	2	1	3	2
승환	7	3	1	2	1	1	6

핵심유형 2 중앙값 개념❷

다음 자료는 현우네 반 학생 6명의 수학 수행평가 성적이다. 평균이 24점일 때, 중앙값을 구하여라.

(단위 : 점)

24　19　26　x　20　27

GUIDE

n개의 자료를 크기순으로 나열할 때 n이 짝수인 경우, 중앙값은 $\frac{n}{2}$번째와 $\left(\frac{n}{2}+1\right)$번째 자료의 값의 평균이다.

2-1 중앙값에 대한 보기의 설명 중 옳은 것을 모두 골라라.

보기

ㄱ. 자료의 값 중에 극단적인 값이 있는 경우 평균보다 자료 전체의 특징을 잘 나타낼 수 있다.
ㄴ. 자료를 작은 값부터 크기순으로 나열하여 구한다.
ㄷ. 자료의 개수가 짝수이면 중앙값은 자료 중에 존재하지 않는다.

2-2 다음 자료는 어느 지역의 장마 기간 동안의 강수량을 조사하여 나타낸 것이다. 강수량의 중앙값은?

(단위 : mm)

210　50　120　240　80　136　94　115　230　150

① 128 mm　② 130 mm　③ 135 mm
④ 137 mm　⑤ 140 mm

2-3 다음 자료는 8개의 변량을 크기순으로 나열한 것이다. 이 자료의 중앙값이 32일 때, x의 값을 구하여라.

22　24　28　x　34　35　38　40

2-4 다음 표는 승희네 반 학생 20명의 한 달 동안 관람한 영화 수를 조사하여 나타낸 것이다. 관람한 영화 수의 중앙값은?

영화 수(편)	1	2	3	4	5	합계
학생 수(명)	4	6	5	3	2	20

① 2편 ② 2.5편 ③ 3편
④ 3.5편 ⑤ 4편

2-5 다음은 5개의 변량을 작은 값부터 크기순으로 나열한 것이다. 이 자료의 평균과 중앙값이 같을 때, x의 값은?

12	15	16	18	x

① 19 ② 20 ③ 21
④ 22 ⑤ 23

2-6 수학체험반 학생 5명을 대상으로 퍼즐을 완성하는 데 걸리는 시간을 측정하였더니 네 번째로 빠른 학생의 걸린 시간이 16분이었고, 학생 5명의 걸린 시간의 중앙값은 12분이었다. 수학체험반에 퍼즐을 완성하는 데 걸리는 시간이 18분인 학생이 새로 들어올 때, 수학체험반 학생 6명이 퍼즐을 완성하는 데 걸리는 시간의 중앙값은?

① 13분 ② 14분 ③ 15분
④ 16분 ⑤ 17분

2-7 다음 두 가지 조건을 만족하는 자연수 n의 값을 모두 구하여라.

(가) 4개의 변량 16, 24, 30, n의 중앙값은 20이다.
(나) 5개의 변량 10, 12, 14, 16, n의 중앙값은 14이다.

핵심유형 3 최빈값

개념 ❸

다음 자료는 민호의 일주일 동안의 이메일 수신 횟수를 나타낸 것이다. 이메일 수신 횟수의 평균과 최빈값이 같다고 할 때, x의 값은?

(단위 : 회)

12	8	15	12	x	12	14

① 9 ② 10 ③ 11
④ 12 ⑤ 13

GUIDE
최빈값은 자료의 값 중에서 가장 많이 나타나는 값이다.

3-1 다음 자료는 수지네 반 학생 10명의 티셔츠 크기를 조사하여 나타낸 것이다. 티셔츠 크기의 최빈값을 구하여라.

(단위 : cm)

95	90	100	85	105	80	90	85	110	90

3-2 다음 자료는 현빈이네 반 학생 15명이 좋아하는 스포츠를 조사하여 나타낸 것이다. 최빈값을 구하여라.

농구	축구	야구	탁구	배구
축구	야구	농구	배드민턴	태권도
야구	배구	유도	축구	탁구

3-3 오른쪽 표는 명빈이네 반 학생 30명이 좋아하는 음식을 조사하여 나타낸 것이다. 이 자료의 최빈값을 구하여라.

음식	학생 수(명)
짜장면	4
라면	5
돈가스	6
피자	3
치킨	x
햄버거	5
합계	30

기출문제로 실력 다지기

06. 대푯값

정답 및 풀이 16쪽

잘나와요

01 다음 설명 중 옳지 않은 것은?

① 자료 전체의 특징을 대표적으로 나타내는 값을 대푯값이라 한다.
② 대푯값에는 평균, 중앙값, 최빈값 등이 있다.
③ 대푯값 중에서 평균이 자료 전체의 특징을 가장 잘 나타낼 수 있다.
④ 중앙값은 반드시 한 개 존재한다.
⑤ 최빈값은 여러 개일 수도 있고 존재하지 않을 수도 있다.

02 다음 자료 중 평균을 대푯값으로 사용하기에 가장 적절하지 않은 것은?

① 1, 2, 3, 4, 5　② 3, 3, 4, 5, 5
③ 7, 7, 7, 7, 7　④ 4, 5, 6, 7, 120
⑤ 18, 10, 14, 16, 12

03 5개의 변량 a, b, c, d, e의 평균이 12일 때, 7개의 변량 a, b, c, d, e, 22, 16의 평균은?

① 13　② 14　③ 15
④ 16　⑤ 17

04 4개의 변량 14, a, 10, 19의 중앙값이 15일 때, a의 값은?

① 12　② 13　③ 16
④ 18　⑤ 20

05 민준이의 2학기 중간고사 4과목의 성적이 각각 86점, 92점, x점, 88점이었다. 4과목의 성적의 평균은 90점 미만이고 중앙값은 90점이라 할 때, 이를 만족하는 자연수 x의 값의 개수는?

① 1개　② 2개　③ 3개
④ 4개　⑤ 5개

잘나와요

06 다음과 같은 자료에 변량 x를 추가하였더니 6개의 변량의 중앙값이 60이었다. 이때 x의 값은?

54	75	55	68	58

① 56　② 59　③ 62
④ 64　⑤ 66

07 다음 자료의 최빈값이 25일 때, 중앙값은?

23	25	27	22	20	x

① 22　② 23　③ 24
④ 25　⑤ 26

08 다음은 슬기네 반 학생 10명의 가족 수를 조사하여 나타낸 것이다. 최빈값이 5명이 되도록 하는 a의 값이 아닌 것은?

(단위 : 명)

4	6	3	5	7	5	8	4	5	a

① 3　② 4　③ 5
④ 6　⑤ 7

09 오른쪽 표는 독서 동아리 학생들이 여름방학 동안 읽은 책 수를 조사하여 나타낸 것이다. 학생들이 평균 6권의 책을 읽었다고 할 때, 최빈값을 구하여라.

책 수(권)	학생 수(명)
4	3
5	x
6	5
7	6
8	2
합계	

잘나와요

10 다음 자료는 슬기의 2학기 중간고사 8과목의 성적을 조사하여 나타낸 것이다. 최빈값이 평균보다 1점이 작을 때, $a+b$의 값은? (단, $a<b$)

(단위 : 점)

94 86 a 77 86 b 90 86

① 170 ② 177 ③ 184
④ 188 ⑤ 190

11 오른쪽 그림은 현준이네 친척 20명의 나이를 조사하여 나타낸 줄기와 잎 그림이다. 나이의 중앙값을 m살, 최빈값을 n살이라 할 때, $m+n$의 값은?

(0|3은 3살)

줄기	잎
0	3 9
1	4 6 6 6 9
2	1 7 8
3	4 7 8 8
4	3
5	4 5 9
6	6 8

① 32 ② 35
③ 38 ④ 44
⑤ 47

12 다음 자료의 평균, 중앙값, 최빈값을 각각 A, B, C라 할 때, A, B, C의 대소 관계는?

8 4 7 6 9 6 7 8 5 6

① $A>B>C$ ② $A>C>B$ ③ $B>A>C$
④ $B>C>A$ ⑤ $C>B>A$

13 다음 7개의 변량에 대하여 $5<m<n$일 때, 중앙값과 최빈값의 합을 구하여라.

5 3 m 3 7 3 n

서·술·형·문·제

풀이 과정을 자세히 쓰시오.

14 다음 자료는 보라네 반 학생 6명이 여름방학 동안 읽은 책의 수를 조사하여 나타낸 것이다. 평균이 6권이고 $b-a=4$일 때, 중앙값을 구하여라.

(단위 : 권)

5 2 a 8 7 b

[단계] ❶ $a+b$의 값 구하기
❷ a, b의 값 구하기
❸ 중앙값 구하기

답 ____________

15 오른쪽 표는 다솜이네 반 학생 20명의 가족 수를 조사하여 나타낸 것이다. 가족 수의 평균, 중앙값, 최빈값을 차례대로 구하여라.

가족 수(명)	학생 수(명)
3	2
4	8
5	5
6	4
7	1
합계	20

답 ____________

76쪽 기출문제로 내신대비로 반복학습하세요!

07 산포도

정답 및 풀이 18쪽

개념 1 산포도와 편차

(1) **산포도** : 변량들이 흩어져 있는 정도를 하나의 수로 나타낸 값
① 산포도가 크면 변량들이 대푯값으로부터 멀리 흩어져 있다.
② 산포도가 작으면 변량들이 대푯값 주위에 밀집되어 있다.
참고 산포도에는 여러 가지가 있으나 분산과 표준편차를 많이 사용한다.

(2) **편차** : 각 자료의 변량에서 평균을 뺀 값, 즉 (편차)=(변량)−(평균)
① 편차의 총합은 항상 0이다.
② 평균보다 큰 변량의 편차는 양수이고 평균보다 작은 변량의 편차는 음수이다.
③ 편차의 절댓값이 작을수록 변량은 평균에 가까이 있고, 편차의 절댓값이 클수록 변량은 평균에서 멀리 떨어져 있다.

개념 α
▸ 자료의 분포 상태를 알아보기 위해 분산이나 표준편차와 같은 산포도를 구한다.
▸ 도수분포표에서의 편차
① (편차)=(계급값)−(평균)
② (편차)×(도수)의 총합은 항상 0이다.

개념확인 **01** 다음 자료의 평균을 구하고, 표를 완성하여라.

변량	8	6	12	7	5	4
편차						

개념확인 **02** 다음 표는 학생 5명의 키에 대한 편차를 조사하여 나타낸 것이다. 물음에 답하여라.

학생	A	B	C	D	E
편차(cm)	2	−3	x	−1	6

(1) x의 값을 구하여라.
(2) 키의 평균이 155 cm일 때, 학생 C의 키를 구하여라.

개념 2 분산과 표준편차

(1) **분산** : 각 변량의 편차의 제곱의 합을 전체 변량의 개수로 나눈 값
즉, 편차의 제곱의 평균

$$(\text{분산})=\frac{(\text{편차})^2\text{의 총합}}{(\text{변량의 개수})}$$

(2) **표준편차** : 분산의 음이 아닌 제곱근

$$(\text{표준편차})=\sqrt{(\text{분산})}$$

참고 표준편차는 주어진 변량과 같은 단위를 갖는다.

개념 α
▸ 분산과 표준편차 구하기
① 평균 구하기
② 편차 구하기
③ (편차)^{2}의 총합 구하기
④ 분산 구하기
⑤ 표준편차 구하기

개념확인 **03** 다음 표는 민주네 반 학생 5명의 방학 동안 도서관 이용 횟수를 조사하여 나타낸 것이다. 다음 물음에 답하여라.

	A	B	C	D	E
이용횟수(회)	11	9	12	5	13
편차(회)					
$(편차)^2$					

(1) 평균을 구하여라.

(2) 위의 표를 완성하여라.

(3) 분산을 구하여라.

(4) 표준편차를 구하여라.

개념확인 **04** 다음은 나영이의 5회에 걸친 수학 시험 성적을 조사하여 나타낸 것이다. 이 자료의 표준편차를 구하여라.

(단위 : 점)

81 88 82 85 84

개념 ③ 자료의 분포와 해석

① 표준편차가 작을수록 ⇨ 변량이 평균 가까이에 모여 있다.
⇨ 자료의 분포 상태가 고르다.

② 표준편차가 클수록 ⇨ 변량이 평균에서 멀리 떨어져 있다.
⇨ 자료의 분포 상태가 고르지 않다.

개념 α

▶ 표준편차로 두 집단의 자료의 분포 상태를 비교할 수 있다.

개념확인 **05** 다음 표는 이룸중학교 3학년 학생들의 키를 조사하여 나타낸 것이다. 학생들의 키가 가장 고른 반을 구하여라.

학급	1반	2반	3반	4반
평균(cm)	162	164	160	165
표준편차(cm)	6	2	8	4

정답 및 풀이 18쪽

핵심유형 1 산포도와 편차 개념❶

다음 표는 택연이네 반 학생 5명의 몸무게와 각각의 편차를 조사하여 나타낸 것이다. $a+b+c$의 값은?

몸무게(kg)	62	56	a	60	c
편차(kg)	4	-2	b	2	-3

① 105 ② 108 ③ 111
④ 115 ⑤ 118

GUIDE
(편차)=(변량)−(평균)이고, 편차의 합은 항상 0이다.

1-1 다음 자료는 어느 프로야구 선수가 6년 동안 해마다 친 홈런의 개수의 편차를 나타낸 것이다. 이때 x의 값은?

(단위 : 개)

4 　 -1 　 3 　 x 　 -5 　 1

① -4 ② -2 ③ 2
④ 4 ⑤ 6

1-2 다음 표는 어떤 자료에 대한 편차와 도수를 조사하여 나타낸 것이다. 이때 x의 값은?

편차	-2	-1	0	1	2
도수	3	2	5	4	x

① 1 ② 2 ③ 3
④ 4 ⑤ 5

1-3 다음 표는 5명의 학생 A, B, C, D, E의 수학 성적의 편차를 조사하여 나타낸 것이다. 수학 성적의 평균이 75점일 때, 학생 C의 성적을 구하여라.

학생	A	B	C	D	E
편차(점)	-3	0	x	$x+2$	$x-5$

핵심유형 2 분산과 표준편차 개념❷

네 수 a, b, c, d의 평균이 3이고, a^2, b^2, c^2, d^2의 평균이 13일 때, 네 수 a, b, c, d의 분산은?

① $\sqrt{2}$ ② 2 ③ $\sqrt{6}$
④ 4 ⑤ $4\sqrt{2}$

GUIDE
$(\text{분산})=\dfrac{(\text{편차})^2\text{의 총합}}{(\text{변량})\text{의 개수}}$

2-1 다음 표는 윤지의 윗몸일으키기 횟수에 대한 편차를 조사하여 나타낸 것이다. 윗몸일으키기 횟수의 분산은?

윗몸일으키기	1회	2회	3회	4회	5회
편차(회)	-4	2	-1	x	-2

① 2 ② 4 ③ 6
④ 8 ⑤ 10

2-2 다음 표는 수민이가 지난 일주일 동안 받은 문자메시지의 수를 조사하여 나타낸 것이다. 문자메시지의 수의 표준편차를 구하여라.

요일	월	화	수	목	금	토	일
메시지의 수(건)	2	5	9	6	9	11	7

2-3 다음 표는 준수네 반 학생 10명의 한 달 동안 읽은 책 수를 조사하여 나타낸 것이다. 읽은 책 수의 분산은?

책 수(권)	5	6	7	8	9	합계
학생 수(명)	1	2	4	2	1	10

① 1.2 ② 3 ③ 4.2
④ 5 ⑤ 6.6

2-4 아래 표는 준호의 중간고사 5개 과목의 성적의 편차를 나타낸 것이다. 다음 중 이 자료에 대한 설명으로 옳지 않은 것은?

	국어	수학	영어	과학	사회
점수(점)	82	x	88	84	85
편차(점)	-3	1	y	-1	0

① 국어 성적은 평균보다 낮다.
② 5개 과목의 성적의 평균은 85점이다.
③ 영어 성적의 편차는 3점이다.
④ 수학 성적은 86점이다.
⑤ 5개 과목의 성적의 표준편차는 4점이다.

2-5 다음은 어느 반 남녀 학생의 수학 성적의 평균과 표준편차이다. 남녀 학생 35명 전체의 수학 성적의 표준편차를 구하여라.

구분	남학생	여학생
평균(점)	75	75
표준편차(점)	8	$2\sqrt{2}$
학생 수(명)	20	15

2-6 3개의 변량 a, b, c의 평균이 6이고 분산이 4일 때, 변량 $2a$, $2b$, $2c$의 평균과 분산을 차례대로 구하여라.

핵심유형 3 자료의 분포와 해석

개념 ❸

다음 표는 어느 중학교 3학년 4개 학급의 수학 성적의 평균과 표준편차를 나타낸 것이다.

반	1	2	3	4
평균(점)	76	80	74	73
표준편차(점)	6.5	5	7	4.5

보기의 설명 중 옳은 것을 모두 고른 것은?

보기
ㄱ. 최고 득점자는 2반에 있다.
ㄴ. 편차의 합은 3반이 가장 높다.
ㄷ. 4반 학생들의 성적이 가장 고르게 분포되어 있다.
ㄹ. 최저 득점자가 어느 반에 있는지는 알 수 없다.

① ㄱ, ㄴ ② ㄱ, ㄷ ③ ㄴ, ㄷ
④ ㄴ, ㄹ ⑤ ㄷ, ㄹ

GUIDE
표준편차가 작을수록 변량들이 평균 가까이에 모여 있으므로 자료의 분포 상태는 고르고, 표준편차가 클수록 자료의 분포 상태는 고르지 않다.

3-1 다음 자료들 중 표준편차가 가장 큰 것은?

① 1, 3, 1, 3, 1, 3 ② 2, 2, 2, 2, 2, 2
③ 2, 3, 4, 2, 3, 4 ④ 1, 2, 3, 4, 5, 6
⑤ 1, 7, 1, 7, 1, 7

3-2 다음 표는 이룸이와 민국이의 4과목의 성적을 조사하여 나타낸 것이다.

이룸(점)	50	80	60	90
민국(점)	65	70	70	75

보기의 설명 중 옳은 것을 모두 골라라.

보기
ㄱ. 두 학생의 4과목 성적의 평균은 같다.
ㄴ. 두 학생의 4과목 성적의 표준편차는 같다.
ㄷ. 민국이의 성적이 이룸이의 성적보다 더 고르다.

정답 및 풀이 19쪽

01 다음 설명 중 옳은 것은?

① 편차는 평균에서 변량을 뺀 값이다.
② 분산은 편차의 제곱의 평균이다.
③ 편차의 합이 작을수록 고르게 분포되어 있다.
④ 산포도가 작을수록 변량은 평균을 중심으로 넓게 흩어져 있다.
⑤ 산포도란 변량들이 흩어져 있는 정도를 하나의 수로 나타낸 것으로 편차, 분산, 표준편차 등이 있다.

02 전체 도수와 평균이 각각 같은 다음 히스토그램 A, B, C 중 산포도가 가장 작은 것과 가장 큰 것을 순서대로 나열한 것은?

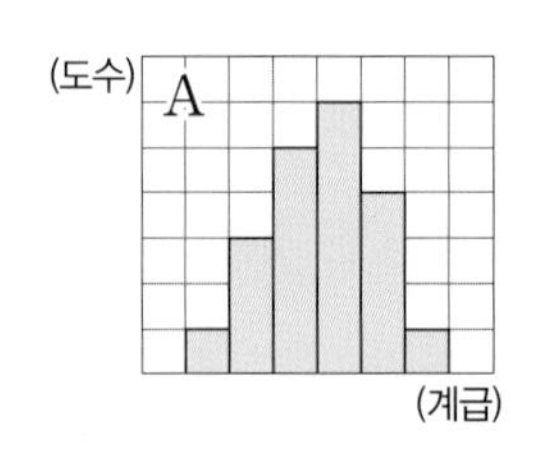

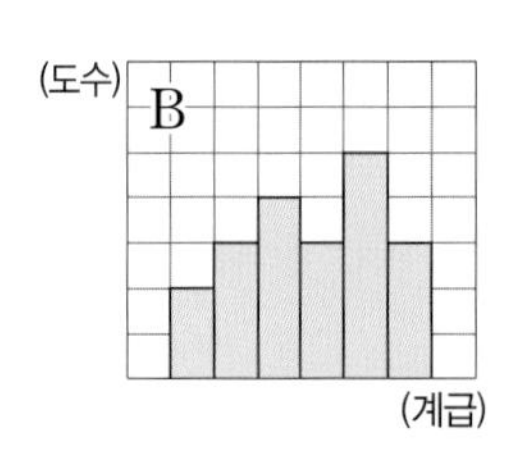

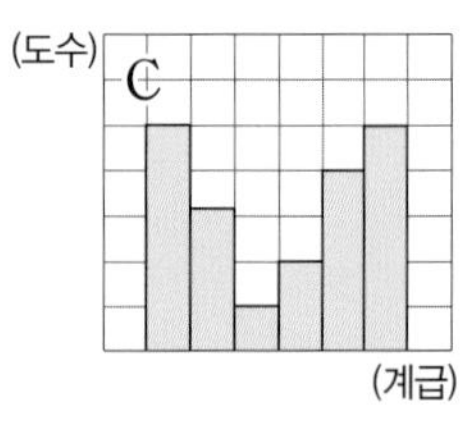

① A, B　② A, C　③ B, C
④ C, A　⑤ C, B

잘나와요
03 다음 자료의 분산은?

47	46	44	52	50	43

① 10　② 12　③ 16
④ 24　⑤ 28

04 다음 표는 학생 4명이 일주일 동안 컴퓨터 게임을 한 시간을 조사하여 나타낸 것이다. 이 자료의 표준편차는?

학생	성규	우현	백현	세훈
게임시간(시간)	7	3	5	9

① $\sqrt{5}$시간　② 3시간　③ $\sqrt{10}$시간
④ 4시간　⑤ $\sqrt{17}$시간

05 5개의 변량 2, 4, 6, 8, 10의 표준편차를 a, 10개의 변량 2, 2, 4, 4, 6, 6, 8, 8, 10, 10의 표준편차를 b라 할 때, ab의 값은?

① 8　② $8\sqrt{2}$　③ 12
④ 16　⑤ $12\sqrt{2}$

06 다음 표는 학생 10명의 통학 시간을 조사하여 나타낸 것이다. 통학 시간의 분산은?

통학 시간(분)	5	10	15	20	25
학생 수(명)	2	3	3	1	1

① 18　② 20　③ 27
④ 30　⑤ 36

잘나와요
07 5개의 변량 a, b, c, d, e의 평균은 5, 분산은 10이다. 이때 $2a-1$, $2b-1$, $2c-1$, $2d-1$, $2e-1$의 분산은?

① 24　② 28　③ 32
④ 36　⑤ 40

내신 up

08 5개의 수 12, a, b, 15, 9의 평균이 10이고, 표준편차가 $\sqrt{10}$일 때, ab의 값을 구하여라.

09 오른쪽 표는 어느 학급의 남학생과 여학생의 영어 성적을 조사하여 나타낸 것이다. 전체 학생 30명의 영어 성적의 분산은?

구분	남	여
평균(점)	70	70
분산	7	10
학생 수(명)	16	14

① 7　② 7.5　③ 8
④ 8.4　⑤ 9

10 다음 표는 A, B, C, D, E 5명의 과학 성적에 대한 편차를 나타낸 것이다. 보기의 설명 중 옳은 것을 모두 골라라.

학생	A	B	C	D	E
편차(점)	-2	-1	1	2	0

보기
ㄱ. E의 점수는 평균과 같다.
ㄴ. A와 B의 점수의 차는 3점이다.
ㄷ. 분산은 2이다.
ㄹ. 점수가 가장 높은 학생은 A이다.

11 다음은 A, B, C 세 사람의 4회에 걸친 턱걸이의 횟수를 수직선 위에 나타낸 것이다.

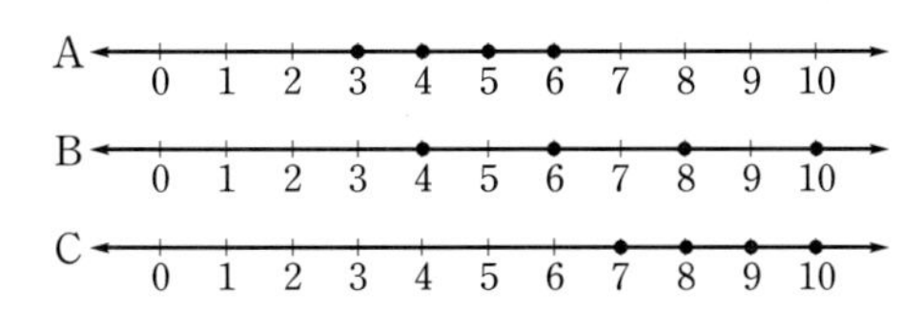

A, B, C의 턱걸이의 횟수의 표준편차를 각각 a회, b회, c회라 할 때, a, b, c의 대소 관계는?

① $a=b=c$　② $a=b<c$　③ $b<a<c$
④ $a=c<b$　⑤ $a<c<b$

12 오른쪽 표는 학생 수가 같은 A, B 두 반에 대한 수학 성적을 조사하여 나타낸 것이다. 다음 설명 중 옳지 않은 것은?

반	A	B
평균(점)	70	85
표준편차(점)	3	$2\sqrt{3}$

① 두 반의 편차의 합은 같다.
② 산포도가 더 작은 것은 A반이다.
③ B반은 A반보다 평균도 높고 성적도 더 고르다.
④ A반은 B반보다 평균은 낮지만 성적은 더 고르다.
⑤ 두 반의 평균과 표준편차가 모두 다르다.

서·술·형·문·제

풀이 과정을 자세히 쓰시오.

13 자료 A의 변량의 개수는 6개이고, 평균과 분산이 각각 5, 4이며, 두 자료 A, B를 섞은 전체 자료의 평균과 분산이 각각 5, 8이다. 자료 B의 변량의 개수가 4개일 때, 자료 B의 표준편차를 구하여라.

[단계] ❶ 자료 B의 평균 구하기
❷ 자료 B의 분산 구하기
❸ 자료 B의 표준편차 구하기

답

14 오른쪽 그림과 같이 가로, 세로의 길이와 높이가 각각 a, b, c인 직육면체에서 모든 모서리의 길이의 평균이 5이고 분산이 3일 때, $a^2+b^2+c^2$의 값을 구하여라.

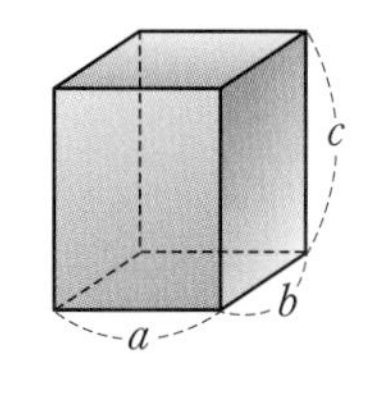

답

78쪽 기출문제로 내신대비로 반복학습하세요!

08 상관관계

정답 및 풀이 21쪽

개념 1 상관관계

(1) **산점도** : 주어진 자료의 두 변량 x, y의 순서쌍 (x, y)를 좌표평면 위에 점으로 나타낸 그림을 변량 x, y의 산점도라고 한다.

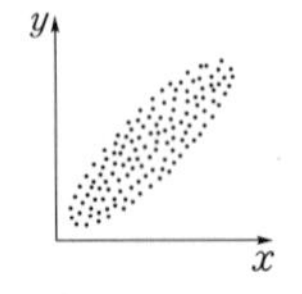

(2) **상관관계** : 두 변량에 대하여 한 변량의 값이 변함에 따라 다른 변량의 값이 변하는 경향이 있을 때, 이 두 변량 사이의 관계를 상관관계라고 한다.

(3) **산점도로 보는 상관관계**

① 양의 상관관계 : x의 값이 증가함에 따라 y의 값도 대체로 증가하는 경향이 있을 때, 두 변량 x, y 사이에 양의 상관관계가 있다고 한다.

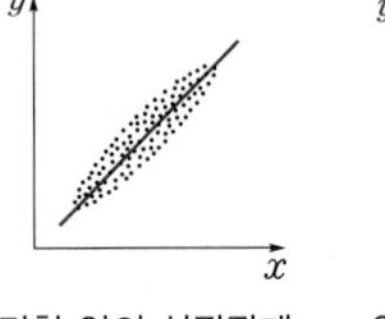

강한 양의 상관관계

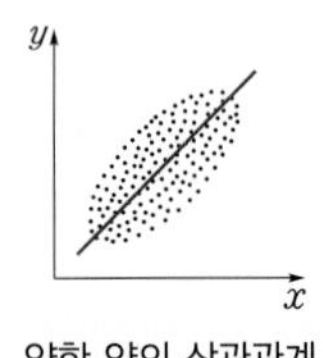

약한 양의 상관관계

② 음의 상관관계 : x의 값이 증가함에 따라 y의 값도 대체로 감소하는 경향이 있을 때, 두 변량 x, y 사이에 음의 상관관계가 있다고 한다.

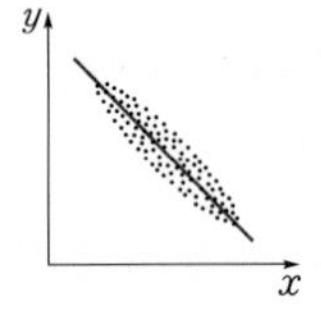

강한 음의 상관관계

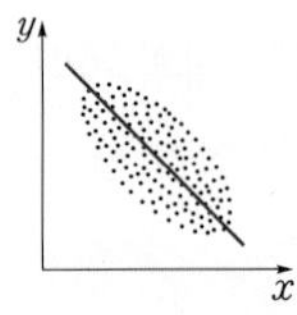

약한 음의 상관관계

③ 상관관계가 없다. : 다음 산점도와 같이 점들이 한 직선 주위에 모여 있지 않고 흩어져 있거나 점들이 x축 또는 y축에 평행한 직선 주위에 모여 있는 경우

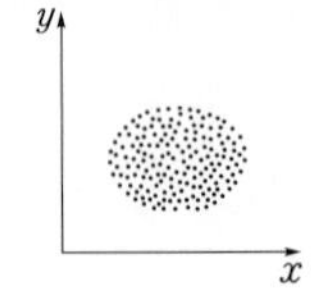

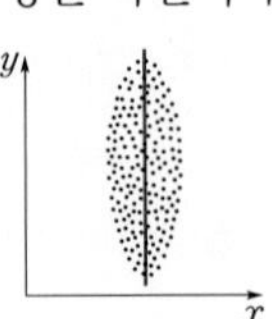

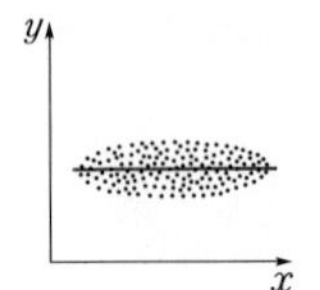

개념 α

▶ 산점도에서 점들이 한 직선 주위에 가까이 모여 있으면 강한 상관관계를 나타내고, 멀리 흩어져 있으면 약한 상관관계를 나타낸다.

개념확인 **01** 다음 표는 양궁 선수 10명이 1차, 2차에 걸쳐 활을 쏘았을 때의 점수를 나타낸 것이다. 아래 물음에 답하여라.

1차(점)	7	9	7	9	6	8	8	10	8	7
2차(점)	7	10	9	9	6	9	8	9	7	8

(1) 양궁 선수들의 점수의 산점도를 오른쪽 좌표평면 위에 그려라.

(2) 1차, 2차의 점수 사이에 어떤 상관관계가 있는지 말하여라.

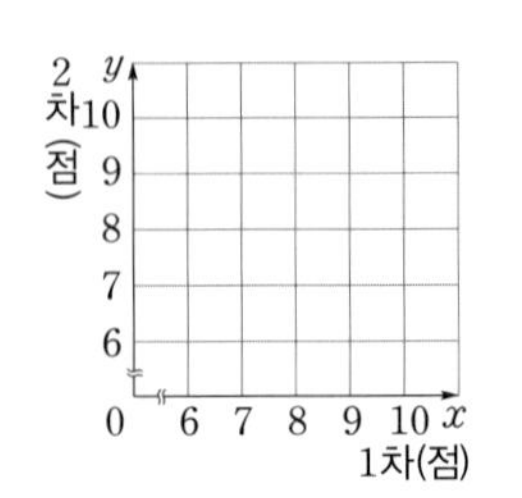

핵심유형으로 개념 정복하기

정답 및 풀이 21쪽

핵심유형 1 상관도와 상관관계 개념 ❶

다음 중 두 변량 사이에 대체로 양의 상관관계가 있는 것은?

① 산의 높이와 정상에서의 기온

② 운동량과 심장 박동 수

③ 배추의 생산량과 가격

④ 겨울철 기온과 난방비

⑤ 발의 크기와 수학 성적

GUIDE

x의 값이 증가함에 따라 y의 값도 대체로 증가하는 경향이 있으면 x와 y 사이에는 양의 상관관계가 있다고 한다.

1-1 다음 산점도 중에서 하루 관람객 수 x와 입장료 총액 y 사이의 관계를 나타내는 것은?

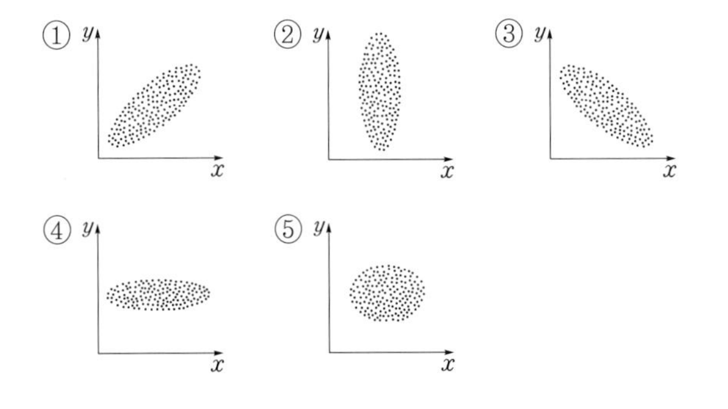

1-2 다음 보기 중 두 변량의 산점도를 그렸을 때, 상관관계가 없는 것을 모두 골라라.

보기
ㄱ. 통학거리와 소요시간
ㄴ. 몸무게와 턱걸이 횟수
ㄷ. 산의 높이와 나무 둘레의 길이

핵심유형 2 산점도의 분석 개념 ❶

오른쪽 그림은 어느 반 학생 18명의 사회 성적과 국어 성적에 대한 산점도이다. 다음 물음에 답하여라.

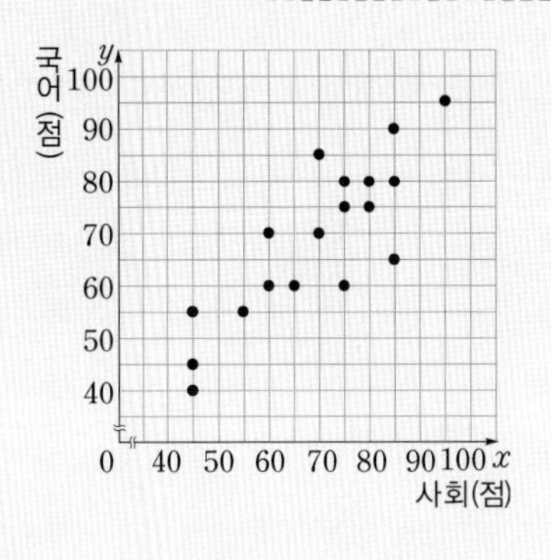

(1) 국어 성적이 가장 낮은 학생의 사회 성적을 구하여라.

(2) 국어 성적이 사회 성적과 같은 학생은 몇 명인지 구하여라.

(3) 사회 성적이 국어 성적보다 좋은 학생은 몇 명인지 구하여라.

GUIDE

국어 성적이 사회 성적과 같은 학생 수는 대각선 위에 있는 점의 개수와 같다.

2-1 오른쪽 그림은 어느 반 학생들의 몸무게 x kg과 키 y cm에 대한 산점도이다. 키에 비해 몸무게가 가장 많이 나가는 학생은?

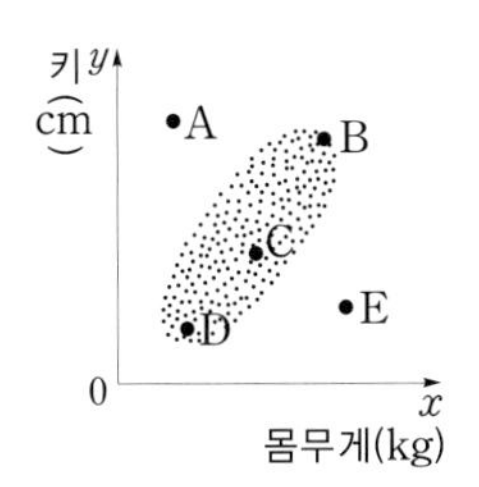

① 학생 A ② 학생 B

③ 학생 C ④ 학생 D

⑤ 학생 E

2-2 오른쪽 그림은 동하네 반 학생 15명의 수학 성적과 과학 성적에 대한 산점도이다. 수학 성적과 과학 성적이 모두 80점 이상인 학생은 전체의 몇 %인지 구하여라.

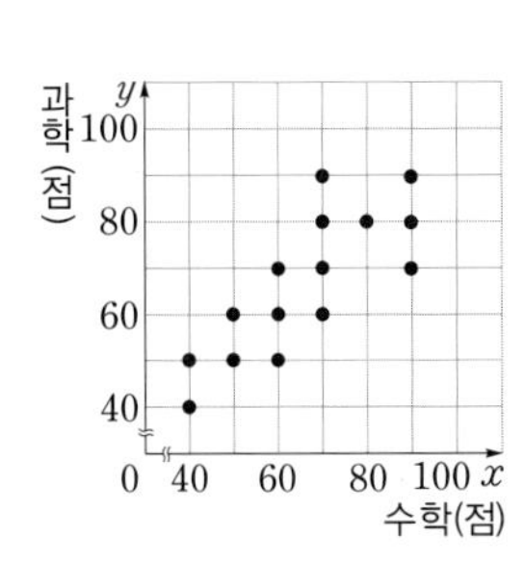

정답 및 풀이 21쪽

01 다음은 어느 학교 학생들의 사회 성적 x점과 국어 성적 y점에 대한 산점도이다. 다음 중 사회 성적이 우수한 학생이 국어 성적도 우수함을 나타낸 것은?

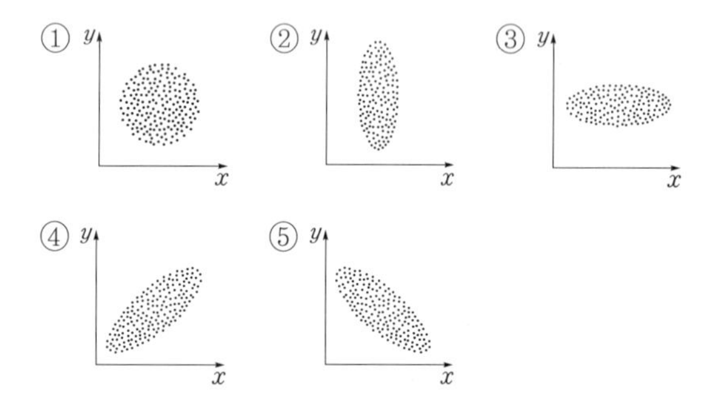

잘나와요

02 다음 중 두 변량 사이에 음의 상관관계가 있는 것은?

① 운동량과 땀의 양
② 시력과 영어 성적
③ 몸무게와 발의 크기
④ 한 달 생활비에서 소비액과 저축액
⑤ 택시의 주행 거리와 택시비

03 다음 보기 중 두 변량의 산점도를 그렸을 때, 오른쪽 그림과 같은 모양이 되는 것을 모두 골라라.

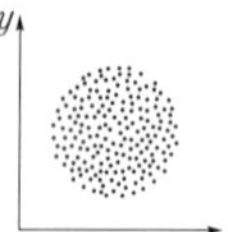

보기
ㄱ. 키와 앉은키
ㄴ. 머리 둘레의 길이와 지능지수
ㄷ. 대기오염도와 자동차 수
ㄹ. 책가방의 무게와 성적

04 오른쪽 그림은 어느 반 학생들의 1일 평균 수면 시간과 수학 성적에 대한 산점도이다. 수면 시간이 긴 것에 비하여 성적이 가장 높은 학생은?

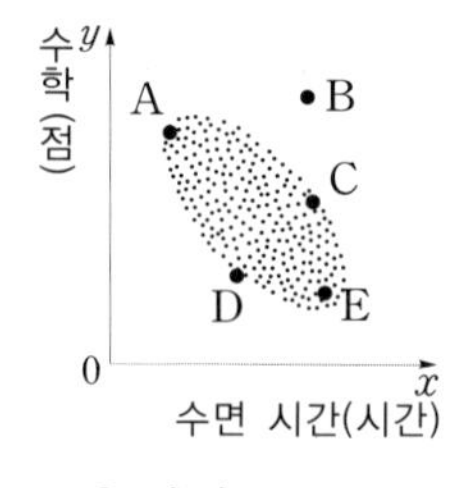

① 학생 A　② 학생 B　③ 학생 C
④ 학생 D　⑤ 학생 E

05 오른쪽 그림은 어느 도시에서 운행된 자동차 x대와 대기오염도 y $\mu g/m^3$ 사이의 산점도이다. 다음 중 옳지 않은 것은?

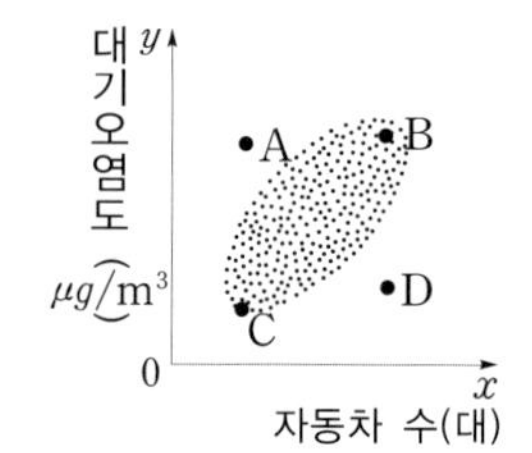

① 자동차 수와 대기오염도는 양의 상관관계가 있다.
② 도시 A는 도시 B보다 운행된 자동차 수가 적다.
③ 도시 A는 도시 C보다 운행된 자동차 수에 비해 대기오염도가 낮다.
④ 도시 B가 도시 D보다 대기오염도가 높다.
⑤ 도시 D는 자동차 수에 비해 대기오염도가 낮다.

잘나와요

06 오른쪽 그림은 어느 학급 학생들의 수학 성적과 영어 성적에 대한 산점도이다. 다음 중 옳지 않은 것은? (단, 중복되는 점은 없다.)

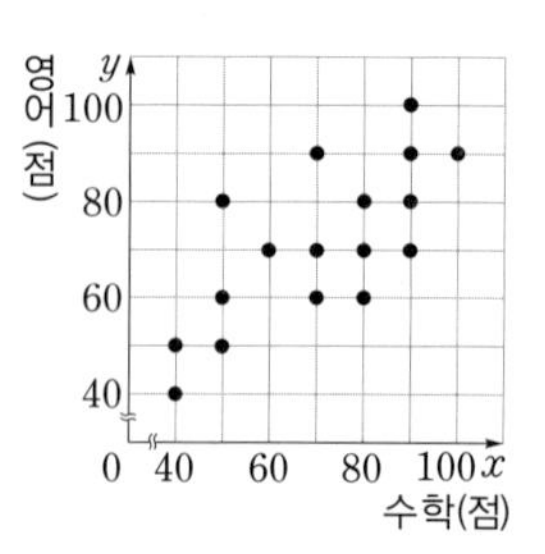

① 전체 학생 수는 17명이다.
② 수학 성적과 영어 성적이 같은 학생은 5명이다.
③ 수학 성적이 영어 성적보다 좋은 학생은 7명이다.
④ 수학 성적이 80점인 학생들의 영어 성적의 평균은 70점이다.
⑤ 수학 성적과 영어 성적 사이에는 양의 상관관계가 있다.

[07~08] 오른쪽 그림은 윤아네 반 학생 16명의 중간고사 성적과 기말고사 성적에 대한 산점도이다. 다음 물음에 답하여라.

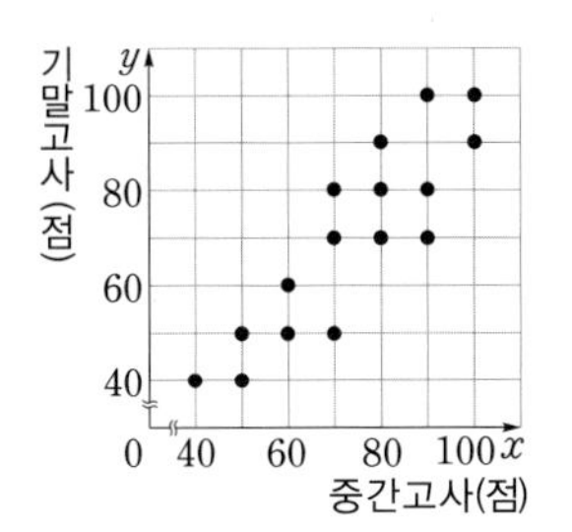

07 기말고사 성적이 중간고사 성적보다 향상된 학생 수는?

① 1명 ② 2명 ③ 3명
④ 4명 ⑤ 5명

08 중간고사 성적이 60점 이상 80점 이하인 학생 수는?

① 5명 ② 6명 ③ 7명
④ 8명 ⑤ 9명

[09~10] 오른쪽 그림은 어느 반 학생 20명의 지난 일년 동안 읽은 책의 권 수와 국어 성적에 대한 산점도이다. 다음 물음에 답하여라.

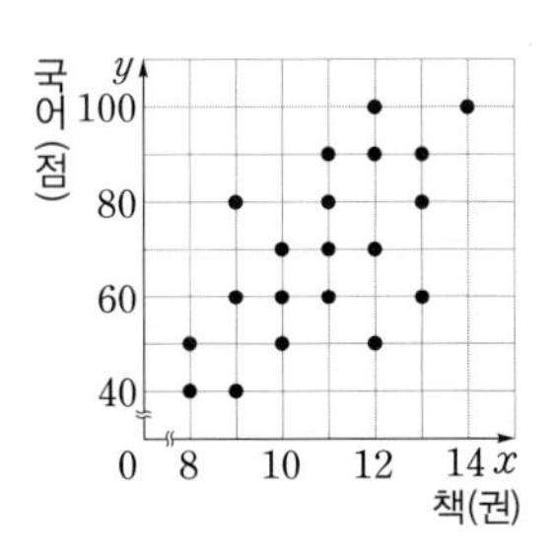

09 국어 성적이 90점 이상인 학생은 최소한 몇 권의 책을 읽었는가?

① 10권 ② 11권 ③ 12권
④ 13권 ⑤ 14권

10 일년 동안 읽은 책이 9권 이하인 학생들의 국어 성적의 평균은?

① 52점 ② 54점 ③ 56점
④ 58점 ⑤ 60점

서·술·형·문·제

풀이 과정을 자세히 쓰시오.

11 오른쪽 그림은 어느 반 학생 20명의 수학 성적과 영어 성적에 대한 산점도이다. 다음 물음에 답하여라.

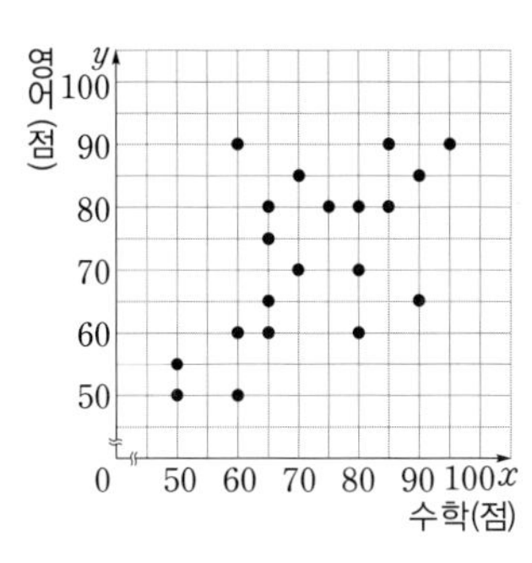

(1) 수학 성적과 영어 성적의 점수 차가 10점 이상 나는 학생 수를 구하여라.

(2) 수학 성적과 영어 성적이 같은 학생은 전체의 몇 %인지 구하여라.

[단계] ❶ (1)의 답 구하기
❷ (2)에 해당하는 학생 수 구하기
❸ (2)의 답 구하기

답 ______________

12 다음은 프로야구 선수 25명이 작년과 올해 친 홈런의 개수를 조사하여 나타낸 산점도이다. 다음 물음에 답하여라.

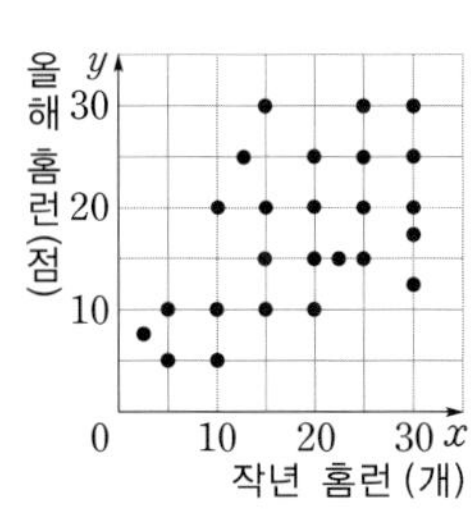

(1) 작년보다 올해 친 홈런의 개수가 많은 선수는 전체의 몇 %인지 구하여라.

(2) 작년과 올해 친 홈런의 개수의 합이 40개 이상인 선수 수를 구하여라.

답 ______________

80쪽 기출문제로 내신대비로 반복학습하세요!

숨마쿰라우데® 중학수학 실전문제집

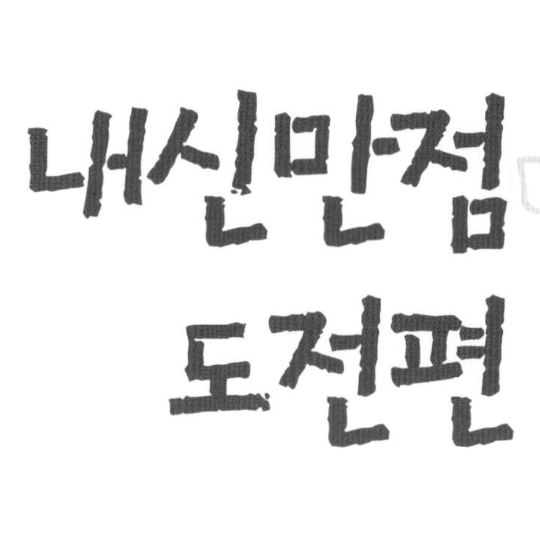

3-하

기출문제로 내신대비

본문의 각 강마다 있는 [기출문제로 실력 다지기]의 유사 문제를 실어 놓았습니다. 문제를 잘 이해했는지 내 실력을 다시 한 번 점검해 보세요.

내신만점 도전하기

중간 · 기말고사를 대비할 수 있도록 중단원별 실전대비 문제를 실어 놓았습니다. 서술형 문제와 고난도 문제를 통해 내신만점에 도전해 보세요.

01 삼각비의 값

정답 및 풀이 23쪽

01 오른쪽 그림과 같은 직각삼각형 ABC에서 $\overline{AB}=3$, $\overline{BC}=2$일 때, $\tan A$의 값은?

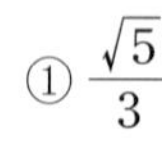

① $\frac{\sqrt{5}}{3}$ ② $\frac{\sqrt{5}}{2}$

③ $\frac{2}{3}$ ④ $\frac{3}{2}$

⑤ $\frac{2\sqrt{5}}{5}$

02 오른쪽 그림과 같은 직각삼각형

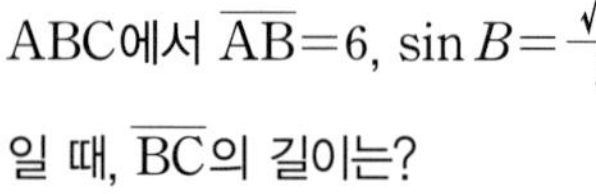

ABC에서 $\overline{AB}=6$, $\sin B=\frac{\sqrt{2}}{3}$ 일 때, $\overline{BC}$의 길이는?

① $3\sqrt{2}$ ② 5
③ $2\sqrt{7}$ ④ 6
⑤ $4\sqrt{3}$

03 오른쪽 그림의 직각삼각형 ABC에서 $\sin x$의 값과 $\cos y$의 값이 서로 같을 때, $\overline{BD}$의 길이를 구하여라.

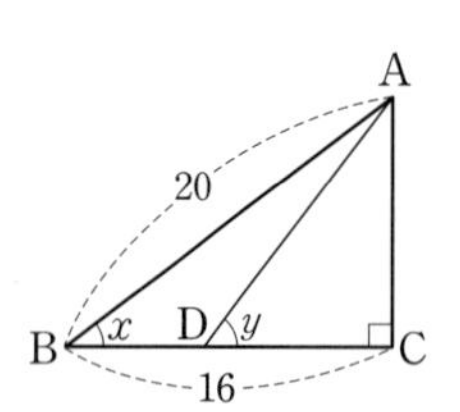

04 오른쪽 그림과 같이 한 모서리의 길이가 4인 정육면체에서 $\angle CEG=x$라 할 때, $\cos x$의 값은?

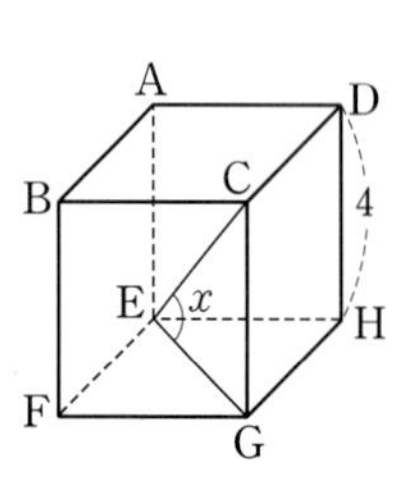

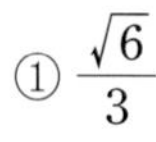

① $\frac{\sqrt{6}}{3}$ ② $\frac{\sqrt{3}}{3}$

③ $\frac{\sqrt{2}}{3}$ ④ $\frac{1}{3}$

⑤ $\frac{1}{6}$

05 오른쪽 그림과 같은 일차함수의 그래프가 x축의 양의 방향과 이루는 각의 크기를 a라 할 때, $\tan a$의 값은?

① $\frac{\sqrt{5}}{5}$ ② $\frac{2\sqrt{5}}{5}$

③ $\frac{1}{2}$ ④ 2

⑤ 5

06 $A=\sin 30^\circ-\cos 30^\circ$, $B=\sin 60^\circ+\tan 45^\circ$일 때, A^2+B^2의 값은?

① $2-\sqrt{3}$ ② $2-\frac{\sqrt{3}}{2}$ ③ $\frac{11}{4}-\frac{\sqrt{3}}{2}$
④ $\frac{11}{4}+\frac{\sqrt{3}}{2}$ ⑤ $\frac{11}{4}+\sqrt{3}$

07 $\sin(30^\circ+x)=\frac{\sqrt{3}}{2}$일 때, $\frac{2}{\sqrt{3}}\cos x$의 값은?

(단, $0^\circ < x < 60^\circ$)

① $\frac{\sqrt{3}}{3}$ ② $\frac{1}{2}$ ③ $\frac{\sqrt{3}}{2}$
④ 1 ⑤ $\sqrt{3}$

08 오른쪽 그림에서 $\overline{AD}=20$ cm, $\angle DAC=\angle CAB=30^\circ$일 때, $\overline{BC}$의 길이는?

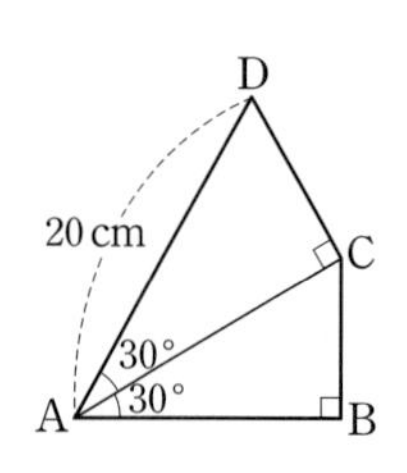

① 5 cm ② $5\sqrt{2}$ cm
③ $5\sqrt{3}$ cm ④ $10\sqrt{2}$ cm
⑤ $10\sqrt{3}$ cm

09 $\triangle$ABC에서 $\angle A : \angle B : \angle C = 1 : 2 : 3$일 때, $\dfrac{1}{\tan B - 1} + \dfrac{1}{\tan B + 1}$의 값을 구하여라.

10 오른쪽 그림과 같이 반지름의 길이가 1인 사분원에서 $\sin 50^\circ$, $\cos 40^\circ$를 나타내는 선분을 차례대로 구한 것은?

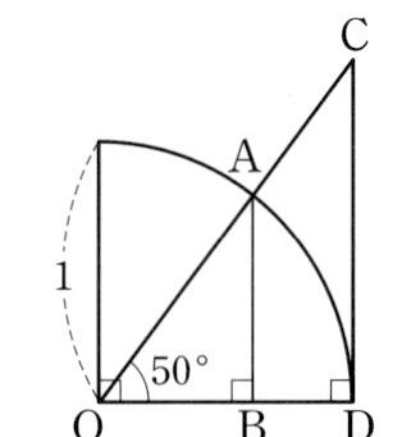

① $\overline{AB}$, $\overline{AB}$ ② $\overline{AB}$, $\overline{OB}$
③ $\overline{OB}$, $\overline{AB}$ ④ $\overline{AB}$, $\overline{CD}$
⑤ $\overline{OB}$, $\overline{CD}$

11 $0^\circ \le A \le 90^\circ$일 때, 다음 중 옳지 않은 것은?

① A의 값이 커질수록 $\tan A$의 값은 증가한다.
② A의 값이 커질수록 $\cos A$의 값은 증가한다.
③ A의 값이 커질수록 $\sin A$의 값은 증가한다.
④ $\sin A$의 값의 최댓값은 1, 최솟값은 0이다.
⑤ $\tan 90^\circ$의 값은 정할 수 없다.

12 오른쪽 그림과 같은 $\triangle$ABC에서 $\overline{AC}$의 길이를 다음 표를 이용하여 반올림하여 소수 첫째 자리까지 구하여라.

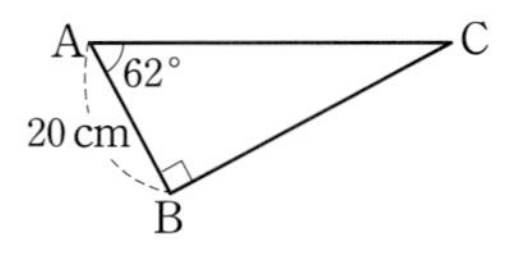

각도	sin	cos	tan
28°	0.4695	0.8829	0.5317
63°	0.8910	0.4540	1.9626
65°	0.9063	0.4226	2.1445

13 $\cos 45^\circ \times \tan 0^\circ + \sin 45^\circ \times \cos 90^\circ + \sin 90^\circ$의 값은?

① 0 ② $\dfrac{1}{4}$ ③ $\dfrac{1}{2}$
④ 1 ⑤ $\dfrac{3}{2}$

서·술·형·문·제

풀이 과정을 자세히 쓰시오.

14 오른쪽 그림과 같이 $\angle BAC = 90^\circ$인 직각삼각형 ABC에서 $\overline{AH} \perp \overline{BC}$이고 $\overline{AC} = 12$, $\overline{BC} = 13$일 때, $\cos x + \cos y$의 값을 구하여라.

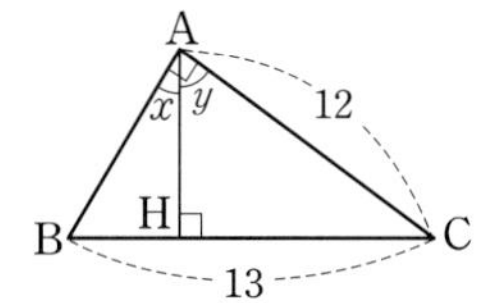

[단계] ❶ $\overline{AB}$의 길이 구하기
❷ $\angle BCA = x$, $\angle CBA = y$임을 알기
❸ $\cos x$, $\cos y$의 값 구하기
❹ $\cos x + \cos y$의 값 구하기

답 ______

15 오른쪽 그림과 같이 반지름의 길이가 1이고, 중심각의 크기가 60°인 부채꼴 AOB가 있다. 점 A에서 $\overline{OB}$에 내린 수선의 발을 H라 할 때, 색칠한 부분의 넓이를 구하여라.

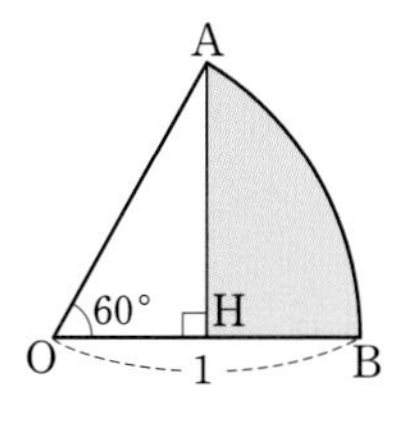

답 ______

02 삼각비의 활용

기출문제로 내신대비

정답 및 풀이 24쪽

01 오른쪽 그림의 직육면체에서 $\overline{FG}=6$, $\overline{CH}=8$, $\angle GCH=60^\circ$일 때, 이 직육면체의 부피는?

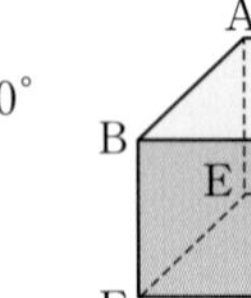

① $48\sqrt{3}$　② $60\sqrt{2}$　③ $82\sqrt{6}$　④ $96\sqrt{3}$　⑤ $120\sqrt{2}$

02 오른쪽 그림과 같이 송신탑으로부터 9 m 떨어진 곳에서 송신탑의 꼭대기를 올려다본 각의 크기가 45°, 송신탑의 아래의 끝을 내려다본 각의 크기가 30°일 때, 송신탑의 높이를 구하여라.

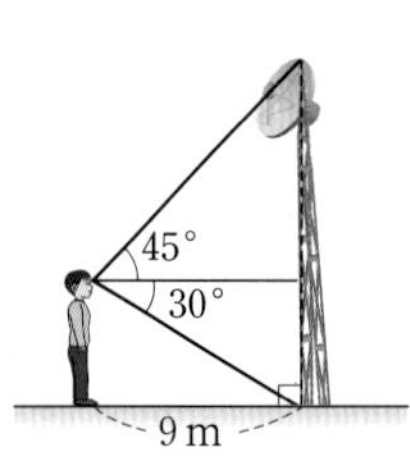

03 오른쪽 그림과 같이 시계의 추가 B지점과 B′지점 사이를 일정한 속도로 움직이고 있다. $\angle BOA=45^\circ$, $\angle BOB'=90^\circ$일 때 A지점과 B지점에서의 추의 높이의 차는? (단, 추의 크기는 무시한다.)

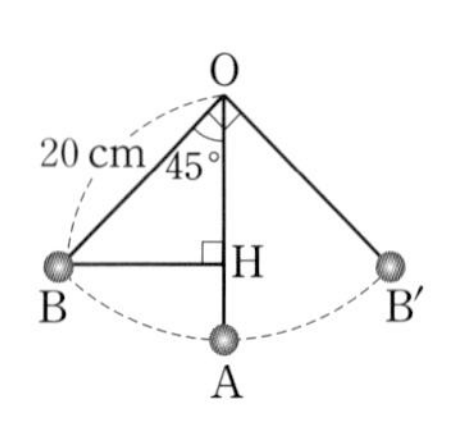

① $(20-8\sqrt{2})$cm　② $(20-10\sqrt{2})$cm　③ $(20-6\sqrt{2})$cm　④ $(20-8\sqrt{3})$cm　⑤ $(20-10\sqrt{3})$cm

04 산의 높이 $\overline{CH}$의 길이를 구하기 위하여 오른쪽 그림과 같이 측량하였다. 이 산의 높이는?

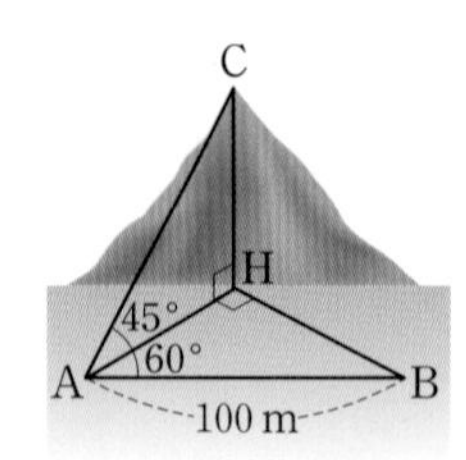

① 50 m　② $50\sqrt{2}$ m　③ $50\sqrt{3}$ m　④ 60 m　⑤ $60\sqrt{2}$ m

05 오른쪽 그림의 $\triangle ABC$에서 $\overline{AB}=8$ cm, $\overline{BC}=10$ cm, $\angle B=60^\circ$일 때, $\overline{AC}$의 길이는?

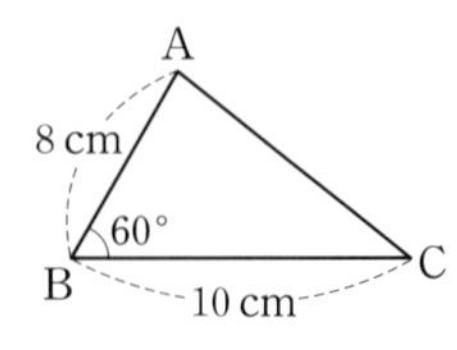

① $\sqrt{21}$ cm　② $4\sqrt{3}$ cm　③ $2\sqrt{21}$ cm　④ $6\sqrt{3}$ cm　⑤ 12 cm

06 오른쪽 그림과 같이 강의 양쪽에 위치한 A, B 사이의 거리를 측정하기 위하여 A와 같은 쪽에 $\overline{AC}=30$ m인 점 C를 잡았다. $\angle CAB=45^\circ$, $\angle ACB=105^\circ$일 때, 두 지점 A와 B 사이의 거리를 구하여라.

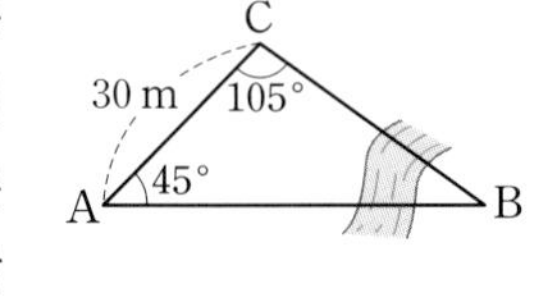

07 오른쪽 그림과 같은 $\triangle ABC$에서 $\overline{AB}=10$, $\angle A=30^\circ$, $\angle HBC=60^\circ$일 때, $\overline{CH}$의 길이는?

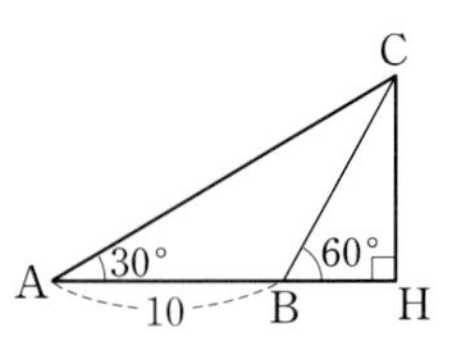

① 5　② $5\sqrt{2}$　③ $5\sqrt{3}$　④ $10\sqrt{2}$　⑤ $10\sqrt{3}$

08 오른쪽 그림과 같은 $\triangle ABC$에서 $\angle A=60^\circ$, $\angle B=45^\circ$, $\overline{CH}\perp\overline{AB}$, $\overline{HB}=3$ cm일 때, 다음 중 옳지 않은 것은?

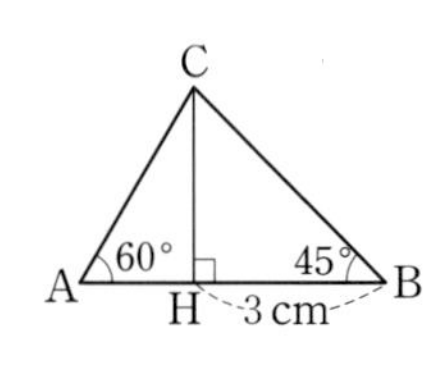

① $\overline{CH}=3$ cm　② $\overline{BC}=3\sqrt{2}$ cm　③ $\overline{AH}=\sqrt{3}$ cm　④ $\overline{AB}=3\sqrt{3}$ cm　⑤ $\overline{AC}=2\sqrt{3}$ cm

09 오른쪽 그림과 같이 폭이 6 cm인 직사각형 모양의 종이를 $\angle ABC=45^\circ$가 되도록 접었을 때, $\triangle ABC$의 넓이는?

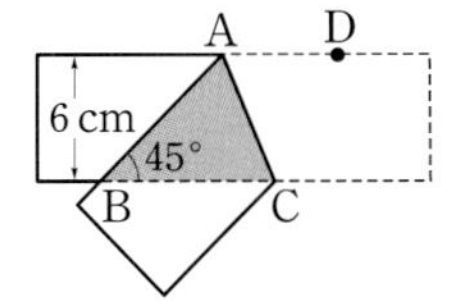

① $12\ cm^2$ ② $12\sqrt{2}\ cm^2$ ③ $18\ cm^2$
④ $12\sqrt{3}\ cm^2$ ⑤ $18\sqrt{2}\ cm^2$

10 오른쪽 그림과 같이 반지름의 길이가 5 cm인 원에 내접하는 정팔각형의 넓이를 구하여라.

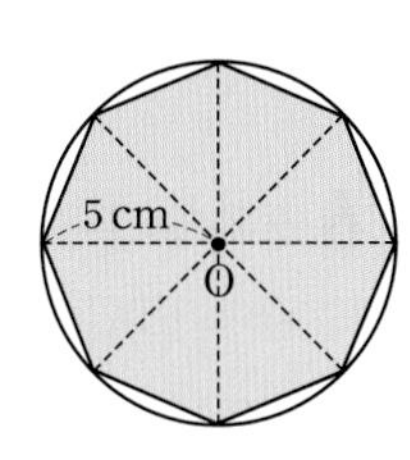

11 오른쪽 그림과 같은 평행사변형 ABCD의 넓이는?

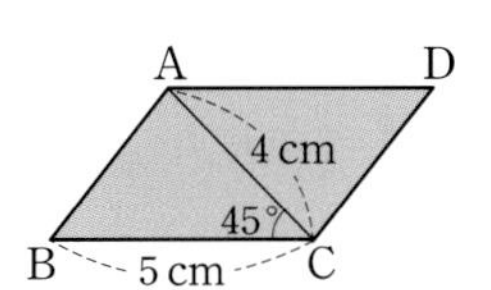

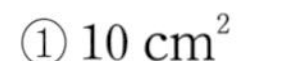
① $10\ cm^2$ ② $10\sqrt{2}\ cm^2$
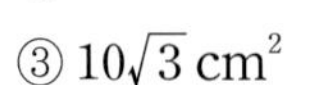
③ $10\sqrt{3}\ cm^2$ ④ $20\ cm^2$
⑤ $20\sqrt{2}\ cm^2$

12 오른쪽 그림과 같은 □ABCD의 넓이가 $21\sqrt{3}$이고 $\overline{BD}=12$, $\angle APB=60^\circ$이다. 이때 $\overline{AC}$의 길이는?

① 5 ② $5\sqrt{3}$ ③ 6
④ $6\sqrt{3}$ ⑤ 7

13 다음 세 삼각형의 넓이가 모두 같을 때, $a:b:c$의 값은?

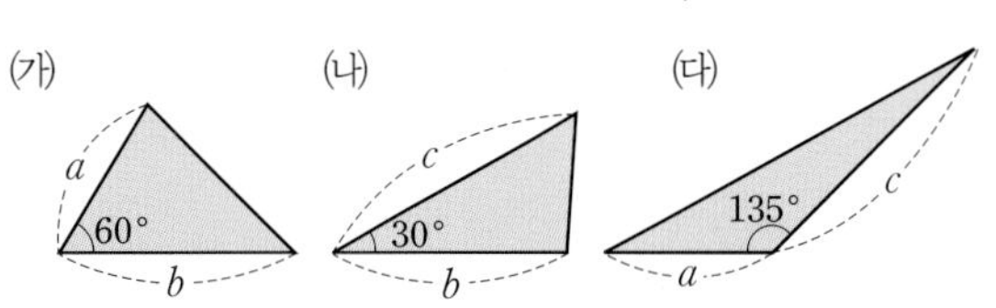

① $1:\sqrt{2}:\sqrt{3}$ ② $\sqrt{2}:\sqrt{3}:1$
③ $\sqrt{3}:2:\sqrt{2}$ ④ $2:3:1$
⑤ $3:5:2$

서·술·형·문·제

풀이 과정을 자세히 쓰시오.

14 오른쪽 그림과 같은 $\triangle ABC$에서 $\overline{AB}=4$, $\overline{AC}=8$이고 $\angle B=60^\circ$일 때, $\overline{BC}$의 길이를 구하여라.

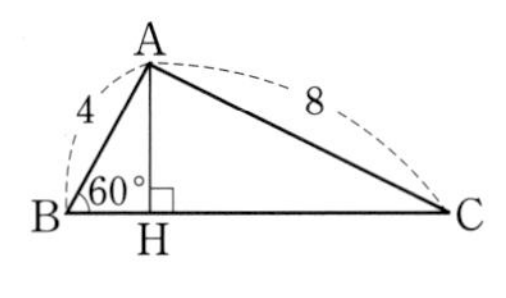

[단계] ❶ $\overline{BH}$의 길이 구하기
❷ $\overline{AH}$의 길이 구하기
❸ $\overline{HC}$의 길이 구하기
❹ $\overline{BC}$의 길이 구하기

답 __________

15 오른쪽 그림과 같은 □ABCD의 넓이를 구하여라.

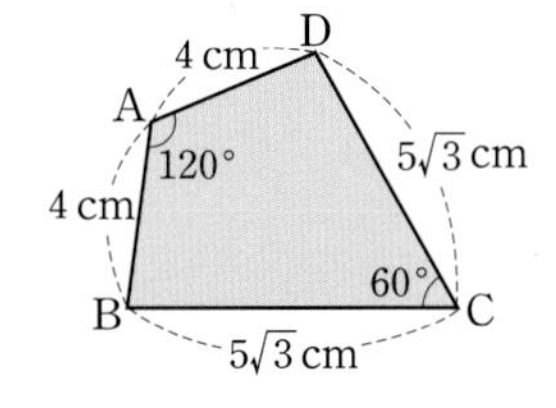

답 __________

정답 및 풀이 26쪽

01 오른쪽 그림과 같은 직각삼각형 ABC에 대하여 다음 중 옳지 않은 것은?

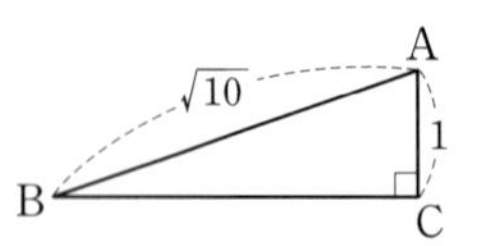

① $\sin B=\frac{\sqrt{10}}{10}$　② $\cos B=\frac{3\sqrt{10}}{10}$
③ $\tan B=\frac{1}{3}$　④ $\sin A=\frac{3\sqrt{10}}{10}$
⑤ $\cos A=\frac{3\sqrt{10}}{10}$

02 $\cos A=\frac{2}{5}$일 때 $\sin A+\tan A$의 값은? (단, $0°<A<90°$)

① $\frac{3\sqrt{21}}{10}$　② $\frac{\sqrt{29}}{2}$　③ $\frac{7\sqrt{21}}{10}$
④ $\frac{5}{2}$　⑤ $\frac{29}{10}$

03 오른쪽 그림의 직각삼각형 ABC에서 $\angle ADE=\angle ACB$일 때, $\cos B+\cos C$의 값은?

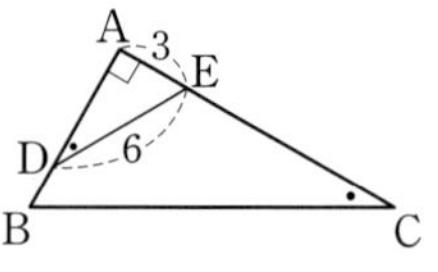

① $\frac{2}{3}$　② $\frac{\sqrt{3}}{2}$　③ $\frac{1+\sqrt{3}}{2}$
④ $\frac{1+\sqrt{2}}{2}$　⑤ 1

04 $(\tan 45°-\sin 30°)\times\cos x=\frac{1}{2}\sin 60°$를 만족하는 x의 크기는? (단, $0°\le x\le 90°$)

① 0°　② 30°　③ 45°
④ 60°　⑤ 90°

05 다음 그림에서 x, y의 값을 차례로 구한 것은?

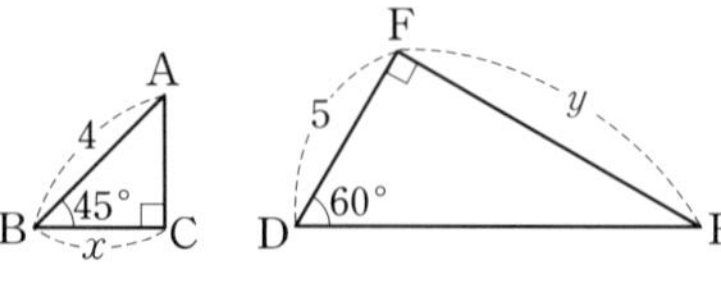

① $2\sqrt{2}$, $\frac{5}{2}$　② $2\sqrt{2}$, 10　③ $2\sqrt{3}$, $\frac{5}{2}$
④ $2\sqrt{3}$, 10　⑤ $2\sqrt{2}$, $5\sqrt{3}$

06 오른쪽 그림과 같이 반지름의 길이가 1인 사분원에서 $\tan x$의 값은?

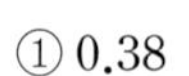

① 0.38　② 0.47
③ 0.53　④ 0.62
⑤ 0.85

07 다음 보기 중 삼각비의 값이 1인 것은 모두 몇 개인가?

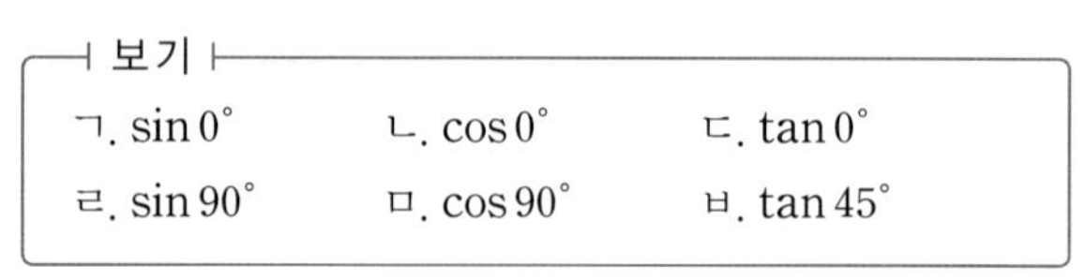
보기
ㄱ. $\sin 0°$　ㄴ. $\cos 0°$　ㄷ. $\tan 0°$
ㄹ. $\sin 90°$　ㅁ. $\cos 90°$　ㅂ. $\tan 45°$

① 1개　② 2개　③ 3개
④ 4개　⑤ 5개

08 다음은 삼각비의 표의 일부분이다. 옳지 않은 것은?

각	sin	cos	tan
28°	0.4695	0.8829	0.5317
29°	0.4848	0.8746	0.5543
30°	0.5000	0.8660	0.5774

① $\sin 28°=0.4695$　② $\cos 29°=0.8746$
③ $\tan 28°=0.5317$　④ $\sin 30°=0.5000$
⑤ $\cos x=0.8829$일 때, $x=30°$

09 오른쪽 그림과 같이 키가 1.5 m인 동현이가 건물 꼭대기를 바라본 각의 크기가 60°이고, 건물과 동현이 사이의 거리가 5 m일 때, 이 건물의 높이를 구하여라.

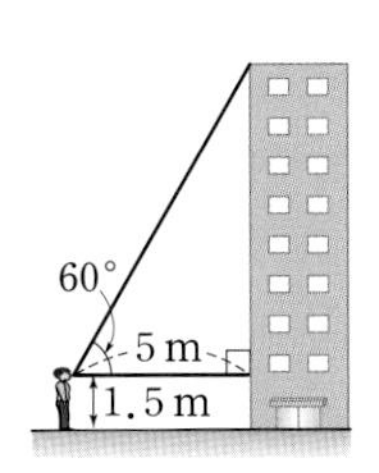

10 오른쪽 그림과 같은 $\triangle ABC$에서 $\overline{AB}=3$ cm, $\overline{AC}=2$ cm, $\angle A=60°$일 때, 다음 중 옳지 <u>않은</u> 것은?

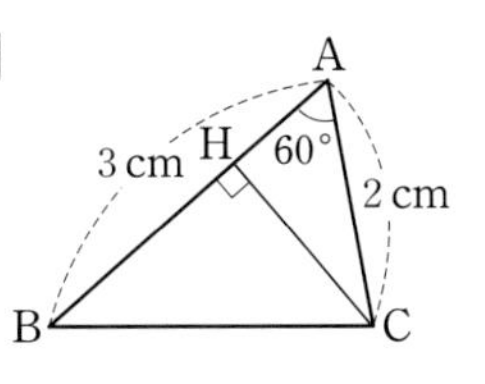

① $\overline{AH}=1$ cm ② $\overline{CH}=\sqrt{3}$ cm
③ $\overline{BH}=2$ cm ④ $\overline{BC}=4$ cm
⑤ $\triangle ABC=\dfrac{3\sqrt{3}}{2}$ cm^2

11 오른쪽 그림과 같은 $\triangle ABC$에서 $\overline{BC}=4$, $\angle A=60°$, $\angle C=45°$일 때, $\overline{AB}$의 길이는?

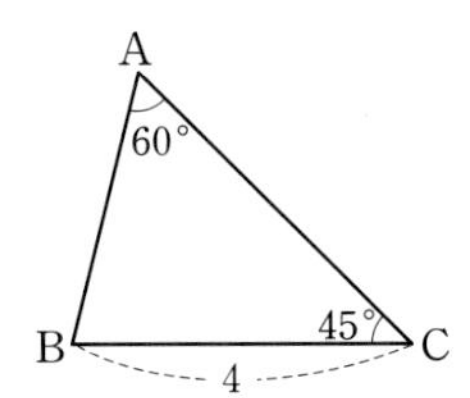

① $\dfrac{2\sqrt{2}}{3}$ ② $\dfrac{2\sqrt{6}}{3}$
③ $\sqrt{3}$ ④ $\dfrac{4\sqrt{6}}{3}$
⑤ $2\sqrt{2}$

12 오른쪽 그림과 같은 $\triangle ABC$에서 $\angle B=30°$, $\angle C=45°$, $\overline{BC}=30$ cm일 때, $\overline{AH}$의 길이는?

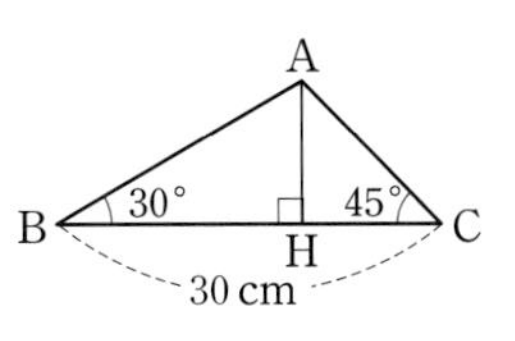

① $12(\sqrt{3}-1)$ cm ② $12(\sqrt{3}+1)$ cm
③ $14(\sqrt{3}-1)$ cm ④ $14(\sqrt{3}+1)$ cm
⑤ $15(\sqrt{3}-1)$ cm

13 오른쪽 그림과 같은 $\triangle ABC$에서 $\overline{AC}=4$ cm, $\overline{BC}=4$ cm, $\angle C=135°$일 때, $\triangle ABC$의 넓이는?

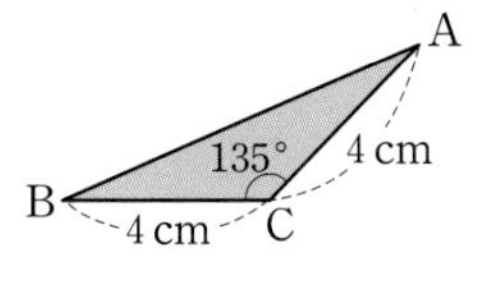

① 2 cm^2 ② $2\sqrt{2}$ cm^2 ③ 4 cm^2
④ $4\sqrt{2}$ cm^2 ⑤ $8\sqrt{3}$ cm^2

14 오른쪽 그림과 같은 등변사다리꼴 ABCD에서 $\overline{AD}=3$ cm, $\overline{AB}=4$ cm, $\angle B=60°$일 때, □ABCD의 넓이를 구하여라.

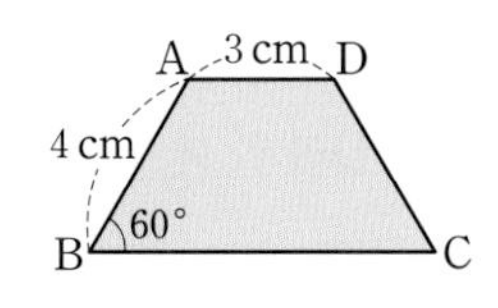

15 오른쪽 그림과 같은 평행사변형 ABCD에서 $\overline{BC}$의 중점을 M이라 할 때, $\triangle AMC$의 넓이를 구하여라.

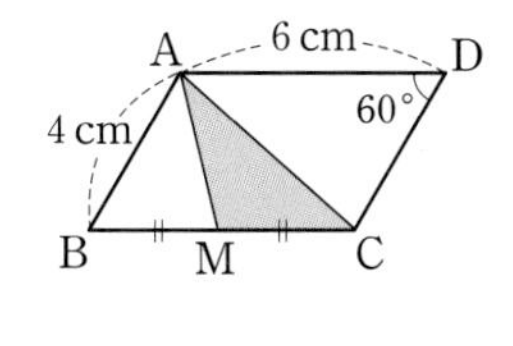

16 오른쪽 그림과 같이 대각선의 길이가 10 cm, 12 cm인 □ABCD의 넓이의 최댓값은?

① 20 cm^2 ② $20\sqrt{3}$ cm^2
③ 30 cm^2 ④ $30\sqrt{2}$ cm^2
⑤ 60 cm^2

17 오른쪽 그림에서 $\angle B=\angle E=90°$, $\overline{BD}=\overline{DC}=12$ cm이고 $\sin x=\frac{2}{3}$일 때, $\tan y$의 값을 구하여라.

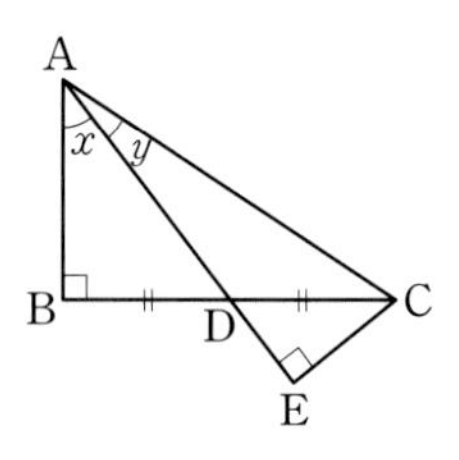

서술형

18 오른쪽 그림과 같이 $\overline{AB}=\overline{AC}=2a$이고 $\angle B=30°$인 이등변 삼각형 ABC에서 밑변 BC의 삼등분점 중 점 B와 가까운 점을 D라 할 때, $\overline{AD}$의 길이를 구하여라.

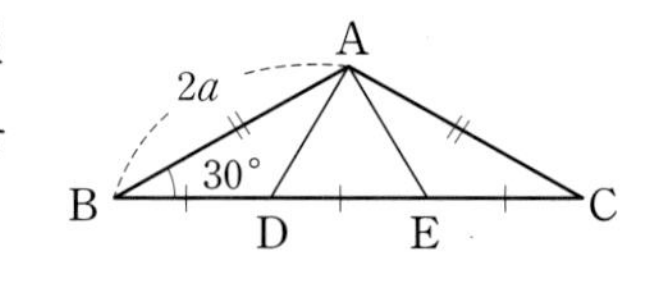

19 오른쪽 그림에서 $\angle D=90°$, $\angle ACD=30°$이고 $\overline{AD}=1$, $\overline{AC}=\overline{BC}$일 때, $\tan 15°$의 값을 구하여라.

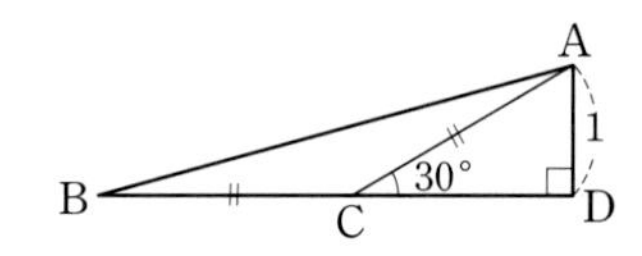

20 오른쪽 그림과 같이 □CDEF는 부채꼴 AOB에 내접하는 직사각형이다. $\overline{OC}=1$ cm, $\angle BOA=45°$, $\angle COF=15°$일 때, □CDEF의 넓이를 구하여라.

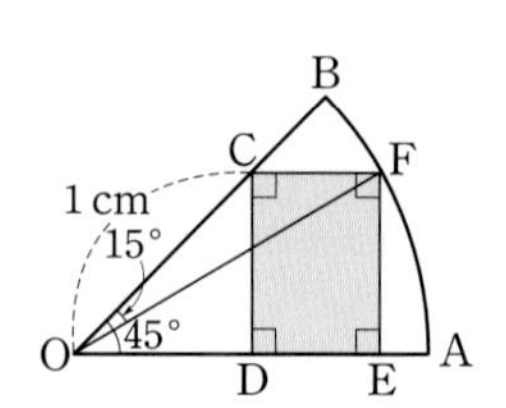

서술형

21 오른쪽 그림과 같이 합동인 두 직각삼각형의 빗변을 겹쳐놓았을 때, $\angle EBC=30^\circ$, $\overline{BC}=8$ cm이다. 이때, 겹쳐진 부분의 넓이를 구하여라.

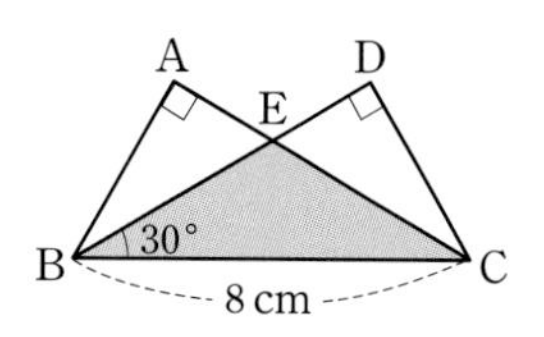

22 오른쪽 그림과 같이 높이가 같은 두 전신주가 10 m 간격으로 떨어져 있다. 전신주의 높이를 구하기 위해 P지점에서 측량을 하였더니 $\angle CPA=45^\circ$, $\angle DPB=30^\circ$일 때, 전신주의 높이를 구하여라.

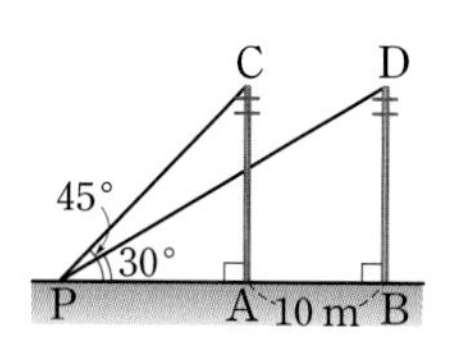

23 오른쪽 그림에서 $\overline{AC} /\!/ \overline{DE}$이고 $\overline{AB}=14$ cm, $\overline{BC}=11$ cm, $\overline{CE}=9$ cm이다. $\angle B=60^\circ$일 때, □ABCD의 넓이를 구하여라.

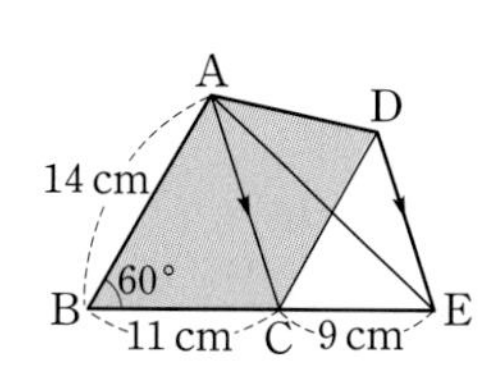

24 오른쪽 그림에서 □ABCD는 정사각형이고, 두 점 E, F는 각각 $\overline{AB}$, $\overline{BC}$의 중점일 때, $\sin x$의 값을 구하여라.

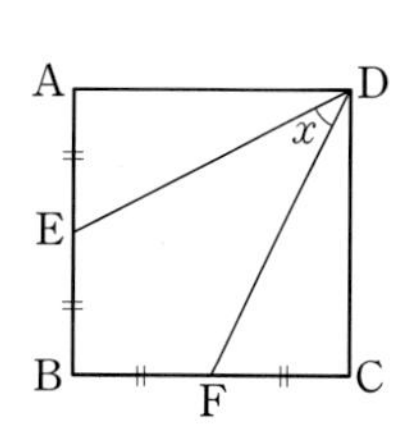

03 원과 직선

기출문제로 내신대비

정답 및 풀이 28쪽

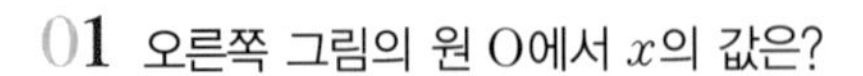
01 오른쪽 그림의 원 O에서 x의 값은?

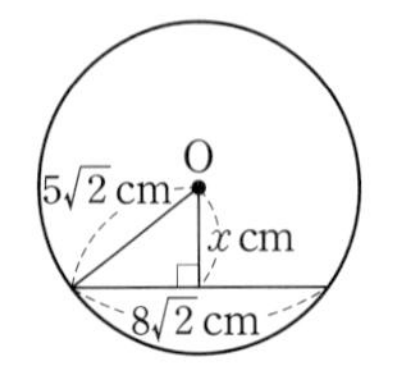

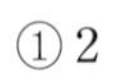
① 2 ② $2\sqrt{2}$
③ $3\sqrt{2}$ ④ $4\sqrt{2}$

⑤ $5\sqrt{2}$

02 오른쪽 그림과 같이 지름의 길이가 30인 원 O에서 $\overline{CM}=6$, $\overline{CD}\perp\overline{AB}$일 때, $\overline{AB}$의 길이는?

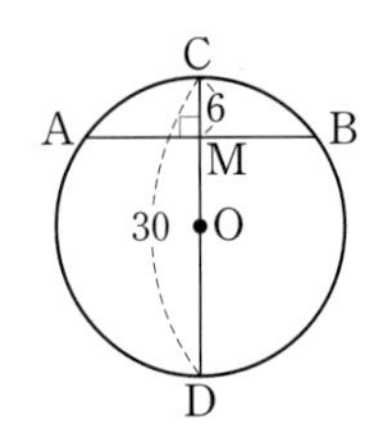

① 20 ② 22

③ 24 ④ 26
⑤ 28

03 오른쪽 그림과 같이 중심이 O로 같은 두 원에서 길이가 4인 큰 원의 현 AB가 작은 원의 접선일 때, 색칠한 부분의 넓이를 구하여라.

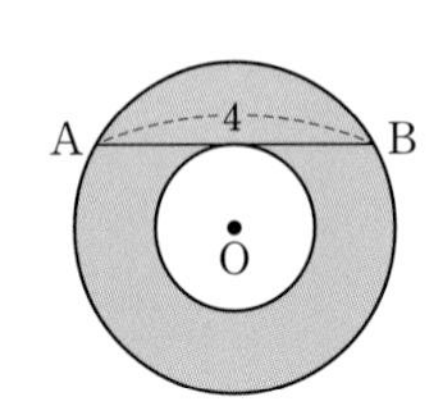

04 오른쪽 그림과 같이 원 위의 점 P를 원의 중심 O에 겹치도록 접었다. $\overline{AB}=6\sqrt{3}$일 때, 이 원의 반지름의 길이는?

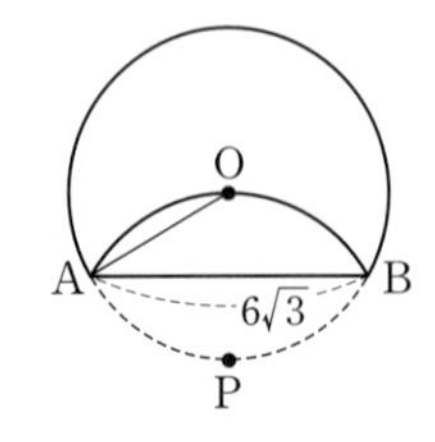

① 3 ② 4
③ 5 ④ 6
⑤ 7

05 오른쪽 그림의 원 O에서 $\overline{OM}=\overline{ON}=4$, $\overline{OC}=4\sqrt{3}$일 때, $\triangle$OAB의 둘레의 길이를 구하여라.

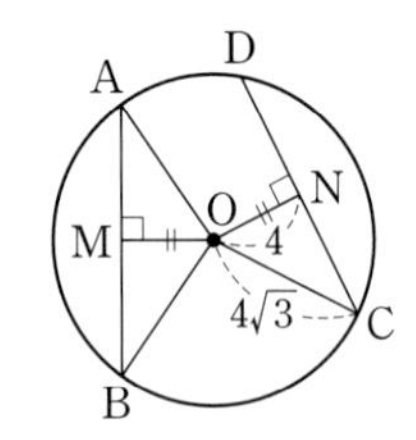

06 오른쪽 그림과 같이 $\triangle$ABC의 외접원의 중심 O에서 삼각형의 세 변에 내린 수선의 발을 각각 D, E, F라 한다. $\overline{OD}=\overline{OF}$, $\angle$FOE$=125°$일 때, $\angle$BAC의 크기는?

① $50°$ ② $55°$ ③ $60°$
④ $65°$ ⑤ $70°$

07 오른쪽 그림에서 반직선 PA는 반원 O의 접선이고, 점 A는 접점이다. $\overline{BP}=\overline{BO}=5$ cm일 때, $\overline{PA}$의 길이는?

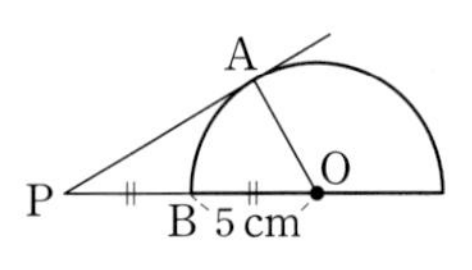

① 5 cm ② $5\sqrt{2}$ cm ③ $5\sqrt{3}$ cm
④ 10 cm ⑤ $10\sqrt{2}$ cm

08 오른쪽 그림에서 $\overrightarrow{PX}$, $\overrightarrow{PY}$, $\overline{AB}$는 원 O와 각각 점 X, Y, C에서 접하는 접선일 때, $\overline{AB}$의 길이는?

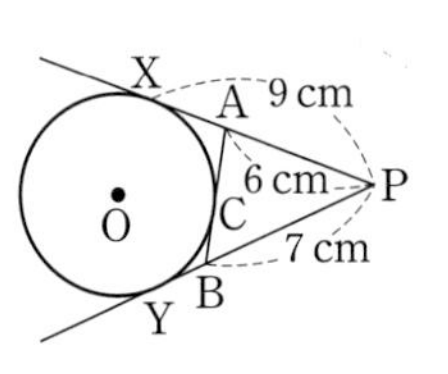

① 4 cm ② 5 cm
③ 6 cm ④ 7 cm
⑤ 8 cm

09 오른쪽 그림과 같이 반원 O의 지름 BC의 양 끝점에서 그은 접선과 원 O 위의 점 E에서 그은 접선이 만나는 점을 각각 A, D라 할 때, □ABCD의 넓이를 구하여라.

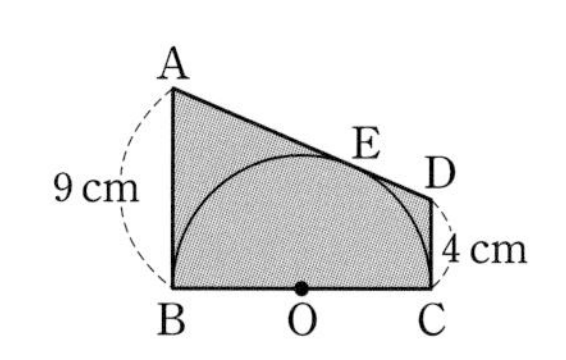

10 오른쪽 그림에서 원 O는 삼각형 ABC의 내접원이고 세 점 D, E, F는 접점이다. $\overline{AB}=7$, $\overline{AC}=5$, $\overline{BE}=5$일 때, x의 값을 구하여라.

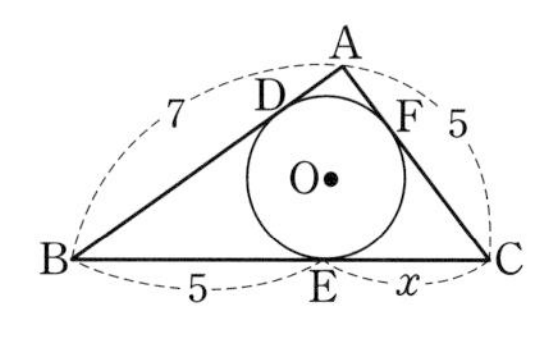

11 오른쪽 그림에서 원 O는 △ABC의 내접원이고 세 점 P, Q, R는 접점일 때, $\overline{BQ}+\overline{CR}-\overline{AP}$의 값은?

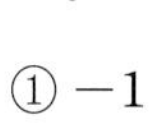

① -1　② 0　③ 1
④ 2　⑤ 3

12 오른쪽 그림과 같이 □ABCD는 원 O에 외접하고, $\overline{AD}=6$ cm, $\overline{BC}=14$ cm일 때, □ABCD의 둘레의 길이는?

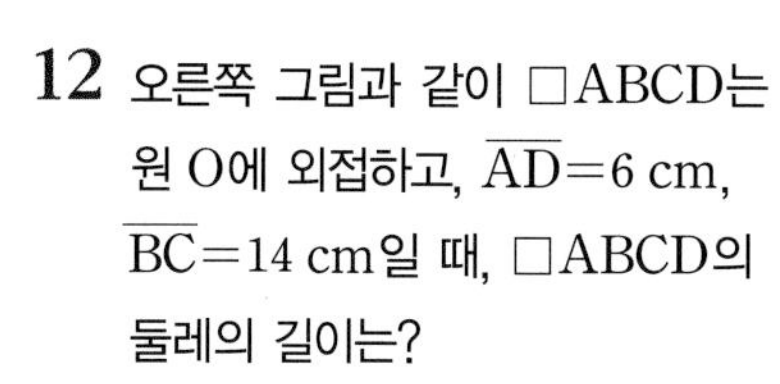
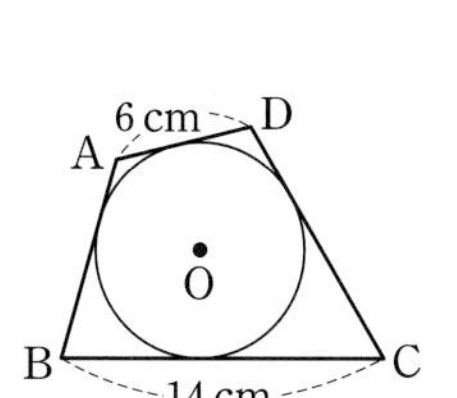

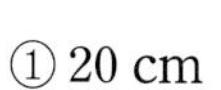
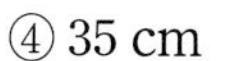

① 20 cm　② 25 cm　③ 30 cm
④ 35 cm　⑤ 40 cm

13 오른쪽 그림과 같이 □ABCD가 원 O에 외접하고, 두 대각선이 직교하고 있다. $\overline{BC}=8$, $\overline{CD}=6$일 때, $x+y$의 값을 구하여라.

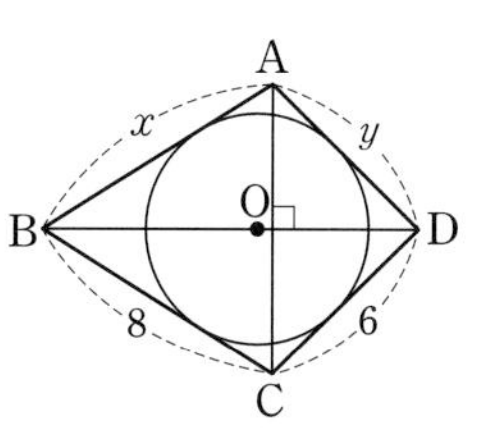

서·술·형·문·제

풀이 과정을 자세히 쓰시오.

14 깨진 원 모양의 접시의 일부가 오른쪽 그림과 같다. $\overline{AD}=\overline{BD}$, $\overline{AB}\perp\overline{CD}$일 때, 원래 접시의 지름의 길이를 구하여라.

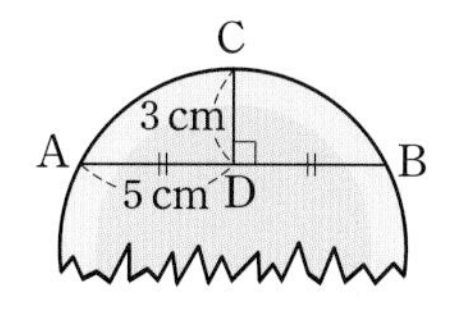

[단계] ❶ 반지름의 길이를 r cm로 놓고 반지름의 길이를 구하는 식 세우기
❷ 원래 접시의 지름의 길이 구하기

답 ______

15 오른쪽 그림에서 원 O는 ∠C=90°인 △ABC의 내접원이고, 세 점 D, E, F는 접점이다. $\overline{AB}=17$ cm, $\overline{BC}=15$ cm일 때, 원 O의 반지름의 길이를 구하여라.

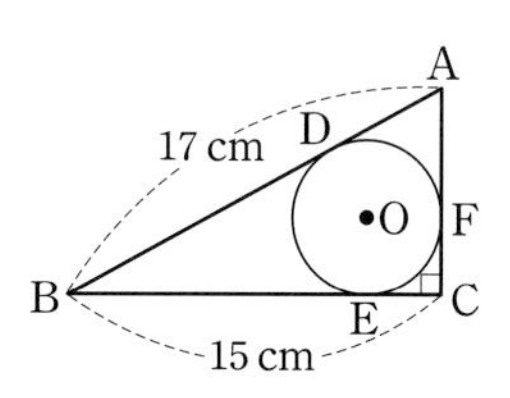

답 ______

04 원주각

기출문제로 내신대비

정답 및 풀이 29쪽

01 오른쪽 그림의 원 O에서 $\angle OAB=35°$일 때, $\angle APB$의 크기는?

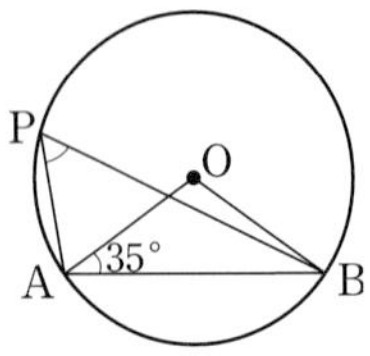

① $40°$ ② $45°$
③ $50°$ ④ $55°$
⑤ $60°$

02 오른쪽 그림의 원 O에서 $\angle ACE=70°$, $\angle AOB=60°$일 때, $\angle x$의 크기는?

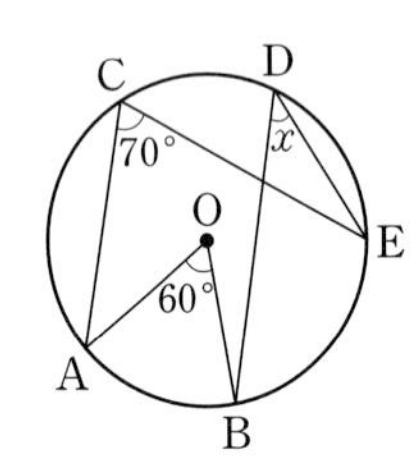

① $20°$ ② $25°$
③ $30°$ ④ $35°$
⑤ $40°$

03 오른쪽 그림과 같이 무대의 길이가 12 m인 원형 극장이 있다. 원 위의 한 점에서 무대의 양 끝을 바라본 각의 크기가 $30°$일 때, 이 원형 극장의 지름의 길이를 구하여라.

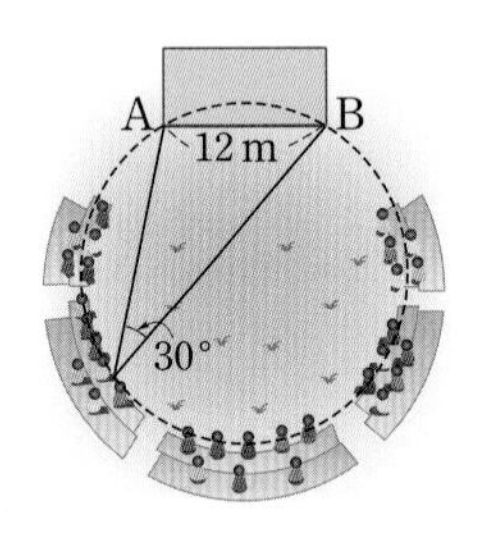

04 오른쪽 그림의 원 O에서 $\angle ABD=25°$, $\angle BDC=60°$일 때, $\angle x+\angle y+\angle z$의 값은?

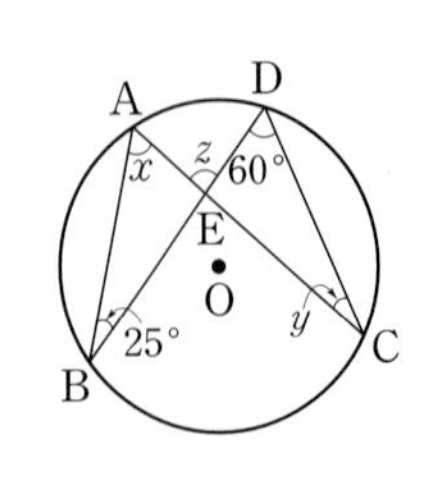

① $150°$ ② $160°$
③ $170°$ ④ $180°$
⑤ $190°$

05 오른쪽 그림에서 $\angle APB=40°$, $\angle AQC=68°$일 때, $\angle BRC$의 크기는?

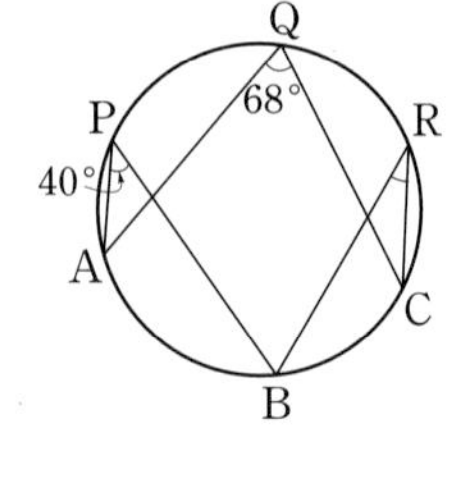

① $24°$ ② $26°$
③ $28°$ ④ $30°$
⑤ $32°$

06 오른쪽 그림에서 $\overline{BC}$는 원 O의 지름이고 $\angle ACB=20°$일 때, $\angle x$의 크기는?

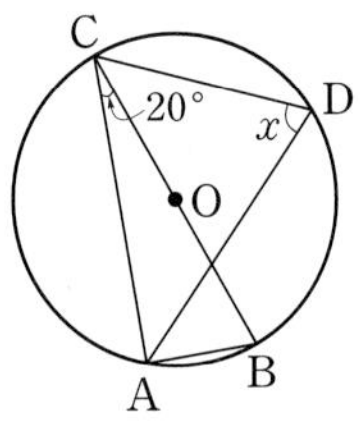

① $60°$ ② $65°$
③ $70°$ ④ $75°$
⑤ $80°$

07 오른쪽 그림에서 $\overline{AB}=\overline{AC}$이고 점 D, E는 반원 O와 $\overline{AB}$, $\overline{AC}$가 각각 만나는 점이다. 이때, 부채꼴 DOE의 넓이는?

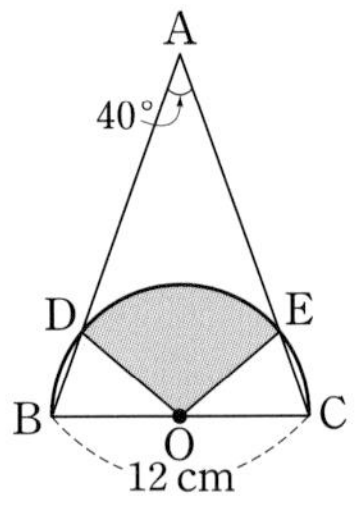

① 7π cm^2 ② 8π cm^2
③ 9π cm^2 ④ 10π cm^2
⑤ 12π cm^2

08 오른쪽 그림에서 $\overline{AE}$는 원 O의 지름이고 $\overline{AE} /\!/ \overline{BD}$이다. $\angle APB=40°$일 때, $\angle AEC$의 크기는?

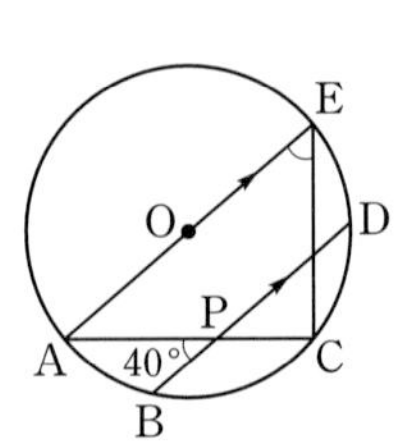

① $46°$ ② $48°$
③ $50°$ ④ $52°$
⑤ $54°$

09 오른쪽 그림에서 $\overset{\frown}{AB}=\overset{\frown}{BC}$, $\angle ABD=58^\circ$, $\angle BDC=40^\circ$일 때, $\angle CAD$의 크기는?

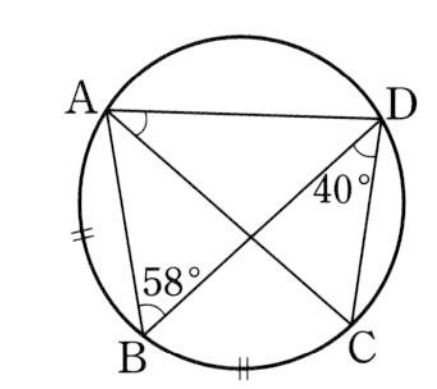

① 40° ② 42°
③ 44° ④ 46°
⑤ 48°

10 오른쪽 그림에서 $\overset{\frown}{AC}=4$ cm, $\overset{\frown}{CB}=8$ cm일 때, $\angle CPB$의 크기는?

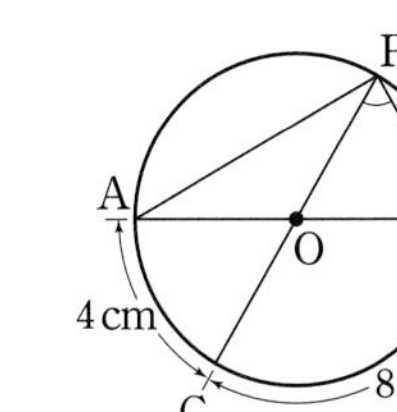

① 60° ② 65°
③ 70° ④ 75°
⑤ 80°

11 오른쪽 그림에서 $\overset{\frown}{AB}$의 길이는 원의 둘레의 길이의 $\frac{1}{6}$이고, $\overset{\frown}{AB} : \overset{\frown}{CD}=1 : 2$일 때, $\angle x$의 크기는?

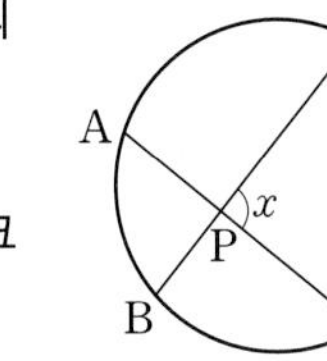

① 60° ② 70° ③ 80°
④ 90° ⑤ 100°

12 다음 중 네 점 A, B, C, D가 한 원 위에 있지 <u>않은</u> 것은?

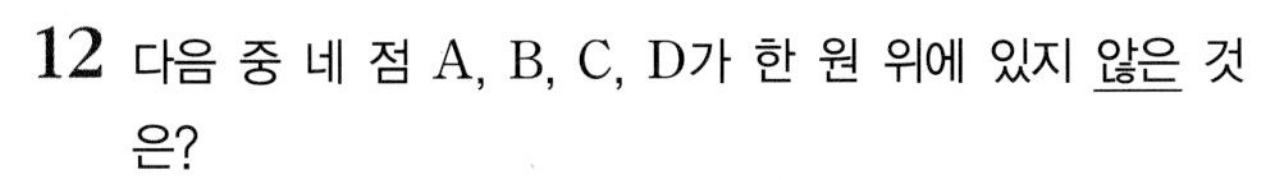

①
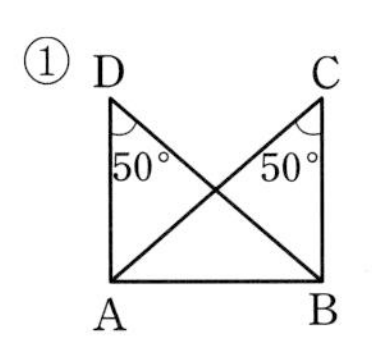

②
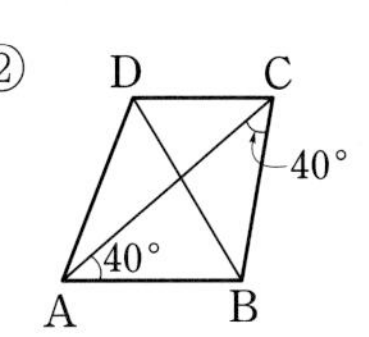

③
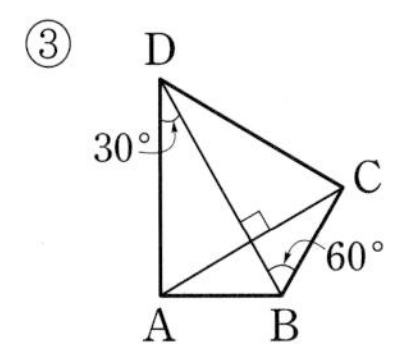

④
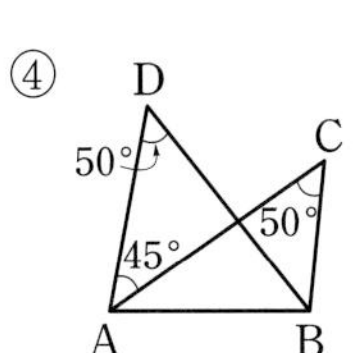

⑤
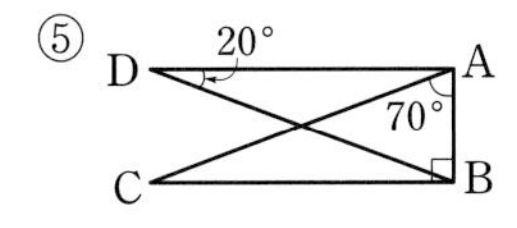

13 오른쪽 그림에서 네 점 A, B, C, D가 한 원 위에 있을 때, $\angle x$의 크기를 구하여라.

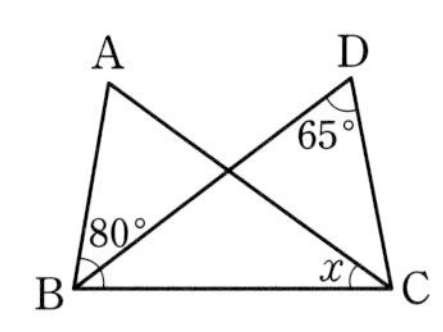

서·술·형·문·제

풀이 과정을 자세히 쓰시오.

14 오른쪽 그림에서 점 P는 원 O의 두 현 AB, CD의 연장선의 교점이다. $\angle AOC=130^\circ$, $\angle BOD=50^\circ$일 때, $\angle APC$의 크기를 구하여라.

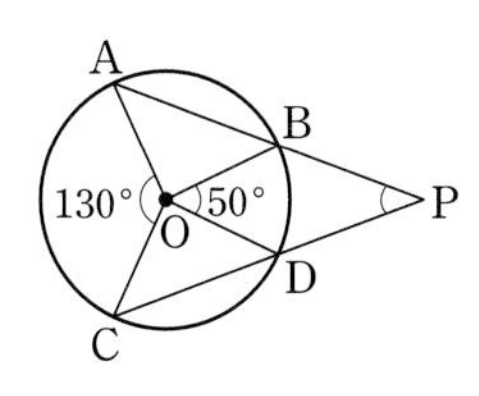

[단계] ❶ $\angle ADC$의 크기 구하기
❷ $\angle DAB$의 크기 구하기
❸ $\angle APC$의 크기 구하기

답 ____________

15 오른쪽 그림에서 점 P는 원의 두 현 AC, BD의 교점이다. $\angle ACD=30^\circ$, $\overset{\frown}{AD}=3$ cm, $\overset{\frown}{BC}=6$ cm, $\overline{AB}=2\sqrt{3}$ cm일 때, $\triangle ABP$의 둘레의 길이를 구하여라.

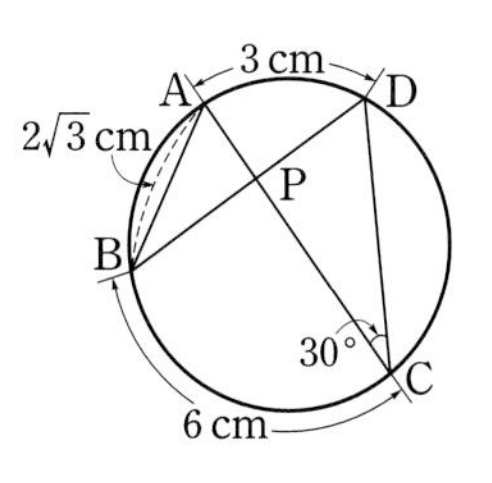

답 ____________

05 원주각의 활용

기출문제로 내신대비

정답 및 풀이 30쪽

01 오른쪽 그림의 원 O에서 □ABCD는 원에 내접하고 $\angle A=85^\circ$, $\angle D=70^\circ$일 때, $\angle x+\angle y$의 크기는?

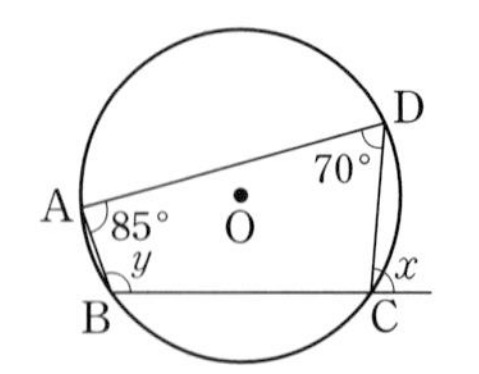

① 185° ② 190°
③ 195° ④ 200°
⑤ 205°

02 오른쪽 그림과 같이 □ABCD는 원 O에 내접하고, $\overline{DA}$와 $\overline{CB}$의 연장선은 점 P에서 만난다. $\angle DPC=30^\circ$, $\angle C=80^\circ$일 때, $\angle x$의 크기를 구하여라.

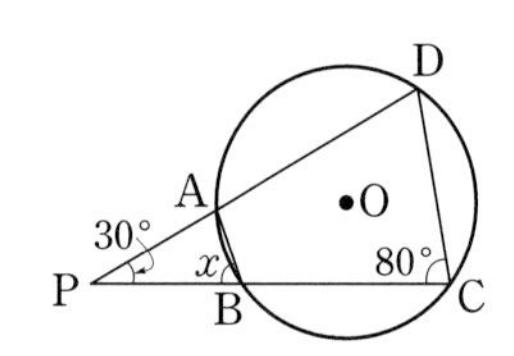

03 오른쪽 그림의 원 O에서 $\angle BAD=70^\circ$일 때, $\angle x+\angle y$의 크기는?

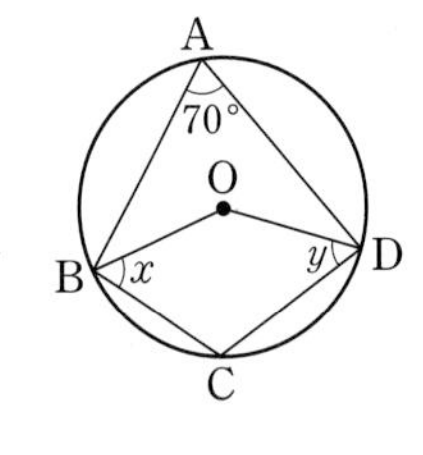

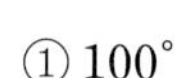

① 100° ② 105°
③ 110° ④ 115°
⑤ 120°

04 오른쪽 그림과 같이 □ABCD가 원에 내접하고 $\angle ADB=20^\circ$, $\angle BAC=55^\circ$, $\angle BCD=95^\circ$일 때, $\angle x+\angle y$의 크기는?

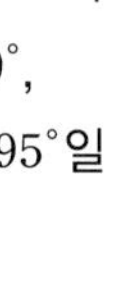

① 90° ② 95° ③ 100°
④ 105° ⑤ 110°

05 오른쪽 그림에서 두 점 P, Q는 두 원의 교점이고, $\angle B=83^\circ$, $\angle BDR=95^\circ$일 때, $\angle A$의 크기는?

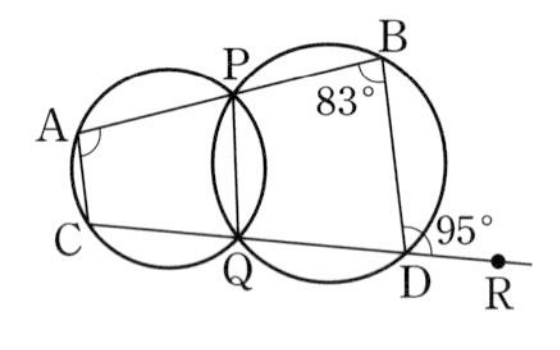

① 83° ② 85° ③ 90°
④ 95° ⑤ 97°

06 오른쪽 그림에서 오각형 ABCDE가 원 O에 내접하고, $\angle BOC=40^\circ$일 때, $\angle BAE+\angle CDE$의 크기를 구하여라.

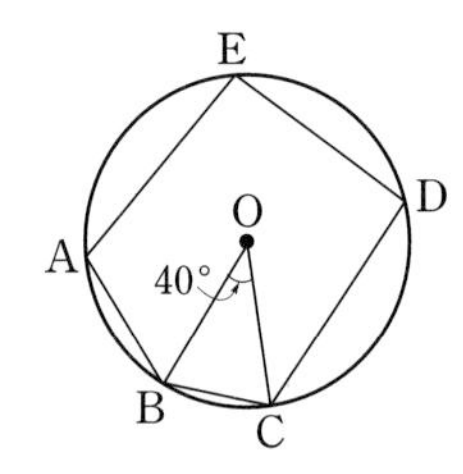

07 다음 중 항상 원에 내접하는 사각형이 아닌 것을 모두 고르면? (정답 2개)

① 직사각형 ② 정사각형
③ 등변사다리꼴 ④ 평행사변형
⑤ 마름모

08 오른쪽 그림에서 반직선 PA, PB는 각각 점 A, B를 접점으로 하는 원 O의 접선이고 점 A, B는 접점이다. $\angle P=40^\circ$, $\overline{AC}=\overline{BC}$일 때, $\angle CBD$의 크기는?

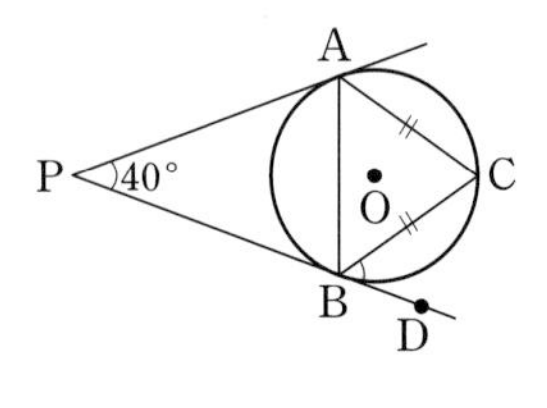

① 28° ② 32° ③ 55°
④ 60° ⑤ 64°

09 오른쪽 그림에서 직선 TA는 원 O의 접선이고, □ABCD는 원에 내접한다. $\widehat{AB}=\widehat{BC}$이고, $\angle D=80°$일 때, $\angle BAT$의 크기는?

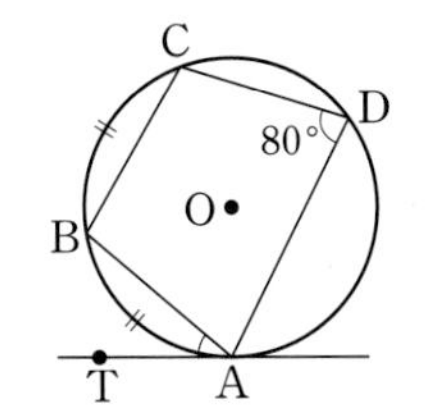

① 30° ② 35°
③ 40° ④ 45°
⑤ 50°

10 원 밖의 한 점 P에서 원 O에 그은 접선의 접점을 T라 하자. $\overline{AB}=30$ cm, $\angle PTA=30°$일 때, $\overline{AP}$의 길이를 구하여라.

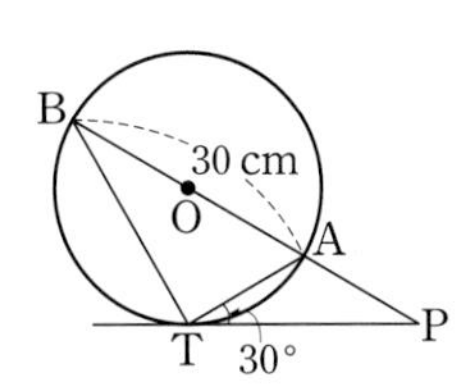

11 오른쪽 그림에서 직선 EB는 원 O의 접선이고 $\overline{AC}$는 원 O의 지름이다. $\angle ABE=40°$일 때, $\angle BDC$의 크기를 구하여라.

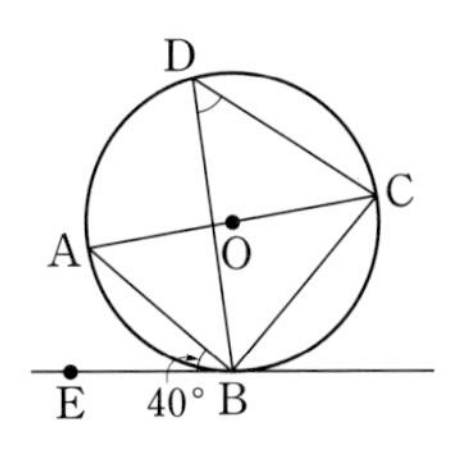

12 오른쪽 그림에서 직선 PA, PB는 원의 접선이다. $\angle APB=40°$, $\widehat{AQ}:\widehat{QB}=6:5$일 때, $\angle x$의 크기를 구하여라.

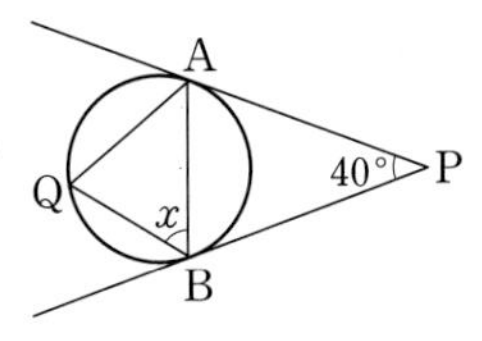

13 오른쪽 그림에서 직선 TT′은 두 원의 공통인 접선이다. 접점 P를 지나는 두 직선이 원과 만나는 점을 각각 A, B, C, D라 하면 $\angle CAP=50°$, $\angle BDC=115°$일 때, $\angle x$의 크기를 구하여라.

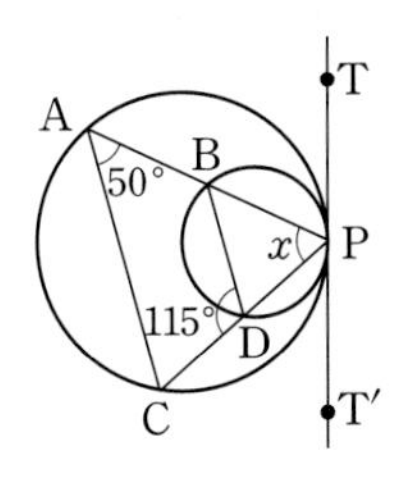

서·술·형·문·제

풀이 과정을 자세히 쓰시오.

14 오른쪽 그림에서 □ABCD는 원에 내접하고 $\angle P=20°$, $\angle Q=30°$일 때, $\angle BCD$의 크기를 구하여라.

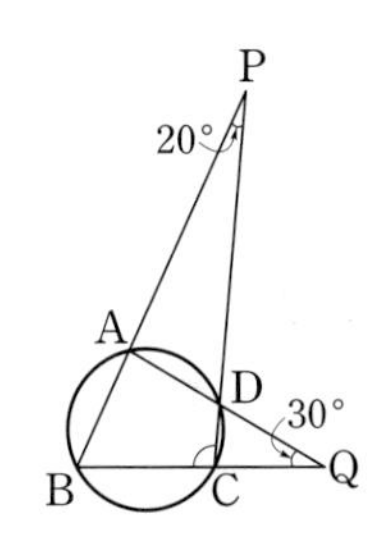

[단계] ❶ $\angle B=\angle x$로 놓고 $\angle x$에 관한 식 세우기
❷ $\angle x$의 크기 구하기
❸ $\angle BCD$의 크기 구하기

답 ______________

15 오른쪽 그림에서 □ABCD는 원 O에 내접하고 직선 PT는 접선이다. $\widehat{AB}=\widehat{BC}$이고 $\angle ACB=35°$, $\angle ACD=50°$일 때, $\angle DCT$의 크기를 구하여라.

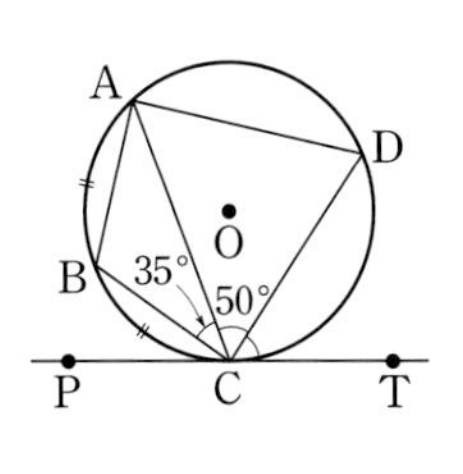

답 ______________

정답 및 풀이 31쪽

01 오른쪽 그림과 같이 반지름의 길이가 10 cm인 원 O에서 $\overline{AB}\perp\overline{CO}$, $\overline{CP}=4$ cm일 때, $\overline{AB}$의 길이는?

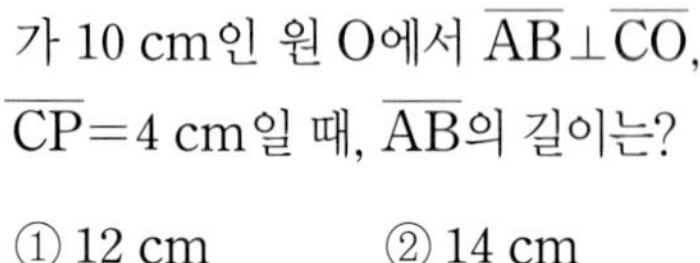

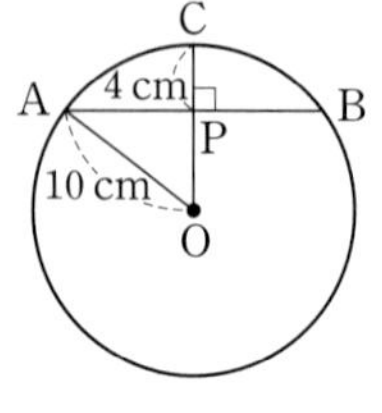

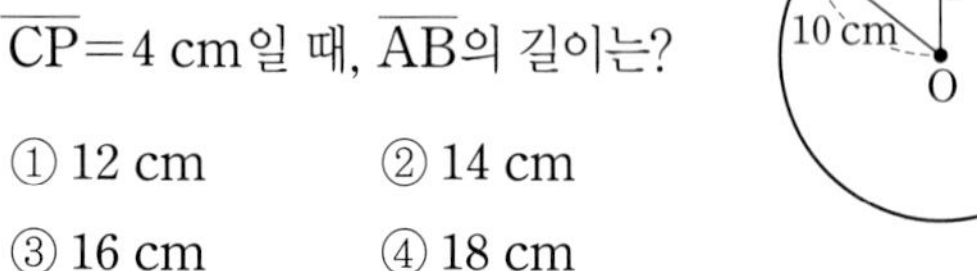

① 12 cm ② 14 cm ③ 16 cm ④ 18 cm ⑤ 20 cm

02 오른쪽 그림에서 원 O의 넓이가 169π cm²이고, $\overline{OM}=\overline{ON}=5$ cm 일 때, $a+b$의 값은?

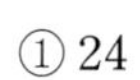

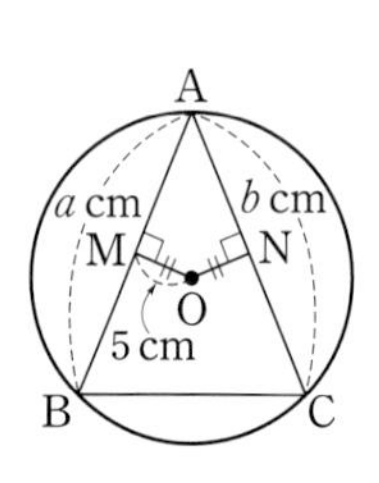

① 24 ② 36 ③ 40 ④ 48 ⑤ 52

03 오른쪽 그림과 같이 두 직선 PA, PB가 원 O의 접선이고 $\overline{PA}=4$ cm, $\angle APB=60°$일 때, △PAB의 넓이는?

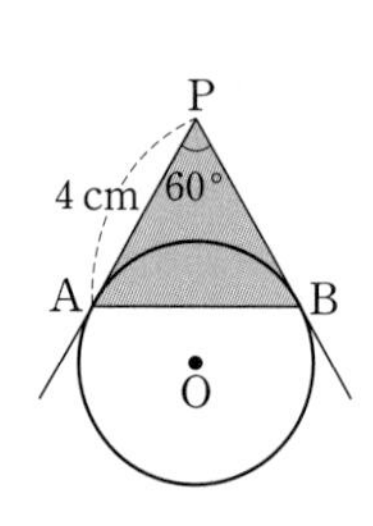

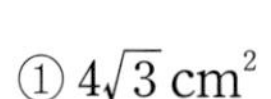

① $4\sqrt{3}$ cm² ② $8\sqrt{3}$ cm² ③ 16 cm² ④ $16\sqrt{3}$ cm² ⑤ 32 cm²

04 오른쪽 그림과 같이 $\overline{AD}$, $\overline{CD}$, $\overline{BC}$는 반원 O의 접선이고, 세 점 A, E, B는 접점일 때, $\angle DOC$의 크기를 구하여라.

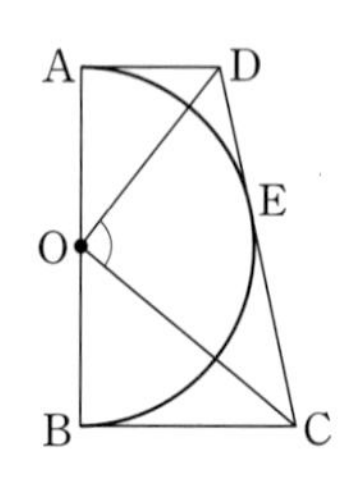

05 오른쪽 그림에서 원 O는 △ABC의 내접원이고 $\overline{DE}$는 원 O의 접선이다. $\overline{AB}=13$, $\overline{BC}=10$, $\overline{CA}=9$일 때, △DBE의 둘레의 길이는?

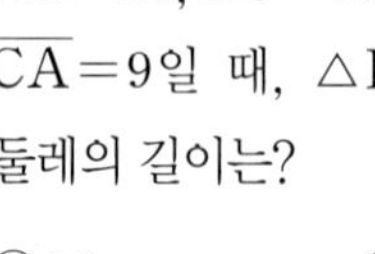

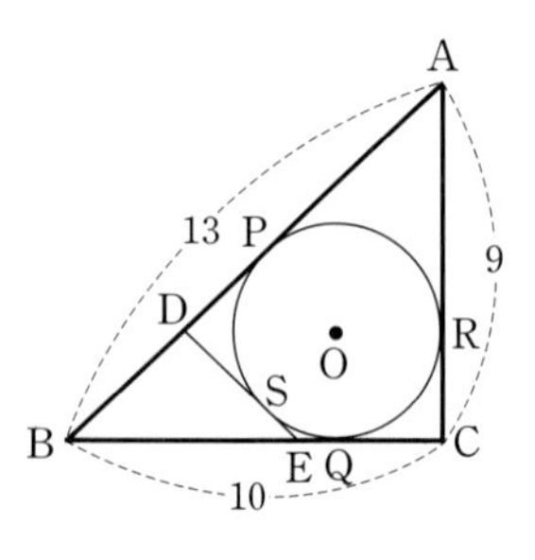

① 10 ② 11 ③ 12 ④ 13 ⑤ 14

06 오른쪽 그림에서 □ABCD는 $\overline{AD}/\!/\overline{BC}$인 등변사다리꼴이고, 원 O는 □ABCD의 내접원이다. 이때 $\overline{BC}$의 길이는?

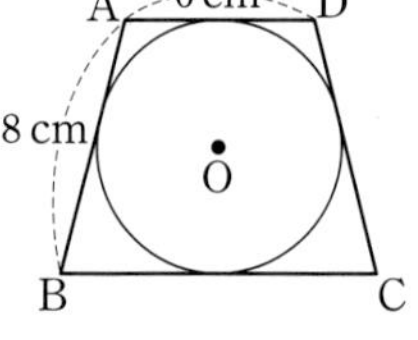

① 8 cm ② 9 cm ③ 10 cm ④ 11 cm ⑤ 12 cm

07 오른쪽 그림의 원 O에서 $\angle x$의 크기는?

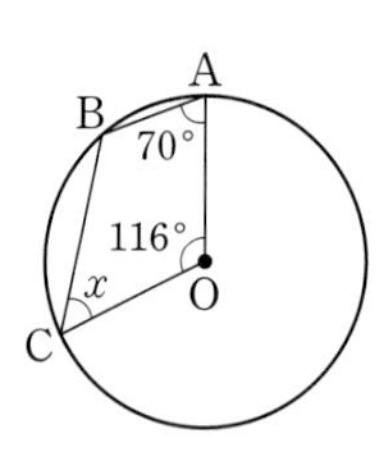

① 46° ② 48° ③ 50° ④ 52° ⑤ 54°

08 오른쪽 그림의 원 O에서 $\angle AQC=70°$, $\angle P=30°$일 때, $2\angle x+\angle y$의 크기는?

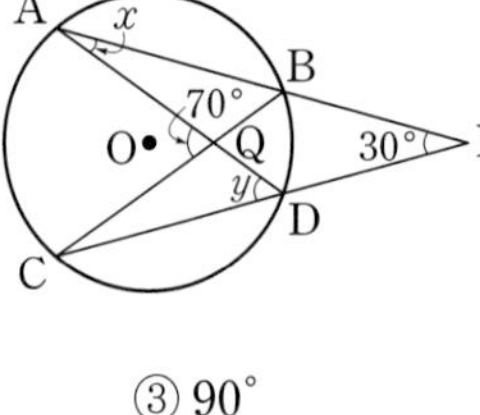

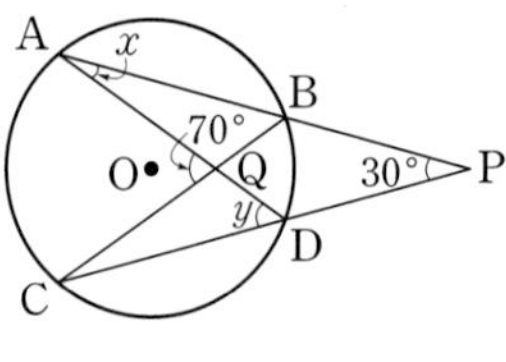

① 70° ② 80° ③ 90° ④ 100° ⑤ 110°

09 오른쪽 그림과 같은 원 O에서 $\overset{\frown}{AD}=\overset{\frown}{DC}$, $\angle CAB=20°$일 때, $\angle DAC$의 크기는?

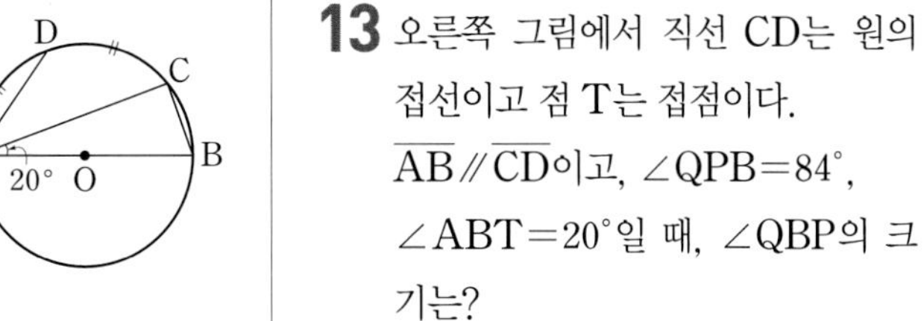

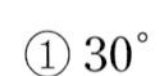

① 30°　② 32°　③ 35°　④ 37°　⑤ 40°

10 오른쪽 그림에서 $2\overset{\frown}{BD}=\overset{\frown}{AE}$이고, $\angle ECA=30°$일 때, $\angle x$의 크기는?

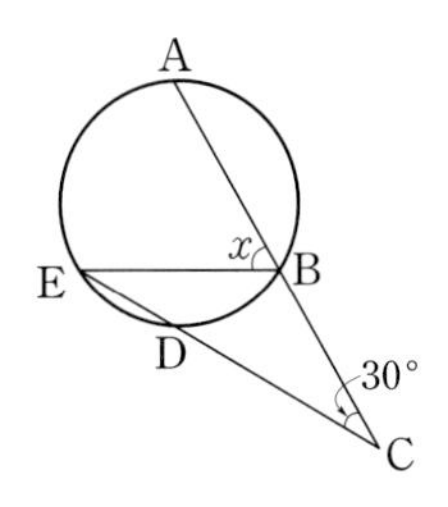

① 40°　② 45°　③ 50°　④ 55°　⑤ 60°

11 오른쪽 그림과 같이 □ABCD가 원에 내접할 때, $\angle x+\angle y$의 크기는?

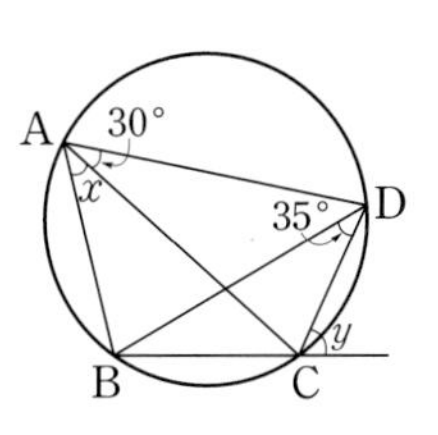

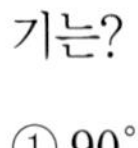

① 90°　② 95°　③ 100°　④ 105°　⑤ 110°

12 오른쪽 그림에서 직선 TB는 원 O의 접선이고, 점 B는 접점이다. □ABCD가 원에 내접하고, $\angle C=124°$일 때, $\angle ABT$의 크기는?

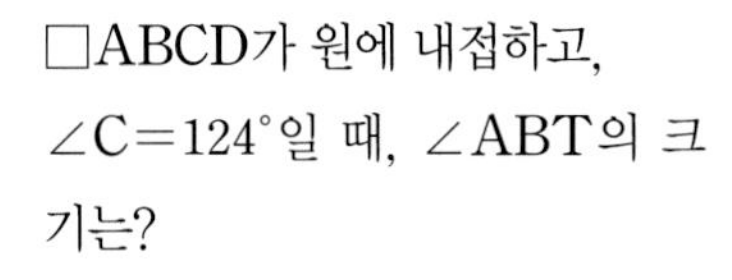

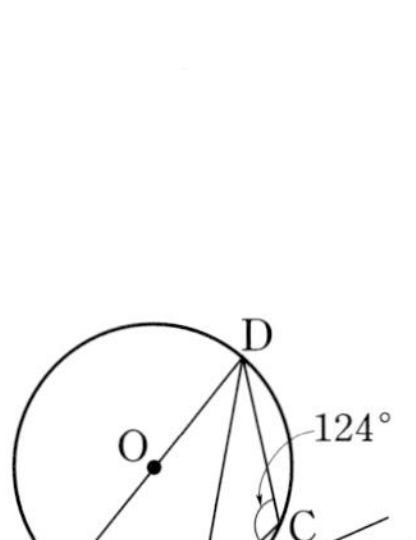

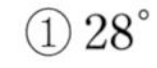

① 28°　② 30°　③ 32°　④ 34°　⑤ 36°

13 오른쪽 그림에서 직선 CD는 원의 접선이고 점 T는 접점이다. $\overline{AB}\,/\!/\,\overline{CD}$이고, $\angle QPB=84°$, $\angle ABT=20°$일 때, $\angle QBP$의 크기는?

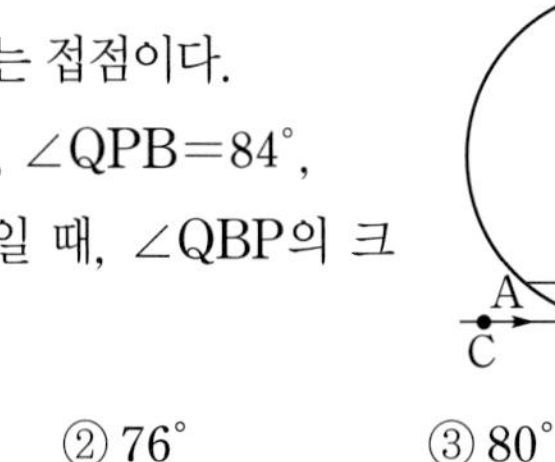

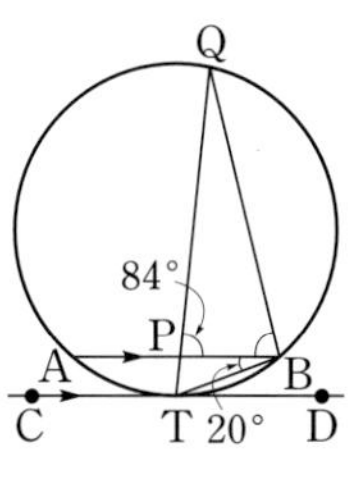

① 74°　② 76°　③ 80°　④ 84°　⑤ 86°

14 오른쪽 그림에서 $\overline{AD}$는 원 O의 지름이고 $\angle ABE=60°$, $\angle ADB=35°$일 때, $\angle y-\angle x$의 크기는?

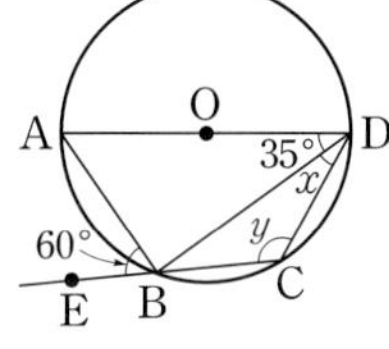

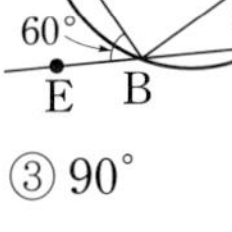

① 80°　② 85°　③ 90°　④ 95°　⑤ 100°

15 오른쪽 그림에서 직선 TT′는 두 원의 공통인 접선이고, $\angle BDT=75°$일 때, $\angle x+\angle y$의 크기는?

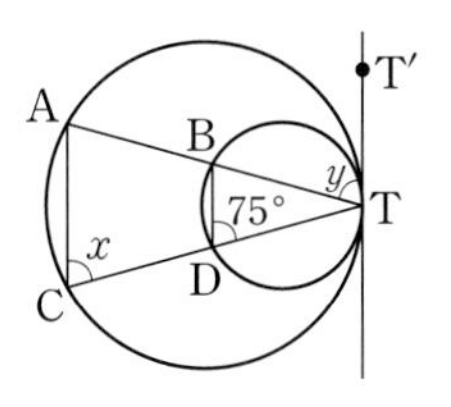

① 130°　② 135°　③ 140°　④ 145°　⑤ 150°

16 다음 중 오른쪽 그림과 같은 □ABCD가 원에 내접하기 위한 조건 중 옳지 않은 것을 모두 고르면? (정답 2개)

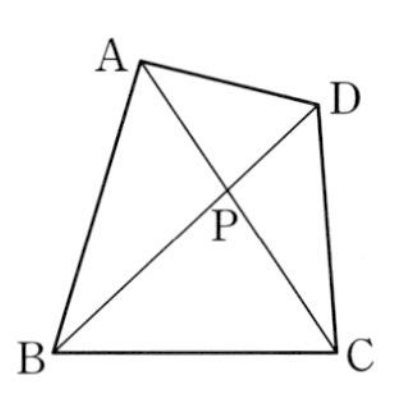

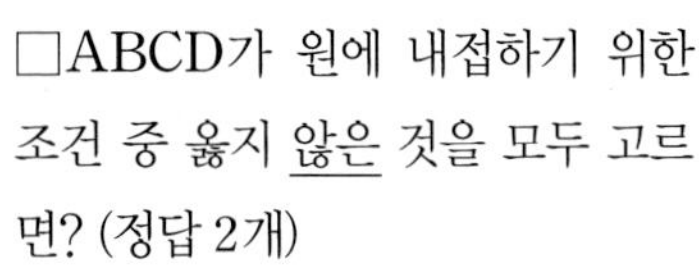

① $\angle DAB+\angle BCD=180°$

② $\overline{AB}\,/\!/\,\overline{CD}$, $\overline{AD}\,/\!/\,\overline{BC}$

③ $\overline{AB}=\overline{BC}=\overline{CD}=\overline{DA}$

④ $\overline{AB}\,/\!/\,\overline{CD}$, $\overline{AB}=\overline{CD}$, $\angle A=90°$

⑤ $\overline{PA}\times\overline{PC}=\overline{PB}\times\overline{PD}$

17 오른쪽 그림에서 점 O는 △ABC의 내심이고, 네 점 D, E, F, G, H, I는 점 O를 중심으로 하는 원이 $\overline{AB}$, $\overline{BC}$, $\overline{AC}$와 만나는 점이다. $\overline{FG}=8$ cm일 때, $\overline{DE}+\overline{HI}$의 길이를 구하여라.

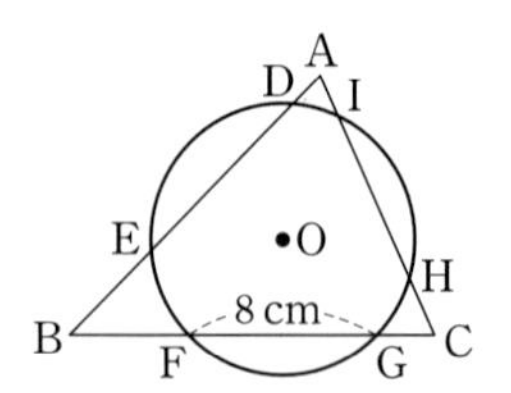

18 오른쪽 그림과 같이 반지름의 길이가 12인 원 위의 한 점이 원의 중심 O에 겹쳐지도록 접었을 때, 색칠한 부분의 넓이를 구하여라.

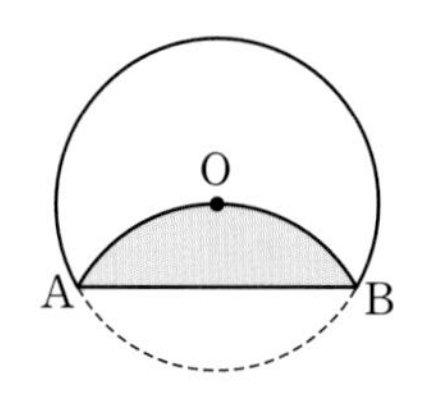

서술형

19 오른쪽 그림과 같은 직사각형 ABCD는 세 점 E, F, G에서 원 O와 접하고, $\overline{DI}$는 점 H를 접점으로 하는 원 O의 접선일 때, $\overline{GI}$의 길이를 구하여라.

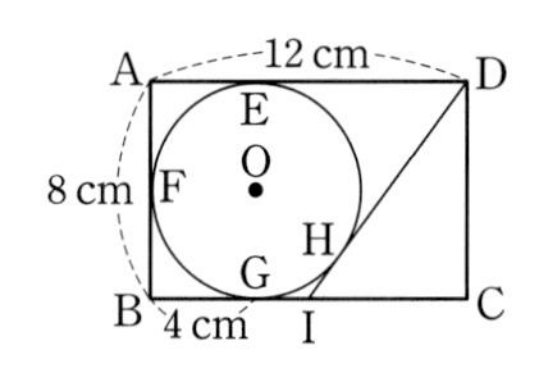

20 오른쪽 그림에서 $\overset{\frown}{ADB}$의 길이는 원 O의 둘레의 길이의 $\frac{4}{9}$이다. $\angle ACB=78^\circ$일 때, $\angle DOE$의 크기는?

① 36°　② 38°　③ 40°
④ 42°　⑤ 44°

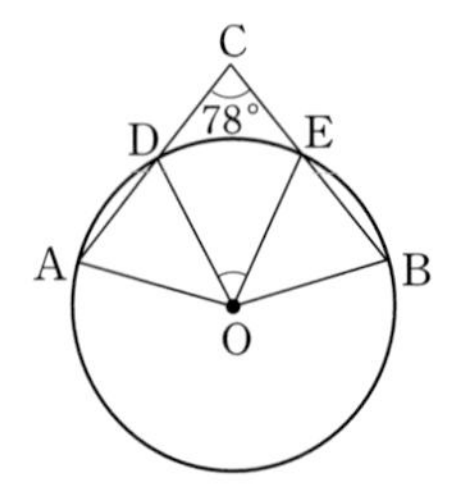

서술형

21 오른쪽 그림에서 $\widehat{AC}+\widehat{BD}=2\pi$이고 $\angle DPB=30^\circ$일 때, 이 원의 넓이를 구하여라.

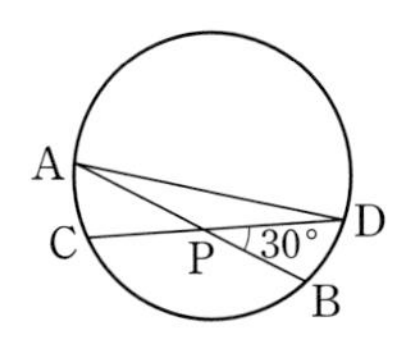

22 오른쪽 그림과 같이 두 현 AB, CD의 연장선의 교점을 P라 하자. $\angle AOC=90^\circ$, $\angle BOD=36^\circ$일 때, $\angle P$의 크기를 구하여라.

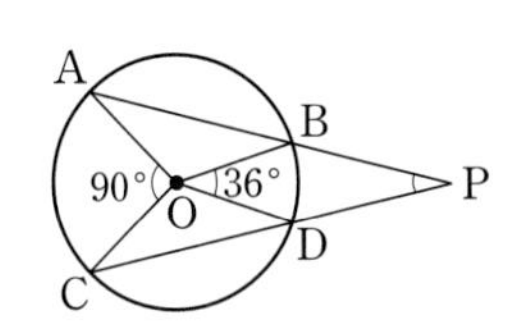

23 오른쪽 그림과 같은 □ABCD에서 $\overline{AD}$와 $\overline{BC}$의 연장선의 교점을 P, $\overline{AC}$와 $\overline{BD}$의 교점을 E라 할 때, $\angle DEC$의 크기를 구하여라.

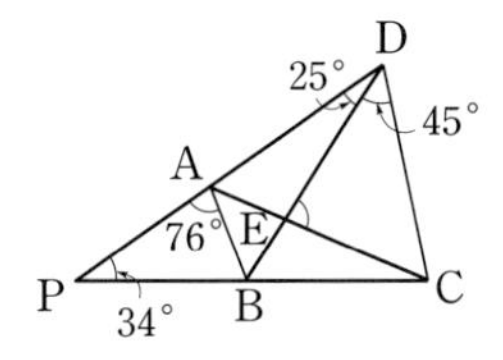

24 오른쪽 그림과 같이 육각형 ABCDEF가 원에 내접하고 $\angle A=120^\circ$, $\angle C=130^\circ$일 때, $\angle x$의 크기를 구하여라.

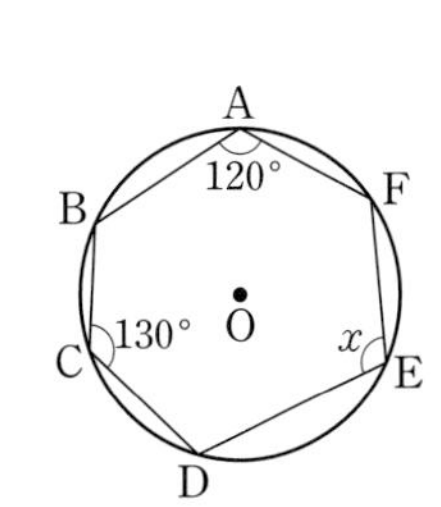

06 대푯값

기출문제로 내신대비

정답 및 풀이 33쪽

01 3개의 변량 a, b, c의 평균이 7일 때, 5개의 변량 11, a, b, c, 13의 평균은?

① 6 ② 7 ③ 8
④ 9 ⑤ 10

02 어떤 동호회의 회원 수는 10명이고, 회원들의 평균 나이는 16세이다. 여기에 두 명의 회원을 더 받아들여 12명의 평균 나이가 17세 이하가 되도록 하려고 한다. 두 명 중 먼저 들어오기로 한 회원의 나이가 20세라 할 때, 나중에 들어오는 회원의 나이의 최댓값은?

① 20세 ② 22세 ③ 24세
④ 26세 ⑤ 28세

03 학생과 선생님으로 구성된 봉사활동 동아리의 전체 평균 나이는 25세이다. 학생의 평균 나이는 15세이고 선생님의 평균 나이는 40세일 때, 학생과 선생님의 수의 비는?

① 1 : 2 ② 2 : 1 ③ 2 : 3
④ 3 : 1 ⑤ 3 : 2

04 세 수 a, b, c의 중앙값은 12, 평균은 10일 때, $a+c$의 값은? (단, $a \leq b \leq c$)

① 16 ② 18 ③ 20
④ 22 ⑤ 24

05 5개의 변량을 크기순으로 나열하였더니 8, 10, 15, 20, x이었다. 변량의 평균과 중앙값이 같을 때, x의 값은?

① 21 ② 22 ③ 23
④ 24 ⑤ 25

06 3개의 변량 4, 7, a의 중앙값이 7이고, 5개의 변량 12, 10, 16, 15, a의 중앙값이 12일 때, 다음 중 자연수 a의 값이 될 수 없는 것은?

① 7 ② 9 ③ 10
④ 11 ⑤ 13

07 오른쪽 그림은 학생 10명의 팔굽혀펴기 횟수를 조사하여 나타낸 줄기와 잎 그림이다. 학생들의 팔굽혀펴기 횟수의 중앙값은?

(0|7은 7회)

줄기	잎
0	7 8
1	2 4 8
2	2 5 8
3	0 1

① 20회 ② 21회
③ 22회 ④ 23회
⑤ 24회

08 다음 자료는 예원이네 반 학생 10명의 시력을 조사하여 나타낸 것이다. 시력의 중앙값과 최빈값의 차는?

0.8 1.2 1.0 0.6 0.9 1.1 0.7 1.0 0.8 1.0

① 0.05 ② 0.1 ③ 0.15
④ 0.2 ⑤ 0.25

09 다음 자료의 최빈값이 10일 때, 중앙값은?

15 10 16 8 12 a

① 11 ② 11.5 ③ 12
④ 12.5 ⑤ 13

10 다음 자료에 대해 평균, 최빈값, 중앙값의 대소 관계로 옳은 것은?

17 15 20 12 15 15 10 21 18 17

① (중앙값)>(최빈값)>(평균)
② (중앙값)=(최빈값)>(평균)
③ (중앙값)=(평균)>(최빈값)
④ (최빈값)>(중앙값)>(평균)
⑤ (평균)>(최빈값)>(중앙값)

11 다음은 한결이네 반 학생 20명의 수학 수행평가 점수를 조사하여 나타낸 것이다. 평균을 a점, 최빈값을 b점, 중앙값을 c점이라 할 때, $a+b+c$의 값은?

점수(점)	6	7	8	9	10	합계
학생 수(명)	1	5	x	7	3	20

① 25 ② 25.8 ③ 26
④ 26.4 ⑤ 27

12 다음 자료는 현민이의 2학기 중간고사 6과목의 성적을 나타낸 것이다. 6과목의 성적의 평균과 최빈값이 같을 때, 중앙값은?

(단위 : 점)

88 72 94 86 90 x

① 84점 ② 85점 ③ 86점
④ 87점 ⑤ 88점

13 다음 변량의 중앙값이 11, 최빈값이 12일 때, $a+b+c$의 값을 구하여라. (단, $a \le b \le c$)

a b c 8 9 9 12 14

서·술·형·문·제

풀이 과정을 자세히 쓰시오.

14 민호의 국어와 수학 성적의 평균은 92점, 수학과 사회 성적의 평균은 85점, 사회와 영어 성적의 평균은 82점이었다. 이때 민호의 국어와 영어 성적의 평균을 구하여라.

[단계] ❶ 국어와 수학 성적의 합, 수학과 사회 성적의 합, 사회와 영어 성적의 합 구하기
❷ 국어와 영어 성적의 합 구하기
❸ 국어와 영어 성적의 평균 구하기

답 ______

15 다음 표는 민수네 반 학생 20명의 통학 시간을 조사하여 나타낸 것이다. 통학 시간의 평균, 중앙값, 최빈값을 각각 구하여라.

통학 시간(분)	학생 수(명)
5	4
10	6
15	5
20	4
25	1
합계	20

답 ______

07 산포도

기출문제로 내신대비

정답 및 풀이 35쪽

01 다음 설명 중 옳지 않은 것은?

① 평균은 자료 전체의 분포 상태를 알아보는 값으로 흔히 쓰인다.
② 어떤 자료의 각 변량에서 평균을 뺀 값을 각 변량의 편차라 한다.
③ 편차의 절댓값이 클수록 변량이 평균으로부터 멀리 떨어져 있다.
④ 변량들이 흩어져 있는 정도를 하나의 수로 나타낸 값이 산포도이다.
⑤ 산포도에는 분산, 표준편차 등이 있고, 산포도가 작을수록 자료의 분포 상태가 고르다.

02 다음 표는 민준이의 4회에 걸친 수학 성적에 대한 편차를 나타낸 것이다. 수학 성적의 평균이 82점일 때, 3회 때의 수학 성적은?

회	1	2	3	4
편차(점)	4	-2	x	3

① 77점 ② 80점 ③ 83점
④ 85점 ⑤ 87점

03 다음 5개의 변량의 평균이 14일 때, 분산은?

16 x 12 18 14

① $\sqrt{2}$ ② 2 ③ 4
④ $2\sqrt{2}$ ⑤ 8

04 다음 표는 준수의 5회에 걸친 미술 수행평가 성적에 대한 편차를 나타낸 것이다. 표준편차는?

회	1	2	3	4	5
편차(점)	-2	0	x	-1	1

① $\sqrt{2}$점 ② $\sqrt{3}$점 ③ 2점
④ 3점 ⑤ 4점

05 3개의 변량 4, $a+4$, $2a+4$의 분산이 54일 때, 양수 a의 값은?

① 7 ② 8 ③ 9
④ 10 ⑤ 11

06 5개의 변량 10, x, 11, y, 13의 평균이 10, 분산이 4일 때, x^2+y^2의 값은?

① 100 ② 110 ③ 120
④ 130 ⑤ 140

07 4개의 변량 a, b, c, d의 평균은 2이고 표준편차는 1이다. $2a+1$, $2b+1$, $2c+1$, $2d+1$의 평균을 x, 분산을 y라 할 때, $x-y$의 값은?

① 1 ② 2 ③ 3
④ 4 ⑤ 5

08 다음 표는 어느 아이스크림 가게에서 5개월 동안 매월 판매한 아이스크림의 개수의 편차를 나타낸 것이다. 표준편차가 $3\sqrt{2}$개일 때, xy의 값은?

월	5	6	7	8	9
편차(개)	-4	x	5	y	-6

① 3 ② 4 ③ 5
④ 6 ⑤ 12

09 다음 표는 건이네 모둠 15명이 가지고 있는 공책의 수에 대한 편차와 도수를 나타낸 것이다. 공책의 수의 분산은?

편차(권)	-2	-1	0	1	2	합계
학생 수(명)	2	5	3	1	4	15

① 2　② 3　③ 4
④ 5　⑤ 6

10 다음은 세 양궁선수 A, B, C가 10개의 화살을 쏘아 과녁에 맞힌 것을 나타낸 것이다.

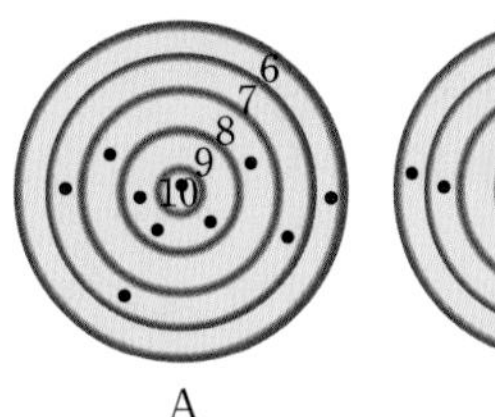

A

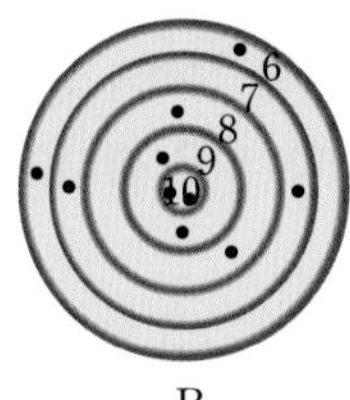

B

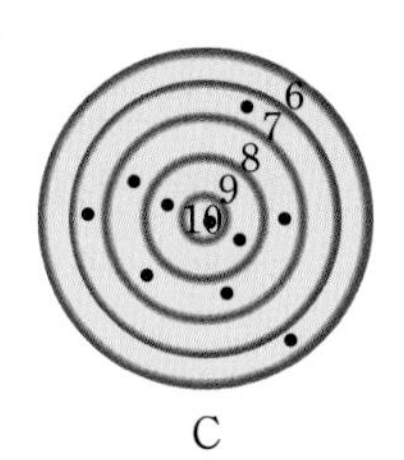

C

A, B, C 세 선수의 점수의 표준편차를 각각 a점, b점, c점이라 할 때, a, b, c의 대소 관계는?

① $a<b<c$　② $b<a<c$　③ $b<c<a$
④ $c<a<b$　⑤ $c<b<a$

11 다음 표는 학생 수가 같은 3학년 5개 반의 2학기 중간고사 수학 성적에 대한 평균과 표준편차를 나타낸 것이다. 이 자료에 대한 설명 중 옳은 것은?

반	A	B	C	D	E
평균(점)	78	68	75	76	72
표준편차(점)	6.4	3.4	5.2	6.8	4.5

① A반에 수학 성적이 가장 우수한 학생이 있다.
② B반에는 수학 성적이 100점인 학생이 없다.
③ B반에 비해 A반에 수학 성적이 100점인 학생이 많다.
④ 수학 성적이 가장 고른 반은 B반이다.
⑤ E반에 60점 미만인 학생이 가장 많다.

12 수학 시험 결과 남학생 6명과 여학생 4명의 평균은 같고 분산은 각각 4, 5이다. 전체 학생 10명에 대한 표준편차는?

① $\sqrt{4.4}$점　② $2\sqrt{2}$점　③ $\sqrt{5.2}$점
④ $3\sqrt{2}$점　⑤ $\sqrt{6.8}$점

서·술·형·문·제

풀이 과정을 자세히 쓰시오.

13 다음 자료의 평균이 1이고 중앙값이 2일 때, 표준편차를 구하여라. (단, $a>b$)

4　-4　a　b　-1　3　6

[단계] ❶ a, b의 값 구하기
❷ 분산 구하기
❸ 표준편차 구하기

답 ____________

14 가로의 길이가 x, 세로의 길이가 y, 높이가 4인 직육면체의 12개의 모서리의 길이의 평균이 3, 분산이 $\frac{4}{3}$이다. 이때 이 직육면체의 6개의 면의 넓이의 평균을 구하여라.

답 ____________

08 상관관계

기출문제로 내신대비

정답 및 풀이 36쪽

01 다음 중 상관관계가 <u>없는</u> 산점도를 나타내는 것은?

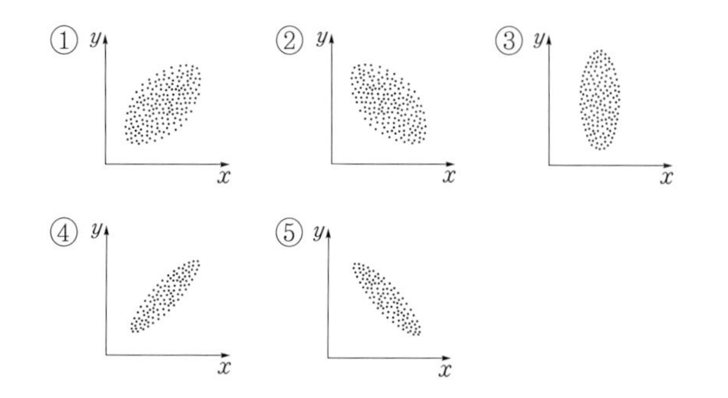

02 오른쪽 그림과 같은 산점도로 나타낼 수 있는 두 변량은?

① 산의 높이와 나무 둘레의 길이
② 머리 둘레의 길이와 모자 치수
③ 국어 성적과 독서량
④ 물건의 가격과 소비량
⑤ 미세먼지 농도와 마스크 판매량

03 다음 보기 중 두 변량 사이에 양의 상관관계가 있는 것을 모두 골라라.

보기
ㄱ. 출생율과 인구 증가율
ㄴ. 시력과 눈의 크기
ㄷ. 전기 사용량과 전기요금
ㄹ. 하루 중 낮의 길이와 밤의 길이

04 오른쪽 그림은 어느 학급 학생들의 지능지수 x와 수학 성적 y점에 대한 산점도이다. 지능지수에 비해 높은 성적을 얻은 학생은?

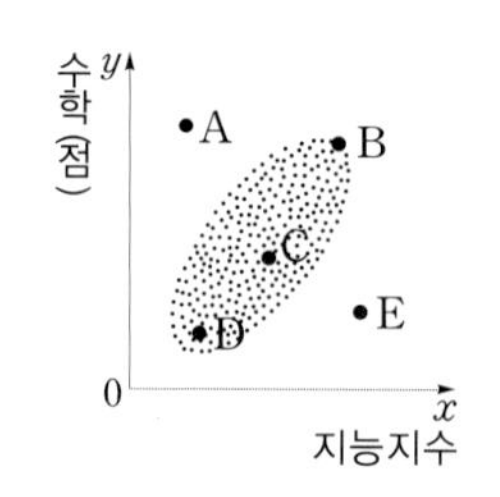

① 학생 A ② 학생 B
③ 학생 C ④ 학생 D
⑤ 학생 E

05 오른쪽 그림은 수학 성적과 영어 성적의 산점도이다. 다음 중 옳은 것은?

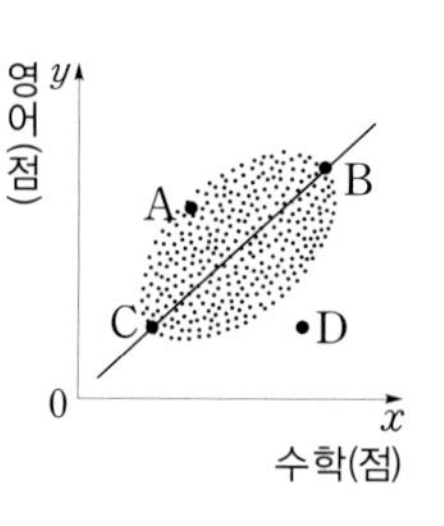

① A는 B보다 영어 성적이 높다.
② B는 수학, 영어 성적이 모두 낮다.

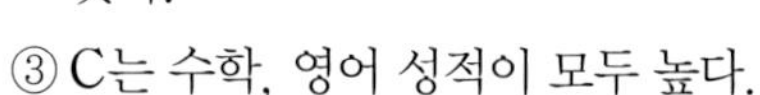

③ C는 수학, 영어 성적이 모두 높다.
④ D는 영어 성적에 비해 수학 성적이 높다.
⑤ C는 D보다 수학, 영어 모두 성적이 높다.

06 오른쪽 그림은 민지네 반 학생들의 2학년 때 성적과 3학년 때 성적에 대한 산점도이다. 다음 중 옳지 <u>않은</u> 것은? (단, 중복되는 점은 없다.)

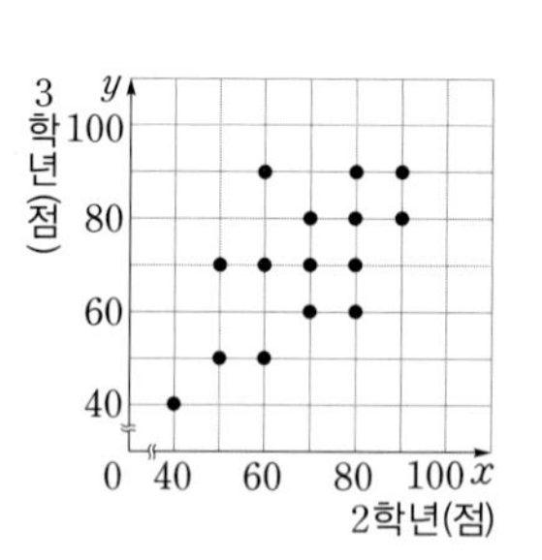

① 전체 학생 수는 15명이다.
② 2학년 때와 3학년 때의 성적이 같은 학생은 5명이다.
③ 3학년 때의 성적이 2학년 때의 성적보다 더 좋은 학생은 5명이다.
④ 3학년 때의 성적이 80점인 학생들의 2학년 때 성적의 평균은 80점이다.
⑤ 성적이 가장 많이 상승한 학생의 경우, 20점이 상승하였다.

[07~08] 오른쪽 그림은 양궁선수 15명의 두 차례에 걸쳐 활을 쏘아 얻은 점수를 조사하여 나타낸 산점도이다. 다음 물음에 답하여라.

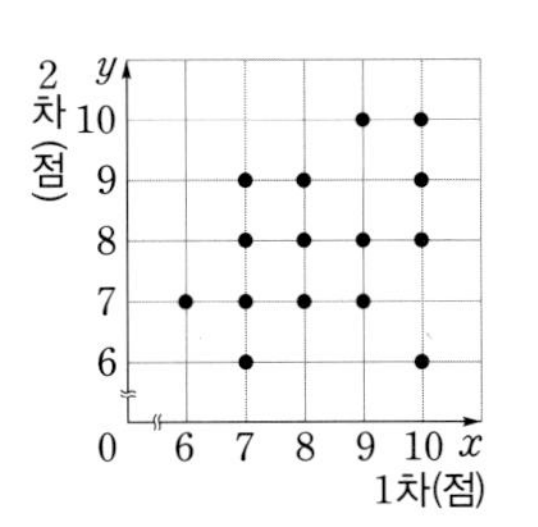

07 1차와 2차에서 같은 점수를 얻은 선수는 전체의 몇 %인지 구하여라.

08 1차보다 2차에서 더 높은 점수를 얻은 선수는 몇 명인지 구하여라.

[09~10] 오른쪽 그림은 어느 반 학생 20명의 사회 성적과 과학 성적에 대한 산점도이다. 다음 물음에 답하여라.

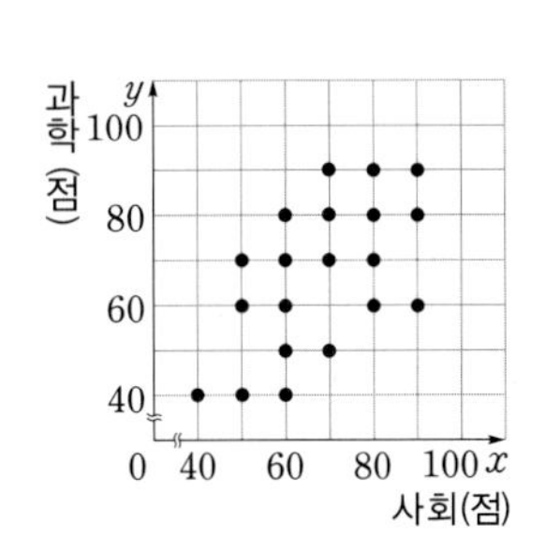

09 사회 성적이 90점 이상인 학생의 과학 성적은 몇 점 이상을 받았는가?

① 50점 ② 60점 ③ 70점
④ 80점 ⑤ 90점

10 과학 성적이 90점인 학생들의 사회 성적의 평균은?

① 60점 ② 70점 ③ 80점
④ 90점 ⑤ 100점

서·술·형·문·제

풀이 과정을 자세히 쓰시오.

11 오른쪽 그림은 어느 반 학생 20명이 10번씩 1, 2차에 걸쳐 자유투를 던졌을 때, 성공한 개수에 대한 산점도이다. 다음 물음에 답하여라.

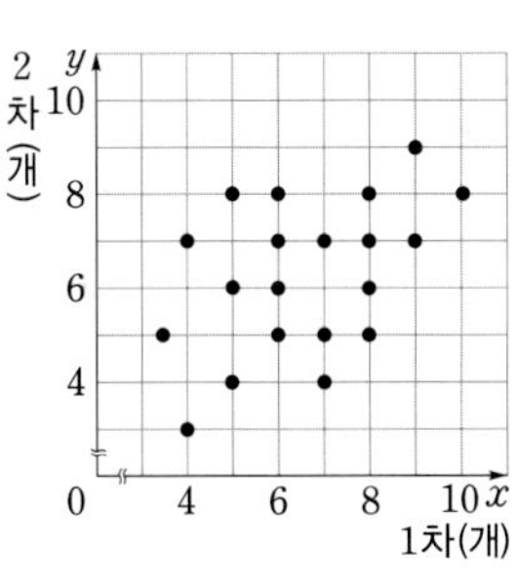

(1) 1, 2차 모두 자유투를 성공한 개수가 7개 이상인 학생 수를 구하여라.

(2) 1차에서 성공한 개수와 2차에서 성공한 개수의 합이 12개 미만인 학생 수를 구하여라.

답 ____________

12 오른쪽은 학생 15명의 왼쪽 시력과 오른쪽 시력을 조사하여 나타낸 산점도이다. 다음 물음에 답하여라.

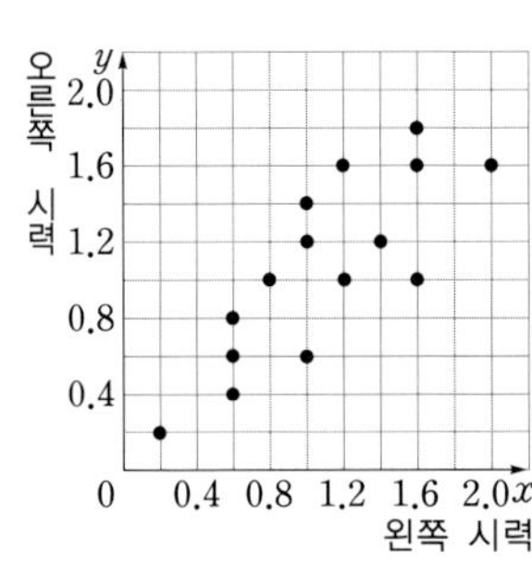

(1) 오른쪽 시력과 왼쪽 시력이 같은 학생은 전체의 몇 %인지 구하여라.

(2) 오른쪽 시력과 왼쪽 시력이 모두 1.0 이하인 학생 수를 구하여라.

답 ____________

내신만점 도전하기

정답 및 풀이 37쪽

01 다음 설명 중 옳지 않은 것은?

① 평균은 극단적인 값의 영향을 받는다.
② 평균은 자료의 분포 상태를 나타낸다.
③ 자료의 개수가 홀수일 경우, 중앙값은 작은 값부터 크기순으로 자료를 나열한 후 가운데 있는 값이다.
④ 최빈값은 존재하지 않는 경우도 있다.
⑤ 중앙값은 극단적인 값의 영향을 받지 않는다.

02 예슬이의 4회에 걸친 수학 성적은 84점, 90점, 82점, x점이고, 최빈값은 84점이다. 5회째의 수학 성적은 더 향상되어 5회까지의 수학 성적의 평균이 4회까지의 수학 성적의 평균보다 3점 올랐다면 5회째의 수학 성적은?

① 92점　② 94점　③ 96점
④ 98점　⑤ 100점

03 네 수 a, b, c, d의 평균이 10일 때, $3a+5$, $3b+5$, $3c+5$, $3d+5$의 평균은?

① 20　② 25　③ 30
④ 35　⑤ 40

04 오른쪽 표는 어느 중학교 3학년 남녀 및 전체 학생들의 수학 성적의 평균과 학생 수를 나타낸 것이다. 남학생 수와 여학생 수의 비를 가장 간단한 자연수의 비로 나타내면?

	평균(점)	학생 수(명)
남	70	a
여	75	b
전체	72	$a+b$

① 1 : 2　② 2 : 1　③ 2 : 3
④ 3 : 1　⑤ 3 : 2

05 다음 6개의 자료의 중앙값이 12일 때, x의 값은?

7　4　9　19　x　20

① 14　② 15　③ 16
④ 17　⑤ 18

06 다음 자료의 평균과 최빈값이 모두 0일 때, a, b의 값으로 알맞은 것은? (단, $a<b$)

-3　5　-2　a　4　b　0

① $a=0$, $b=2$　② $a=-4$, $b=0$
③ $a=-6$, $b=0$　④ $a=-4$, $b=4$
⑤ $a=-6$, $b=-2$

07 다음 세 자료 A, B, C에 대한 설명으로 옳은 것을 보기에서 모두 고른 것은?

자료 A	5	3	2	4	6	9	7	1	8	100
자료 B	4	3	5	6	9	8	1	7	2	10
자료 C	3	4	5	6	7	7	7	8	9	10

보기
ㄱ. 자료 A는 대푯값으로 평균이 가장 적절하다.
ㄴ. 자료 B는 대푯값으로 평균이나 중앙값이 적절하다.
ㄷ. 자료 C는 중앙값과 최빈값이 서로 같다.

① ㄷ　② ㄱ, ㄴ　③ ㄱ, ㄷ
④ ㄴ, ㄷ　⑤ ㄱ, ㄴ, ㄷ

08 다음 자료는 철수의 10회에 걸친 턱걸이 횟수를 조사하여 나타낸 것이다. 옳지 않은 것은?

(단위 : 회)

5	8	7	6	8	9	6	6	7	8

① 평균은 7회이다. ② 중앙값은 7회이다.
③ 최빈값은 8회이다. ④ 분산은 1.4이다.
⑤ 표준편차는 $\sqrt{1.4}$회이다.

09 다음 자료는 학생 6명이 각각 가지고 있는 볼펜의 수를 조사한 것이다. 평균이 6자루, 분산이 8일 때, x, y의 값을 각각 구하여라. (단, $x<y$)

(단위 : 자루)

3	10	x	7	y	9

10 다음 보기 중 옳은 것을 모두 고른 것은?

보기
ㄱ. 대푯값에는 분산, 표준편차 등이 있다.
ㄴ. 최빈값은 여러 개이거나 없을 수도 있다.
ㄷ. 산포도에는 평균, 중앙값, 최빈값 등이 있다.
ㄹ. 분산과 표준편차는 항상 양수이다.
ㅁ. 표준편차가 작을수록 자료의 분포 상태가 고르다.

① ㄴ, ㅁ ② ㄷ, ㅁ ③ ㄱ, ㄴ, ㄹ
④ ㄱ, ㄴ, ㅁ ⑤ ㄱ, ㄴ, ㄷ, ㄹ

11 다음 중 두 변량 사이에 음의 상관관계가 있는 것은?

① 석유의 생산량과 가격
② 수학 성적과 키
③ 출생률과 인구 증가율
④ 월 수입액과 지출액
⑤ 미세먼지 농도와 초미세먼지 농도

12 오른쪽 그림은 어느 학교 학생들의 중간고사 성적과 기말고사 성적에 대한 산점도이다. 다음 중 중간고사 성적과 기말고사 성적의 차이가 가장 큰 학생은?

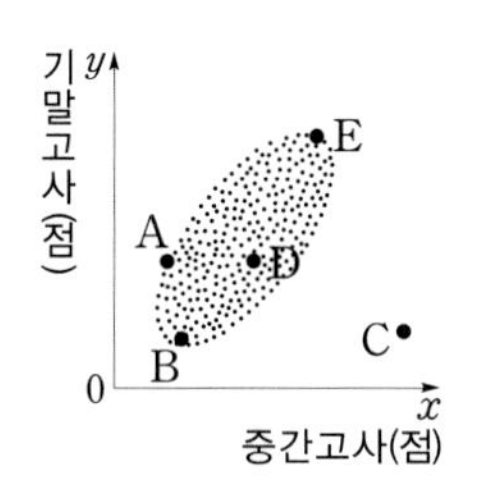

① 학생 A ② 학생 B ③ 학생 C
④ 학생 D ⑤ 학생 E

13 오른쪽 그림은 준하네 반 학생들의 영어 성적과 국어 성적에 대한 산점도이다. 다음 중 옳지 않은 것은? (단, 중복되는 점은 없다.)

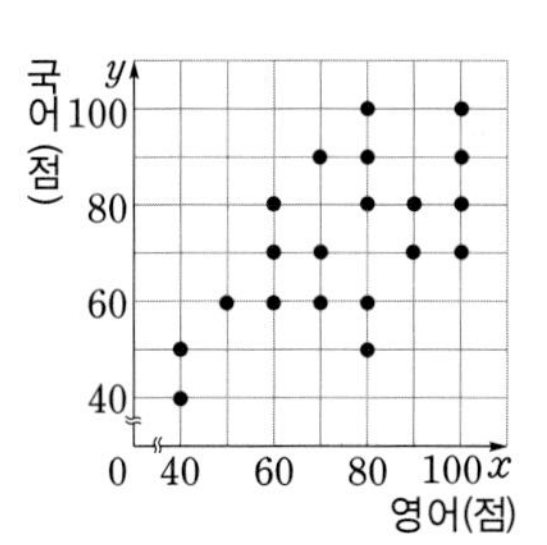

① 전체 학생 수는 20명이다.
② 영어 성적과 국어 성적이 같은 학생은 5명이다.
③ 국어 성적이 90점 이상인 학생들의 영어 성적의 평균은 86점이다.
④ 국어 성적보다 영어 성적이 더 좋은 학생은 8명이다.
⑤ 국어 성적과 영어 성적이 모두 80점 이상인 학생은 전체의 30 %이다.

14 서로 다른 10개의 변량이 있다. 가장 작은 것을 제외한 9개의 변량의 평균은 32이고, 가장 큰 것을 제외한 9개의 변량의 평균은 27이다. 가장 작은 변량과 가장 큰 변량의 합이 69일 때, 10개의 변량 전체의 평균을 구하여라.

15 다음 5개의 변량의 평균을 M이라 할 때, M이 최소가 되는 x의 값을 구하여라.

$(x-1)^2 \quad (x-2)^2 \quad (x-3)^2 \quad (x-4)^2 \quad (x-10)^2$

서술형

16 다음은 현수네 반 학생 10명의 윗몸일으키기 횟수의 기록을 조사하여 나타낸 것이다. 평균, 중앙값, 최빈값을 각각 a회, b회, c회라 할 때, $a+b+c$의 값을 구하여라.

(단위 : 회)

32 24 38 25 32 28 32 20 35 24

17 다음 표는 A반과 B반의 학생 수와 수학 성적의 평균과 표준편차를 나타낸 것이다. A반과 B반 전체의 수학 성적의 분산을 구하여라.

반	학생 수(명)	평균(점)	표준편차(점)
A	28	70	2
B	32	70	4

서술형

18 세 수 a, b, c의 평균이 10이고, 분산이 5일 때, $a^2+b^2+c^2$의 값을 구하여라.

19 세 개의 변량 x, y, z에 대한 설명으로 옳은 것을 보기에서 모두 골라라.

보기

ㄱ. $x+1$, $y+1$, $z+1$의 평균은 x, y, z의 평균보다 1만큼 크다.
ㄴ. $x+1$, $y+1$, $z+1$의 분산은 x, y, z의 분산보다 1만큼 크다.
ㄷ. $3x$, $3y$, $3z$의 분산은 x, y, z의 분산의 9배이다.

20 10명의 학생의 몸무게에 대한 평균과 표준편차를 구하는 과정에서 몸무게가 45 kg인 한 학생을 55 kg으로 잘못 계산하였더니 평균이 50 kg, 표준편차가 4 kg이었다. 이때 실제 10명의 몸무게의 표준편차를 구하여라.

21 n개의 변량 x_1, x_2, $\cdots$, x_n에 대응하는 도수가 차례대로 f_1, f_2, $\cdots$, f_n이라 하자.
$f_1+f_2+\cdots+f_n=30$, $x_1f_1+x_2f_2+\cdots+x_nf_n=60$, $x_1^2f_1+x_2^2f_2+\cdots+x_n^2f_n=450$일 때, n개의 변량의 분산을 구하여라.

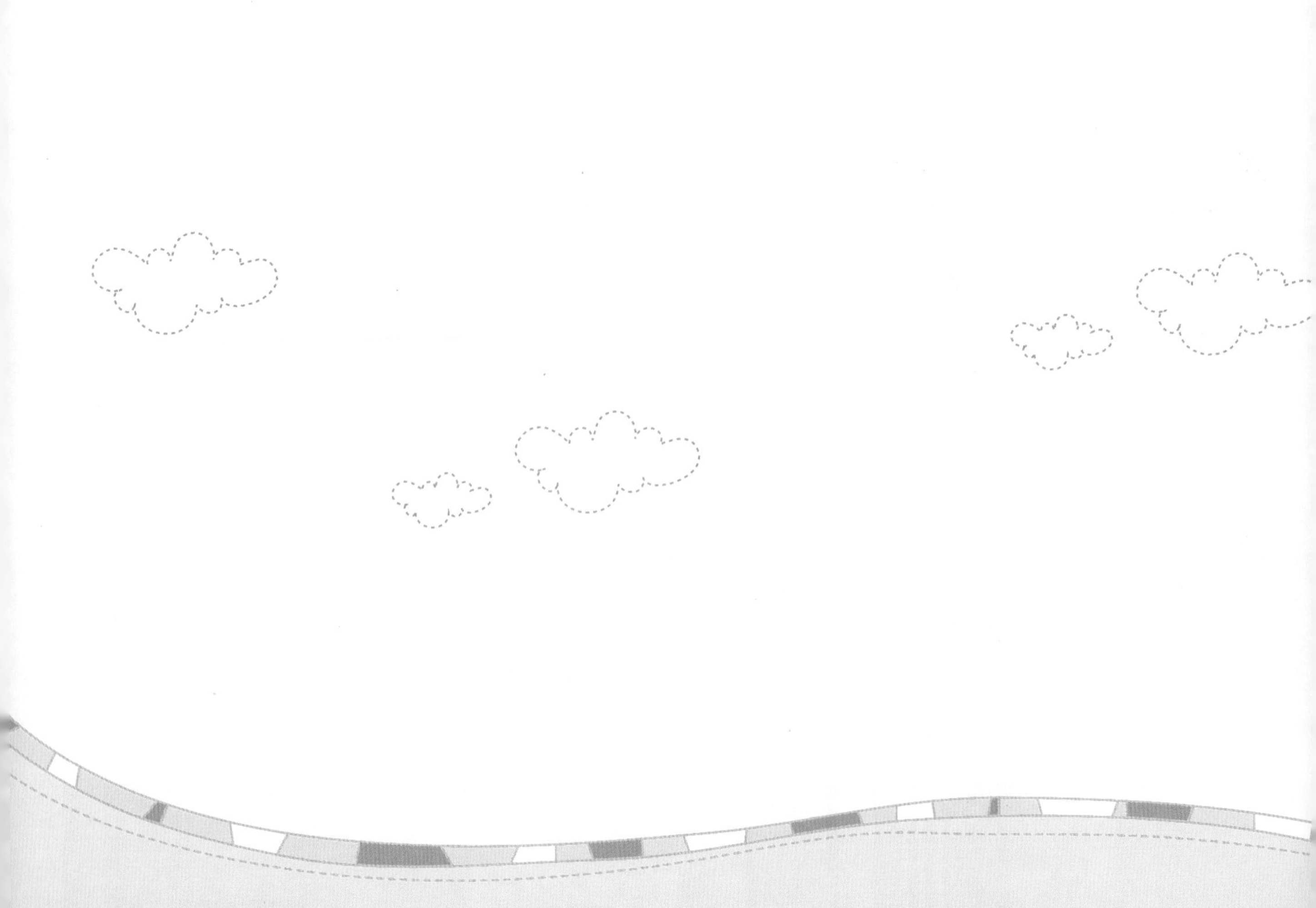

SUMMA CUM LAUDE
MIDDLE SCHOOL MATHEMATICS

보내는 사람

Stamp

받는 사람

서울시 강남구 논현로 16길 4-3 이룸빌딩

(주)이룸이앤비 기획팀

0 6 3 1 2

이룸이앤비 Education&Books

www.erumenb.com

숨마쿰라우데
중학수학 실전문제집 3-하

홈페이지를 방문하시면 온라인으로 편리하게 교재 평가에 참여하실 수 있습니다!
(매월 우수 평가자를 선정하여 소정의 교재를 보내드립니다.)

www.erumenb.com

풀 칠 하 세 요

이 름		남□ 여□	학교(학원) 학년
Mobile		E-mail	

숨마쿰라우데 중학수학 실전문제집 3-하

■ 교재를 구입하게 된 동기는 무엇입니까?

① 서점에서 보고 ② 선생님의 추천 ③ 방과 후 수업용 ④ 학원 수업용
⑤ 과외 수업용 ⑥ 공부방 수업용 ⑦ 부모, 형제, 친구의 추천 ⑧ 서점에서 추천

■ 교재의 전체적인 디자인 및 내용 구성에 대한 의견을 들려주세요.

- 표지디자인: ① 매우 좋다 ② 좋다 ③ 보통이다 ④ 좋지 않다
  그 이유는? ____________________
- 본문디자인: ① 매우 좋다 ② 좋다 ③ 보통이다 ④ 좋지 않다
  그 이유는? ____________________
- 내용 구성: ① 매우 좋다 ② 좋다 ③ 보통이다 ④ 좋지 않다
  그 이유는? ____________________

■ 교재의 세부적인 내용에 대한 의견을 들려주세요.

[핵심 개념 강의]	내 용	① 매우 좋다	② 좋다	③ 보통이다	④ 좋지 않다
	분 량	① 많다	② 적당하다	③ 조금 부족하다	④ 부족하다
[핵심유형으로 개념 정복하기]	내 용	① 매우 좋다	② 좋다	③ 보통이다	④ 좋지 않다
	분 량	① 많다	② 적당하다	③ 조금 부족하다	④ 부족하다
	난이도	① 쉽다	② 적당하다	③ 약간 어렵다	④ 어렵다
[기출문제로 실력 다지기]	내 용	① 매우 좋다	② 좋다	③ 보통이다	④ 좋지 않다
	분 량	① 많다	② 적당하다	③ 조금 부족하다	④ 부족하다
	난이도	① 쉽다	② 적당하다	③ 약간 어렵다	④ 어렵다
[Part 2 내신만점 도전편]	내 용	① 매우 좋다	② 좋다	③ 보통이다	④ 좋지 않다
	분 량	① 많다	② 적당하다	③ 조금 부족하다	④ 부족하다
	난이도	① 쉽다	② 적당하다	③ 약간 어렵다	④ 어렵다

■ 이 책에 바라는 점을 자유롭게 적어주세요.

....

....

....

성의껏 작성해서 보내주신 엽서는 뽑아서 선물을 보내드립니다.

기출문제로 개념 잡고 내신만점 맞자!

숨마쿰라우데 중학수학

실전문제집

3-하

정답 및 해설

기출문제로 개념 잡고 **내신만점** 맞자!

숨마쿰라우데 중학수학

실전문제집

3-하

정답 및 해설

핵심개념 특강편 정답 및 풀이

V 삼각비

01. 삼각비의 값

개 · 념 · 확 · 인 10~11쪽

01 (1) $\frac{3}{5}$ (2) $\frac{4}{5}$ (3) $\frac{3}{4}$ (4) $\frac{4}{5}$ (5) $\frac{3}{5}$ (6) $\frac{4}{3}$

02 (1) 1 (2) 0 (3) $\frac{\sqrt{3}}{4}$ (4) $\frac{1}{3}$

03 (1) 0.85 (2) 0.52 (3) 1.66

04 (1) 0 (2) 0

05 (1) 0.3584 (2) 0.9205 (3) 0.4040

02 (1) (주어진 식)$=\frac{1}{2}+\frac{1}{2}=1$

(2) (주어진 식)$=\frac{\sqrt{2}}{2}-\frac{\sqrt{2}}{2}=0$

(3) (주어진 식)$=\frac{\sqrt{3}}{2}\times\frac{1}{2}=\frac{\sqrt{3}}{4}$

(4) (주어진 식)$=\frac{\sqrt{3}}{3}\div\sqrt{3}=\frac{1}{3}$

04 (1) (주어진 식)$=0+0=0$

(2) (주어진 식)$=1\times0=0$

핵심유형으로 개 · 념 · 정 · 복 · 하 · 기 12~13쪽

핵심유형 **1** $\frac{24}{13}$ **1-1** ③ **1-2** $2\sqrt{7}$ **1-3** $\frac{15}{8}$

핵심유형 **2** $\sqrt{6}$ cm **2-1** ③ **2-2** $\frac{\sqrt{3}}{6}$ **2-3** 12 cm

핵심유형 **3** ⑤ **3-1** ⑤ **3-2** ④ **3-3** 0

핵심유형 **4** 42° **4-1** ⑤ **4-2** 8.09 cm

핵심유형 **1** 피타고라스 정리에 의해 $\overline{AB}=\sqrt{13^2-5^2}=12$이므로

$\cos A=\frac{\overline{AB}}{\overline{AC}}=\frac{12}{13}$, $\sin C=\frac{\overline{AB}}{\overline{AC}}=\frac{12}{13}$

$\therefore \cos A+\sin C=\frac{12}{13}+\frac{12}{13}=\frac{24}{13}$

1-1 $\angle B=90^\circ$, $\tan A=\frac{\sqrt{21}}{2}$이므로 오른쪽 그림과 같이 $\overline{AB}=2$, $\overline{BC}=\sqrt{21}$인 직각삼각형 ABC를 생각할 수 있다.

이때 $\overline{AC}=\sqrt{2^2+(\sqrt{21})^2}=5$이므로

$\sin A=\frac{\overline{BC}}{\overline{AC}}=\frac{\sqrt{21}}{5}$

1-2 $\cos A=\frac{\overline{AC}}{6}=\frac{\sqrt{2}}{3}$이므로 $\overline{AC}=2\sqrt{2}$

피타고라스 정리에 의해 $\overline{BC}=\sqrt{6^2-(2\sqrt{2})^2}=2\sqrt{7}$

1-3 $\triangle ABC$에서 피타고라스 정리에 의해

$\overline{AC}=\sqrt{17^2-8^2}=15$

$\triangle AED \backsim \triangle ACB$(AA 닮음)이므로

$\angle x=\angle B$

$\therefore \tan x=\tan B=\frac{\overline{AC}}{\overline{BC}}=\frac{15}{8}$

핵심유형 **2** $\triangle ABC$에서 $\tan 60^\circ=\frac{\overline{BC}}{\overline{AB}}=\frac{\overline{BC}}{\sqrt{2}}=\sqrt{3}$이므로

$\overline{BC}=\sqrt{6}$ cm

$\triangle DBC$에서 $\tan 45^\circ=\frac{\overline{BC}}{\overline{CD}}=\frac{\sqrt{6}}{\overline{CD}}=1$이므로

$\overline{CD}=\sqrt{6}$ cm

2-1 ② $\sin 45^\circ+\cos 45^\circ=\frac{\sqrt{2}}{2}+\frac{\sqrt{2}}{2}=\sqrt{2}$

③ $\frac{\cos 30^\circ}{\sin 30^\circ}=\frac{\sqrt{3}}{2}\div\frac{1}{2}=\sqrt{3}$

④ $\tan 60^\circ\times\tan 30^\circ=\sqrt{3}\times\frac{\sqrt{3}}{3}=1$

⑤ $\cos 60^\circ-\tan 45^\circ=\frac{1}{2}-1=-\frac{1}{2}$

2-2 $\sin A=\frac{\sqrt{3}}{2}$이므로 $\angle A=60^\circ$

$\therefore \cos A\div\tan A=\cos 60^\circ\div\tan 60^\circ$

$=\frac{1}{2}\times\frac{1}{\sqrt{3}}=\frac{\sqrt{3}}{6}$

2-3 $\sin 60^\circ=\frac{\overline{BC}}{\overline{AB}}=\frac{4\sqrt{3}}{\overline{AB}}=\frac{\sqrt{3}}{2}$이므로 $\overline{AB}=8$ cm

$\tan 60^\circ=\frac{\overline{BC}}{\overline{AC}}=\frac{4\sqrt{3}}{\overline{AC}}=\sqrt{3}$이므로 $\overline{AC}=4$ cm

$\therefore \overline{AB}+\overline{AC}=8+4=12$(cm)

핵심유형 3 ① $\sin x=\frac{\overline{AB}}{\overline{OA}}=\overline{AB}$

② $\tan x=\frac{\overline{CD}}{\overline{OD}}=\overline{CD}$

③ $\sin y=\frac{\overline{OB}}{\overline{OA}}=\overline{OB}$

④ $\cos y=\frac{\overline{AB}}{\overline{OA}}=\overline{AB}$

⑤ $\tan z=\frac{\overline{OD}}{\overline{CD}}=\frac{1}{\overline{CD}}$

3-1 ① $\sin 55^\circ=\frac{\overline{AB}}{\overline{OA}}=0.82$

② $\cos 55^\circ=\frac{\overline{OB}}{\overline{OA}}=0.57$

③ $\tan 55^\circ=\frac{\overline{CD}}{\overline{OD}}=1.43$

④ $\angle OAB=35^\circ$이므로 $\sin 35^\circ=\frac{\overline{OB}}{\overline{OA}}=0.57$

⑤ $\cos 35^\circ=\frac{\overline{AB}}{\overline{OA}}=0.82$

3-2 ① $\sin 0^\circ=0$

② $\cos 90^\circ=0$

③ $\tan 0^\circ=0$

④ $\tan 60^\circ=\sqrt{3}$, $2\sin 60^\circ=2\times\frac{\sqrt{3}}{2}=\sqrt{3}$

$\therefore \tan 60^\circ=2\sin 60^\circ$

⑤ $\sin 90^\circ\times\cos 90^\circ-\tan 60^\circ\times\cos 0^\circ$

$=1\times0-\sqrt{3}\times1=-\sqrt{3}$

3-3 $0^\circ<A<90^\circ$일 때, $\cos A<1$이므로

$\cos A-1<0$, $1-\cos A>0$

$\therefore \sqrt{(\cos A-1)^2}-\sqrt{(1-\cos A)^2}$

$=-(\cos A-1)-(1-\cos A)$

$=-\cos A+1-1+\cos A=0$

핵심유형 4 $\sin 31^\circ=0.5150$이므로 $x=31^\circ$

$\tan 11^\circ=0.1944$이므로 $y=11^\circ$

$\therefore x+y=31^\circ+11^\circ=42^\circ$

4-1 ⑤ $\cos y=0.8660$일 때, $y=30^\circ$

4-2 $\angle A=36^\circ$이므로 $\angle C=54^\circ$

$\sin 54^\circ=\frac{\overline{AB}}{\overline{AC}}=\frac{\overline{AB}}{10}=0.8090$이므로

$\overline{AB}=10\times0.8090=8.09(\text{cm})$

기출문제로 실·력·다·지·기 14~15쪽

01 ③	**02** ③	**03** $\frac{1}{2}$	**04** ②
05 ②	**06** ⑤	**07** ③	**08** ④
09 ②	**10** 1.24	**11** ③	**12** 41°
13 ⑤	**14** $\frac{4}{5}$	**15** $\frac{3\sqrt{3}}{8}$	

01 피타고라스 정리에 의해 $\overline{AC}=\sqrt{5^2+(\sqrt{2})^2}=3\sqrt{3}$이므로

$\cos A=\frac{\overline{AB}}{\overline{AC}}=\frac{5}{3\sqrt{3}}=\frac{5\sqrt{3}}{9}$

02 $\tan A=\frac{4}{\overline{AB}}=\frac{2}{5}$이므로 $\overline{AB}=10$

$\therefore \triangle ABC=\frac{1}{2}\times10\times4=20$

03 $\triangle ADC$에서 $\overline{AC}=\sqrt{5^2-3^2}=4$

$\triangle ABC$에서 $\overline{BC}=\sqrt{(4\sqrt{5})^2-4^2}=8$

$\therefore \tan B=\frac{\overline{AC}}{\overline{BC}}=\frac{4}{8}=\frac{1}{2}$

04 정육면체의 한 모서리의 길이를 a라 하면

$\triangle DFH$에서 $\overline{FD}=\sqrt{3}a$, $\overline{DH}=a$이므로

$\sin x=\frac{\overline{DH}}{\overline{FD}}=\frac{a}{\sqrt{3}a}=\frac{1}{\sqrt{3}}=\frac{\sqrt{3}}{3}$

05 일차함수의 식에 $y=0$을 대입하면 $x=3$이므로 점 A의 좌표는 $(3, 0)$이고, $x=0$을 대입하면 $y=4$이므로 점 B의 좌표는 $(0, 4)$이다.

$\triangle BOA$에서 $\overline{AB}=\sqrt{3^2+4^2}=5$이므로

$\sin A=\frac{\overline{OB}}{\overline{AB}}=\frac{4}{5}$

06 ㄱ. $\sin 30^\circ-\cos 60^\circ=\frac{1}{2}-\frac{1}{2}=0$ (거짓)

ㄴ. $\tan 45^\circ-\sqrt{2}\sin 45^\circ=1-\sqrt{2}\times\frac{\sqrt{2}}{2}=0$ (참)

ㄷ. $\sin 45^\circ\div\cos 45^\circ-\tan 30^\circ\times\cos 30^\circ$

$=\frac{\sqrt{2}}{2}\div\frac{\sqrt{2}}{2}-\frac{\sqrt{3}}{3}\times\frac{\sqrt{3}}{2}=1-\frac{1}{2}=\frac{1}{2}$ (참)

따라서 옳은 것은 ㄴ, ㄷ이다.

07 $\tan 60^\circ=\sqrt{3}$이므로

$x+30^\circ=60^\circ$ $\therefore x=30^\circ$

$\therefore \sin x-\cos 2x=\sin 30^\circ-\cos 60^\circ=\frac{1}{2}-\frac{1}{2}=0$

08 △ABD에서 $\tan 60° = \frac{x}{3} = \sqrt{3}$이므로 $x = 3\sqrt{3}$

△ADC에서 ∠C=30°이므로

$\tan 30° = \frac{3\sqrt{3}}{y} = \frac{\sqrt{3}}{3}$ 이므로 $y = 9$

$\therefore xy = 3\sqrt{3} \times 9 = 27\sqrt{3}$

09 삼각형의 세 내각의 크기 중 가장 작은 각의 크기는

$A = 180° \times \frac{1}{1+2+3} = 30°$이므로

$\sin A : \cos A : \tan A = \sin 30° : \cos 30° : \tan 30°$

$= \frac{1}{2} : \frac{\sqrt{3}}{2} : \frac{\sqrt{3}}{3}$

$= 3 : 3\sqrt{3} : 2\sqrt{3} = \sqrt{3} : 3 : 2$

10 $\cos 52° = \frac{\overline{OB}}{\overline{OA}} = 0.62$

$\angle OAB = 90° - 52° = 38°$이므로

$\sin 38° = \frac{\overline{OB}}{\overline{OA}} = 0.62$

$\therefore \cos 52° + \sin 38° = 0.62 + 0.62 = 1.24$

11 $\sin a = \frac{\overline{AB}}{\overline{OA}} = \frac{\sqrt{3}}{2}$, $\cos a = \frac{\overline{OB}}{\overline{OA}} = \frac{1}{2}$이므로

$\angle a = 60°$

12 $\overline{BC} = 1$이므로 $\overline{CD} = 1 - \overline{BD} = 0.2453$

$\therefore \overline{BD} = 0.7547$

$\cos x = \frac{\overline{BD}}{\overline{BA}} = 0.7547$이므로

$\angle x = 41°$

13 $\cos 45° \times (\sin 45° - \tan 0°) + \cos 60° \times \sin 90°$

$= \frac{\sqrt{2}}{2} \times \left(\frac{\sqrt{2}}{2} - 0\right) + \frac{1}{2} \times 1 = \frac{1}{2} + \frac{1}{2} = 1$

14 [단계 ❶] 피타고라스 정리에 의해 $\overline{BC} = \sqrt{6^2 + 8^2} = 10$

[단계 ❷] △ABC∽△HBA(AA 닮음)이므로

$\angle BCA = \angle BAH = x$

△ABC∽△HAC(AA 닮음)이므로

$\angle CBA = \angle CAH = y$

[단계 ❸] △ABC에서 $\sin x = \sin C = \frac{\overline{AB}}{\overline{BC}} = \frac{6}{10} = \frac{3}{5}$

$\tan y = \tan B = \frac{\overline{AC}}{\overline{AB}} = \frac{8}{6} = \frac{4}{3}$

[단계 ❹] $\therefore \sin x \times \tan y = \frac{3}{5} \times \frac{4}{3} = \frac{4}{5}$

채점 기준	배점
❶ $\overline{BC}$의 길이 구하기	10 %
❷ $\angle BCA = x$, $\angle CBA = y$임을 알기	40 %
❸ $\sin x$, $\tan y$의 값 구하기	40 %
❹ $\sin x \times \tan y$의 값 구하기	10 %

15 $\sin 60° = \frac{\overline{AB}}{\overline{OA}} = \overline{AB} = \frac{\sqrt{3}}{2}$, $\tan 60° = \frac{\overline{CD}}{\overline{OD}} = \overline{CD} = \sqrt{3}$,

$\cos 60° = \frac{\overline{OB}}{\overline{OA}} = \overline{OB} = \frac{1}{2}$ …… ❶

∴ (색칠한 부분의 넓이)=△COD−△AOB

$= \frac{1}{2} \times \overline{OD} \times \overline{CD} - \frac{1}{2} \times \overline{OB} \times \overline{AB}$

$= \frac{1}{2} \times 1 \times \sqrt{3} - \frac{1}{2} \times \frac{1}{2} \times \frac{\sqrt{3}}{2}$

$= \frac{\sqrt{3}}{2} - \frac{\sqrt{3}}{8} = \frac{3\sqrt{3}}{8}$ …… ❷

채점 기준	배점
❶ $\overline{AB}$, $\overline{CD}$, $\overline{OB}$의 길이 구하기	60 %
❷ 색칠한 부분의 넓이 구하기	40 %

02. 삼각비의 활용

개·념·확·인 16~18쪽

01 (1) 6.4 cm (2) 7.7 cm

02 (1) 3 cm (2) $3\sqrt{3}$ cm (3) $2\sqrt{3}$ cm (4) $\sqrt{21}$ cm

03 ②

04 (1) $\frac{\sqrt{3}}{3}h$ (2) h (3) $5(3-\sqrt{3})$

05 (1) 12 cm² (2) $15\sqrt{2}$ cm²

06 (1) $6\sqrt{2}$ cm² (2) 24 cm²

01 (1) $\overline{AC} = 10 \times \sin 40° = 10 \times 0.64 = 6.4$(cm)

(2) $\overline{BC} = 10 \times \cos 40° = 10 \times 0.77 = 7.7$(cm)

02 (1) $\overline{AH} = 6 \times \sin 30° = 6 \times \frac{1}{2} = 3$(cm)

(2) $\overline{BH} = 6 \times \cos 30° = 6 \times \frac{\sqrt{3}}{2} = 3\sqrt{3}$(cm)

(3) $\overline{CH} = \overline{BC} - \overline{BH} = 5\sqrt{3} - 3\sqrt{3} = 2\sqrt{3}$(cm)

(4) △AHC에서 피타고라스 정리에 의해
$\overline{AC}=\sqrt{(2\sqrt{3})^2+3^2}=\sqrt{21}$ (cm)

03 (나무의 높이)$=15\times\tan 30°=15\times\frac{\sqrt{3}}{3}=5\sqrt{3}$ (m)

04 (1) $\angle BAH=30°$이므로 $\overline{BH}=h\tan 30°=\frac{\sqrt{3}}{3}h$

(2) $\angle CAH=45°$이므로 $\overline{CH}=h\tan 45°=h$

(3) $10=\frac{\sqrt{3}}{3}h+h$, $\left(\frac{\sqrt{3}+3}{3}\right)h=10$

$\therefore h=10\times\frac{3}{3+\sqrt{3}}=5(3-\sqrt{3})$

05 (1) $\triangle ABC=\frac{1}{2}\times 6\times 8\times\sin 30°$

$=\frac{1}{2}\times 6\times 8\times\frac{1}{2}=12(\text{cm}^2)$

(2) $\triangle ABC=\frac{1}{2}\times 10\times 6\times\sin(180°-135°)$

$=\frac{1}{2}\times 10\times 6\times\frac{\sqrt{2}}{2}=15\sqrt{2}(\text{cm}^2)$

06 (1) $\square ABCD=3\times 4\times\sin 45°=3\times 4\times\frac{\sqrt{2}}{2}=6\sqrt{2}(\text{cm}^2)$

(2) $\square ABCD=\frac{1}{2}\times 8\times 4\sqrt{3}\times\sin 60°$

$=\frac{1}{2}\times 8\times 4\sqrt{3}\times\frac{\sqrt{3}}{2}=24(\text{cm}^2)$

핵심유형으로 개·념·정·복·하·기

19~21쪽

핵심유형 1 ①, ⑤ 1-1 ⑤ 1-2 $10\sqrt{3}$ 1-3 ⑤

핵심유형 2 $2\sqrt{21}$ cm 2-1 $2\sqrt{10}$ cm 2-2 ②

2-3 $(3+3\sqrt{3})$cm

핵심유형 3 37.5 m 3-1 18 m 3-2 40 m 3-3 ⑤

핵심유형 4 $6(3-\sqrt{3})$m 4-1 $75(\sqrt{3}-1)$m

4-2 $6(3+\sqrt{3})$cm 4-3 $30\sqrt{3}$ m

핵심유형 5 16 cm² 5-1 135° 5-2 $\sqrt{2}$ cm² 5-3 12 cm

핵심유형 6 ③ 6-1 30° 6-2 $12\sqrt{3}$ cm²

6-3 $4\sqrt{3}$ cm

핵심유형 1 $\overline{AC}=\overline{AB}\times\sin 37°=10\sin 37°$

$\angle A=90°-37°=53°$이므로

$\overline{AC}=\overline{AB}\times\cos 53°=10\cos 53°$

1-1 ⑤ $b=c\cos$에서

1-2 △DBC에서 $\angle DBC=30°$이므로

$x=\frac{10}{\tan 30°}=10\div\frac{\sqrt{3}}{3}=10\sqrt{3}$

1-3 $\overline{FG}=4\cos 30°=4\times\frac{\sqrt{3}}{2}=2\sqrt{3}$ (cm)

$\overline{GC}=4\sin 30°=4\times\frac{1}{2}=2$(cm)

따라서 직육면체의 부피는 $2\sqrt{3}\times 3\times 2=12\sqrt{3}$ (cm³)

핵심유형 2 △ADC에서

$\overline{AD}=8\times\sin 60°=8\times\frac{\sqrt{3}}{2}=4\sqrt{3}$ (cm)

$\overline{CD}=8\times\cos 60°=8\times\frac{1}{2}=4$(cm)

$\overline{BD}=10-4=6$(cm)

△ABD에서 피타고라스 정리에 의해

$\overline{AB}=\sqrt{6^2+(4\sqrt{3})^2}=2\sqrt{21}$ (cm)

2-1 $\angle B=180°-135°=45°$

꼭짓점 A에서 $\overline{BC}$에 내린 수선의 발을 H라 하면

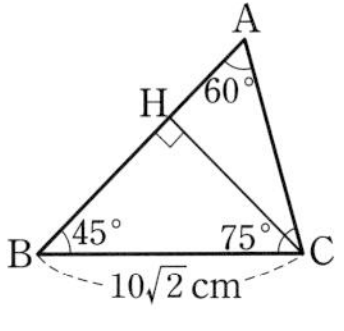

$\overline{AH}=4\times\sin 45°$

$=4\times\frac{\sqrt{2}}{2}=2\sqrt{2}$ (cm)

$\overline{BH}=4\times\cos 45°=4\times\frac{\sqrt{2}}{2}=2\sqrt{2}$ (cm)

$\therefore \overline{CH}=6\sqrt{2}-2\sqrt{2}=4\sqrt{2}$ (cm)

△AHC에서

$\overline{AC}=\sqrt{(4\sqrt{2})^2+(2\sqrt{2})^2}=2\sqrt{10}$ (cm)

2-2 꼭짓점 C에서 $\overline{AB}$에 내린 수선의 발을 H라 하면 △BCH에서

$\overline{CH}=10\sqrt{2}\times\sin 45°$

$=10\sqrt{2}\times\frac{\sqrt{2}}{2}=10$(cm)

$\angle CAB=180°-(45°+75°)=60°$이므로 △AHC에서

$\overline{AC}=\frac{\overline{CH}}{\sin 60°}=10\div\frac{\sqrt{3}}{2}=\frac{20}{\sqrt{3}}=\frac{20\sqrt{3}}{3}$ (cm)

2-3 꼭짓점 A에서 $\overline{BC}$에 내린 수선의 발을 H라 하면 △ABH에서

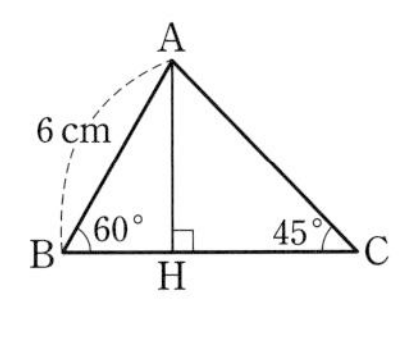

$\overline{AH}=6\times\sin 60°$

$=6\times\frac{\sqrt{3}}{2}=3\sqrt{3}$ (cm)

$\overline{BH}=6\times\cos 60^\circ=6\times\frac{1}{2}=3(\text{cm})$

$\triangle AHC$에서 $\overline{CH}=\overline{AH}=3\sqrt{3}\,(\text{cm})$

$\therefore\ \overline{BC}=\overline{BH}+\overline{HC}=3+3\sqrt{3}\ (\text{cm})$

핵심유형 3 직각삼각형 PAD에서

$\overline{PD}=\overline{AD}\times\tan 20^\circ=100\times 0.36=36(\text{m})$이므로

(건물의 높이)$=\overline{PD}+\overline{CD}=36+1.5=37.5(\text{m})$

3-1 오른쪽 그림에서

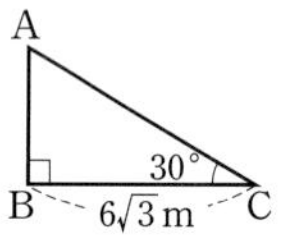

$\overline{AB}=6\sqrt{3}\times\tan 30^\circ$

$=6\sqrt{3}\times\frac{\sqrt{3}}{3}=6(\text{m})$

$\overline{AC}=\frac{6\sqrt{3}}{\cos 30^\circ}=6\sqrt{3}\div\frac{\sqrt{3}}{2}=12(\text{m})$

$\therefore$ (나무의 높이)$=\overline{AB}+\overline{AC}=6+12=18(\text{m})$

3-2 $\overline{AC}=\frac{20}{\sin 28^\circ}=20\div 0.5=20\times 2=40(\text{m})$

3-3 오른쪽 그림에서

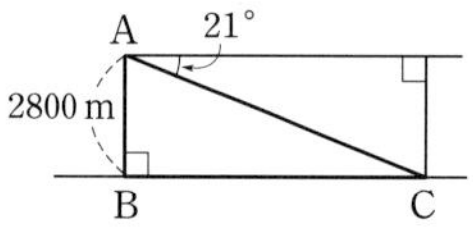

$\overline{AC}=\frac{2800}{\sin 21^\circ}=\frac{2800}{0.35}$

$=8000(\text{m})$

따라서 비행기가 착륙하는 데 걸리는 시간은

$8000\div 200=40$(초)

핵심유형 4 $\overline{AH}=h$ m라 하면

$\triangle ABH$에서 $\angle BAH=45^\circ$이므로

$\overline{BH}=h\tan 45^\circ=h\ (\text{m})$

$\triangle AHC$에서 $\angle CAH=30^\circ$이므로

$\overline{CH}=h\tan 30^\circ=\frac{\sqrt{3}}{3}h\ (\text{m})$

$\overline{BC}=\overline{BH}+\overline{CH}$이므로

$12=\left(1+\frac{\sqrt{3}}{3}\right)h$

$\therefore\ h=\frac{36}{3+\sqrt{3}}=6(3-\sqrt{3})$

4-1 $\overline{AH}=h$ m라 하면 $\triangle ABH$에서 $\angle BAH=45^\circ$이므로

$\overline{BH}=h\tan 45^\circ=h\ (\text{m})$

$\triangle AHC$에서 $\angle CAH=60^\circ$이므로

$\overline{CH}=h\tan 60^\circ=\sqrt{3}h\ (\text{m})$

$\overline{BC}=\overline{BH}+\overline{CH}$이므로

$150=(1+\sqrt{3})h$

$\therefore\ h=\frac{150}{\sqrt{3}+1}=75(\sqrt{3}-1)$

4-2 $\overline{AH}=h$ cm라 하면 $\angle BAH=45^\circ$, $\angle CAH=30^\circ$이므로

$\overline{BH}=h\tan 45^\circ=h(\text{cm})$

$\overline{CH}=h\tan 30^\circ=\frac{\sqrt{3}}{3}h(\text{cm})$

$h-\frac{\sqrt{3}}{3}h=12$이므로 $\frac{3-\sqrt{3}}{3}h=12$

$\therefore\ h=\frac{36}{3-\sqrt{3}}=6(3+\sqrt{3})$

4-3 $\overline{AH}=h$ m라 하면

$\triangle ABH$에서 $\angle BAH=60^\circ$이므로

$\overline{BH}=h\tan 60^\circ=\sqrt{3}h(\text{m})$

$\triangle ACH$에서 $\angle CAH=30^\circ$이므로

$\overline{CH}=h\tan 30^\circ=\frac{\sqrt{3}}{3}h(\text{m})$

$\overline{BC}=\overline{BH}-\overline{CH}$이므로

$60=\left(\sqrt{3}-\frac{\sqrt{3}}{3}\right)h$

$\therefore\ h=60\times\frac{3}{2\sqrt{3}}=30\sqrt{3}$

핵심유형 5 $\angle A=180^\circ-2\times 75^\circ=30^\circ$이므로

(구하는 넓이)$=\frac{1}{2}\times 8^2\times\sin 30^\circ$

$=\frac{1}{2}\times 64\times\frac{1}{2}=16(\text{cm}^2)$

5-1 $\frac{1}{2}\times 6\times 8\times\sin(180^\circ-\angle C)=12\sqrt{2}$

$\sin(180^\circ-\angle C)=\frac{\sqrt{2}}{2}$

따라서 $180^\circ-\angle C=45^\circ$이므로 $\angle C=135^\circ$

5-2 $\triangle ABC=\frac{1}{2}\times 4\times 3\times\sin 45^\circ$

$=\frac{1}{2}\times 4\times 3\times\frac{\sqrt{2}}{2}$

$=3\sqrt{2}\,(\text{cm}^2)$

$\therefore\ \triangle AGC=\frac{1}{3}\triangle ABC$

$=\frac{1}{3}\times 3\sqrt{2}$

$=\sqrt{2}\,(\text{cm}^2)$

5-3 $\frac{1}{2}\times 8\times\overline{BC}\times\sin 60^\circ=24\sqrt{3}$이므로

$\frac{1}{2}\times 8\times\overline{BC}\times\frac{\sqrt{3}}{2}=24\sqrt{3}$,

$2\sqrt{3}\times\overline{BC}=24\sqrt{3}$

$\therefore\ \overline{BC}=12$ cm

핵심유형 6 $\overline{AC}$와 $\overline{BD}$의 교점을 O라 하면

$\angle BOC=180^\circ-(55^\circ+80^\circ)=45^\circ$

$\therefore \square ABCD=\frac{1}{2}\times7\times6\times\sin45^\circ$

$=\frac{1}{2}\times7\times6\times\frac{\sqrt{2}}{2}$

$=\frac{21\sqrt{2}}{2}(\text{cm}^2)$

6-1 $5\times8\times\sin x=20$, $\sin x=\frac{1}{2}$　　$\therefore \angle x=30^\circ$

6-2 $\square ABCD=12\times8\times\sin60^\circ$

$=12\times8\times\frac{\sqrt{3}}{2}=48\sqrt{3}(\text{cm}^2)$

$\therefore \triangle AOD=\frac{1}{4}\times\square ABCD$

$=\frac{1}{4}\times48\sqrt{3}=12\sqrt{3}(\text{cm}^2)$

6-3 등변사다리꼴의 두 대각선의 길이는 서로 같으므로

$\overline{AC}=\overline{BD}$

$\frac{1}{2}\times\overline{BD}^2\times\sin45^\circ=12\sqrt{2}$, $\frac{1}{2}\times\overline{BD}^2\times\frac{\sqrt{2}}{2}=12\sqrt{2}$

$\overline{BD}^2=48$　　$\therefore \overline{BD}=4\sqrt{3}$ cm

기출문제로 실·력·다·지·기

22~23쪽

01 ⑤	**02** $\frac{10(3+\sqrt{3})}{3}$ m		**03** ④
04 ③	**05** $2\sqrt{19}$	**06** $(2+2\sqrt{3})$ m	
07 $50(\sqrt{3}+1)$		**08** ②	**09** ④
10 ②	**11** 8 cm	**12** ③	**13** 4 cm
14 $7(1+\sqrt{3})$	**15** $56\sqrt{3}\text{ cm}^2$		

01 원뿔의 밑면의 반지름의 길이는

$12\times\cos60^\circ=12\times\frac{1}{2}=6(\text{cm})$

원뿔의 높이는

$12\times\sin60^\circ=12\times\frac{\sqrt{3}}{2}=6\sqrt{3}(\text{cm})$

$\therefore$ (부피)$=\frac{1}{3}\times\pi\times6^2\times6\sqrt{3}=72\sqrt{3}\pi(\text{cm}^3)$

02 오른쪽 그림에서

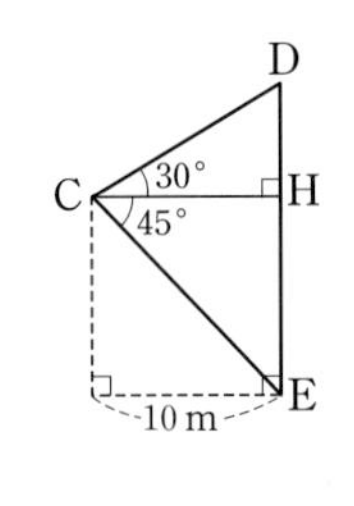

$\overline{DH}=10\tan30^\circ=10\times\frac{\sqrt{3}}{3}=\frac{10\sqrt{3}}{3}(\text{m})$

$\overline{EH}=10\tan45^\circ=10\times1=10(\text{m})$

$\therefore$ (B건물의 높이)$=\overline{DH}+\overline{EH}$

$=\frac{10(3+\sqrt{3})}{3}(\text{m})$

03 오른쪽 그림의 $\triangle OBH$에서

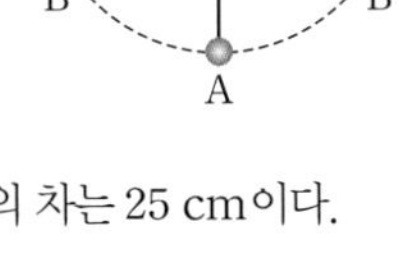

$\overline{OH}=50\times\cos60^\circ$

$=50\times\frac{1}{2}=25(\text{cm})$이므로

$\overline{AH}=\overline{OA}-\overline{OH}=50-25=25(\text{cm})$

따라서 A지점과 B지점에서의 추의 높이의 차는 25 cm이다.

04 꼭짓점 A에서 $\overline{BC}$에 내린 수선의 발을 H라 하면

$\triangle AHC$에서

$\overline{AH}=3\sqrt{2}\times\sin45^\circ=3\sqrt{2}\times\frac{\sqrt{2}}{2}=3$,

$\overline{HC}=3\sqrt{2}\times\cos45^\circ$

$=3\sqrt{2}\times\frac{\sqrt{2}}{2}=3$이므로

$\overline{BH}=8-3=5$

$\triangle ABH$에서 $\overline{AB}=\sqrt{5^2+3^2}=\sqrt{34}$

05 꼭짓점 D에서 $\overline{BC}$의 연장선에 내린 수선의 발을 H라 하면

$\angle DCH=60^\circ$, $\overline{DC}=4$이므로

$\triangle DCH$에서

$\overline{DH}=4\times\sin60^\circ=4\times\frac{\sqrt{3}}{2}=2\sqrt{3}$,

$\overline{CH}=4\times\cos60^\circ=4\times\frac{1}{2}=2$, $\overline{BH}=6+2=8$

$\triangle DBH$에서 $\overline{BD}=\sqrt{8^2+(2\sqrt{3})^2}=2\sqrt{19}$

06 꼭짓점 C에서 $\overline{AB}$에 내린 수선의 발을 H라 하면

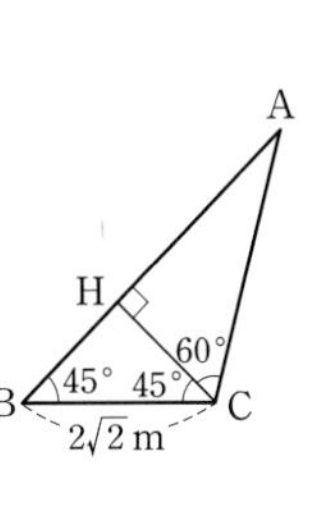

$\triangle BCH$에서

$\overline{BH}=2\sqrt{2}\times\cos45^\circ$

$=2\sqrt{2}\times\frac{\sqrt{2}}{2}=2(\text{m})$

$\overline{CH}=2\sqrt{2}\times\sin45^\circ=2\sqrt{2}\times\frac{\sqrt{2}}{2}=2(\text{m})$

$\triangle ACH$에서 $\angle A=90^\circ-60^\circ=30^\circ$이므로

$\overline{AH}=\frac{2}{\tan 30^\circ}=2\div\frac{\sqrt{3}}{3}=2\sqrt{3}(m)$

$\therefore\ \overline{AB}=\overline{AH}+\overline{BH}=2+2\sqrt{3}\,(m)$

07 $\triangle ABC$에서 $\angle ACH=45^\circ$

$\triangle ACH$에서 $\angle CAH=45^\circ$이므로 $\overline{CH}=x\tan 45^\circ=x(m)$

$\triangle ABH$에서 $\angle BAH=60^\circ$이므로 $\overline{BH}=x\tan 60^\circ=\sqrt{3}x(m)$

$\overline{BC}=\overline{BH}-\overline{CH}$이므로 $\sqrt{3}x-x=100$

$\therefore x=\frac{100}{\sqrt{3}-1}=50(\sqrt{3}+1)$

08 $\triangle AHC$에서 $\angle ACH=45^\circ$이므로

$\overline{AH}=\overline{CH}\times\tan 45^\circ=\overline{CH}$

$\triangle CHB$에서 $\angle BCH=90^\circ-75^\circ=15^\circ$이므로

$\overline{BH}=\overline{CH}\times\tan 15^\circ$

$\overline{AB}=\overline{AH}+\overline{BH}$이므로 $50=\overline{CH}(1+\tan 15^\circ)$

$\therefore \overline{CH}=\frac{50}{1+\tan 15^\circ}$

09 $\cos B=\frac{1}{2}$이므로 $\angle B=60^\circ$

$\therefore \triangle ABC=\frac{1}{2}\times 8\times 10\times\sin 60^\circ$

$=\frac{1}{2}\times 8\times 10\times\frac{\sqrt{3}}{2}=20\sqrt{3}$

10 정육각형은 한 변의 길이가 2 cm인 6개의 합동인 정삼각형으로 나누어진다.

$\therefore$ (정육각형의 넓이)$=6\times\left(\frac{1}{2}\times 2\times 2\times\sin 60^\circ\right)$

$=6\times\left(\frac{1}{2}\times 2\times 2\times\frac{\sqrt{3}}{2}\right)=6\sqrt{3}\,(cm^2)$

11 $\angle D=180^\circ-120^\circ=60^\circ$이므로

$\overline{AD}\times 6\times\sin 60^\circ=24\sqrt{3}$, $\overline{AD}\times 6\times\frac{\sqrt{3}}{2}=24\sqrt{3}$

$\therefore \overline{AD}=8$ cm

12 $\triangle ABC$에서 $\overline{AC}=\sqrt{(2\sqrt{5})^2+4^2}=6$이므로

$\square ABCD=\frac{1}{2}\times 6\times 6\sqrt{3}\times\sin 60^\circ$

$=\frac{1}{2}\times 6\times 6\sqrt{3}\times\frac{\sqrt{3}}{2}=27$

13 $\triangle ABC=\triangle ABD+\triangle ADC$이므로

$\frac{1}{2}\times 12\times 6\times\sin(180^\circ-120^\circ)$

$=\frac{1}{2}\times 12\times\overline{AD}\times\sin 60^\circ+\frac{1}{2}\times\overline{AD}\times 6\times\sin 60^\circ$

$\frac{1}{2}\times 12\times 6\times\frac{\sqrt{3}}{2}$

$=\frac{1}{2}\times 12\times\overline{AD}\times\frac{\sqrt{3}}{2}+\frac{1}{2}\times\overline{AD}\times 6\times\frac{\sqrt{3}}{2}$

$36=6\overline{AD}+3\overline{AD}$ $\quad\therefore \overline{AD}=4$ cm

14 [단계 ❶] $\triangle ABH$에서 $\overline{BH}=14\times\cos 60^\circ=14\times\frac{1}{2}=7$

[단계 ❷] $\triangle AHC$에서

$\overline{CH}=7\sqrt{6}\times\cos 45^\circ=7\sqrt{6}\times\frac{\sqrt{2}}{2}=7\sqrt{3}$

[단계 ❸] $\overline{BC}=\overline{BH}+\overline{CH}=7+7\sqrt{3}=7(1+\sqrt{3})$

채점 기준	배점
❶ $\overline{BH}$의 길이 구하기	40 %
❷ $\overline{CH}$의 길이 구하기	40 %
❸ $\overline{BC}$의 길이 구하기	20 %

15 $\overline{AC}$를 그으면

$\triangle ABC=\frac{1}{2}\times 4\sqrt{3}\times 8\times\sin(180^\circ-150^\circ)$

$=\frac{1}{2}\times 4\sqrt{3}\times 8\times\frac{1}{2}=8\sqrt{3}\,(cm^2)$ …… ❶

$\triangle ACD=\frac{1}{2}\times 12\times 16\times\sin 60^\circ$

$=\frac{1}{2}\times 12\times 16\times\frac{\sqrt{3}}{2}=48\sqrt{3}\,(cm^2)$ …… ❷

$\therefore \square ABCD=\triangle ABC+\triangle ACD$

$=8\sqrt{3}+48\sqrt{3}=56\sqrt{3}\,(cm^2)$ …… ❸

채점 기준	배점
❶ $\triangle ABC$의 넓이 구하기	40 %
❷ $\triangle ACD$의 넓이 구하기	40 %
❸ $\square ABCD$의 넓이 구하기	20 %

원의 성질

03. 원과 직선

개·념·확·인

24~25쪽

01 (1) 2 (2) 6 (3) 12
02 (1) 12 (2) 3
03 (1) 이등변삼각형 (2) 64°
04 (1) 10 (2) 12
05 (1) 3 (2) 6 (3) 4 (4) 26
06 (1) 8 (2) 10

01 (3) $x=2\times\sqrt{10^2-8^2}=2\times6=12$

03 (1) $\overline{OM}=\overline{ON}$이므로 $\overline{AB}=\overline{AC}$이다.
따라서 $\triangle ABC$는 이등변삼각형이다.
(2) $\angle A=52°$이므로 $\angle B=\frac{1}{2}\times(180°-52°)=64°$

04 (2) 직각삼각형 PBO에서 피타고라스 정리에 의해
$x=\sqrt{13^2-5^2}=12$

05 (4) $2\times(3+4+6)=26$

06 (1) $7+5=4+x$ $\therefore x=8$
(2) $6+12=x+8$ $\therefore x=10$

핵심유형으로 개·념·정·복·하·기

26~27쪽

핵심유형 **1** 17 **1-1** 3 **1-2** $4\sqrt{5}$ cm **1-3** 10
핵심유형 **2** 6 **2-1** 12 cm **2-2** 96° **2-3** $16\sqrt{3}$ cm^2
핵심유형 **3** 55° **3-1** 6 cm **3-2** 4 cm **3-3** 8 cm
핵심유형 **4** 8 cm **4-1** 12 cm **4-2** 3 cm **4-3** 3 cm

핵심유형 **1** $\overline{AD}=\frac{1}{2}\overline{AB}=15$
$\overline{OA}=\overline{OC}=x$라 하면 직각삼각형 OAD에서 $\overline{OD}=x-9$
피타고라스 정리에 의해 $x^2=(x-9)^2+15^2$, $18x=306$
$\therefore x=17$

1-1 $\overline{OA}=5$ cm, $\overline{AM}=\frac{1}{2}\overline{AB}=4$(cm)이므로
직각삼각형 OAM에서 $x=\sqrt{5^2-4^2}=3$

1-2 $\overline{OB}=\overline{OC}=4+2=6$(cm)이므로 직각삼각형 OBM에서
$\overline{BM}=\sqrt{6^2-4^2}=2\sqrt{5}$(cm)
$\therefore \overline{AB}=2\overline{BM}=4\sqrt{5}$(cm)

1-3 원의 반지름의 길이를 r라 하면 $\overline{OA}=r$,
$\overline{OD}=r-2$이므로 직각삼각형 AOD에서 $r^2=(r-2)^2+6^2$, $4r=40$

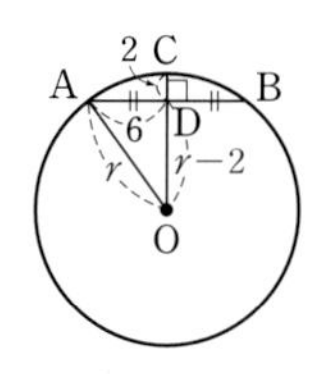

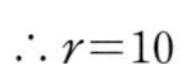

$\therefore r=10$
따라서 원의 반지름의 길이는 10이다.

핵심유형 **2** $\triangle OBM$에서 $\overline{BM}=\sqrt{5^2-4^2}=3$
$\overline{AB}=2\overline{BM}=6$ $\therefore \overline{CD}=\overline{AB}=6$

2-1 $\overline{CN}=\frac{1}{2}\overline{CD}=8$(cm)이므로 $\triangle OCN$에서 피타고라스 정리에 의해
$\overline{ON}=\sqrt{10^2-8^2}=6$(cm)
$\overline{AB}=\overline{CD}$이므로
$\overline{OM}=\overline{ON}=6$ cm
$\therefore \overline{OM}+\overline{ON}=6+6=12$(cm)

2-2 $\overline{OM}=\overline{ON}$이므로 $\overline{AB}=\overline{AC}$
즉, $\triangle ABC$는 이등변삼각형이다.
$\therefore \angle A=180°-2\times48°=84°$
□AMON에서
$\angle MON=360°-(90°+84°+90°)=96°$

2-3 $\overline{OD}=\overline{OE}=\overline{OF}$이므로 $\overline{AB}=\overline{BC}=\overline{AC}$
즉, $\triangle ABC$는 정삼각형이다.
$\overline{AB}=4+4=8$(cm)이므로 $\triangle ABC$의 넓이는
$\frac{\sqrt{3}}{4}\times8^2=16\sqrt{3}$($cm^2$)

핵심유형 **3** $\overline{PA}=\overline{PB}$이므로 $\triangle PBA$는 이등변삼각형이다.
$\therefore \angle PAB=\frac{1}{2}\times(180°-70°)=55°$

3-1 오른쪽 그림에서 $\angle PTO=90°$이므로 원 O의 반지름의 길이를 r cm라 하면

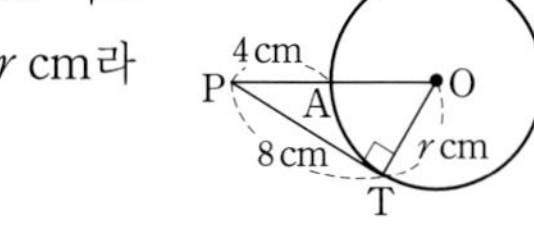

$(r+4)^2=r^2+8^2$
$8r=48$ $\therefore r=6$
따라서 원 O의 반지름의 길이는 6 cm이다.

3-2 $\overline{BD}=\overline{BE}$, $\overline{CF}=\overline{CE}$이므로
$\overline{AD}+\overline{AF}=\overline{AB}+\overline{BC}+\overline{CA}=9+7+8=24$(cm)

$\overline{AD}=\overline{AF}$이므로 $\overline{AF}=12$ cm
$\therefore \overline{CF}=\overline{AF}-\overline{AC}=12-8=4$(cm)

3-3 $\overline{CP}=\overline{AC}=3$ cm, $\overline{DP}=\overline{BD}=5$ cm이므로
$\overline{CD}=\overline{CP}+\overline{DP}=3+5=8$(cm)

핵심유형 4 $\overline{AH}+4+9+\overline{CF}=13+8$이므로 $\overline{AH}+\overline{CF}=8$ cm

4-1 $\overline{BC}:\overline{CD}=3:2$이므로 $\overline{BC}=3x$, $\overline{CD}=2x$라 하면
$11+2x=7+3x$
$\therefore x=4$
$\therefore \overline{BC}=3\times 4=12$(cm)

4-2 $\overline{AD}=x$ cm라 하면
$\overline{AF}=x$ cm, $\overline{BE}=\overline{BD}=(8-x)$ cm,
$\overline{CE}=\overline{CF}=(7-x)$ cm
$\overline{BC}=\overline{BE}+\overline{CE}$이므로 $9=(8-x)+(7-x)$
$\therefore x=3$
따라서 $\overline{AD}$의 길이는 3 cm이다.

4-3 $\overline{OF}=\overline{BF}=4$ cm이므로
$\overline{CG}=\overline{CF}=\overline{BC}-\overline{BF}=11-4=7$(cm)
$\therefore \overline{DH}=\overline{DG}=\overline{DC}-\overline{CG}=10-7=3$(cm)

기출문제로 실·력·다·지·기 28~29쪽

01 ⑤	**02** ③	**03** 16 cm	**04** ③
05 $4\sqrt{2}$	**06** ④	**07** $6\sqrt{2}$	**08** $6\sqrt{3}$ cm
09 $8\sqrt{6}$ cm	**10** 13 cm	**11** 4 cm	**12** ⑤
13 7 cm	**14** $\frac{13}{2}$ cm	**15** 1 cm	

01 $\overline{AH}=\overline{BH}=4$ cm이므로 직각삼각형 OAH에서
$x=\sqrt{4^2+5^2}=\sqrt{41}$

02 원의 반지름의 길이를 x cm라 하면
$\overline{AH}=2$ cm, $\overline{OA}=x$ cm, $\overline{OH}=(5-x)$ cm이므로
$\triangle$AOH에서 $x^2=2^2+(5-x)^2$
$10x=29$ $\therefore x=2.9$
따라서 원 O의 반지름의 길이는 2.9 cm이다.

03 $\overline{OT}=\overline{OM}=6$ cm, $\overline{OT}\perp\overline{PQ}$이므로 직각삼각형 OPT에서
$\overline{PT}=\sqrt{10^2-6^2}=8$(cm)
$\therefore \overline{PQ}=2\overline{PT}=16$(cm)

04 점 O에서 $\overline{AB}$에 내린 수선의 발을 H라 하면 $\overline{AH}=\overline{BH}$이고 $\triangle$OAH에서
$\overline{OH}=4$ cm이므로
$\overline{AH}=\sqrt{8^2-4^2}=4\sqrt{3}$(cm)
$\therefore \overline{AB}=2\overline{AH}=8\sqrt{3}$(cm)

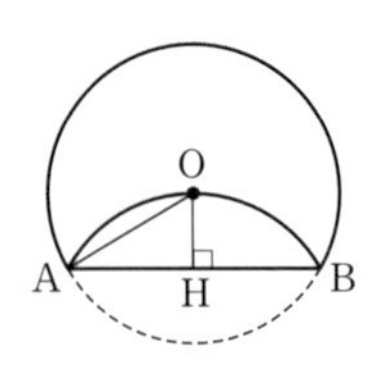

05 $\overline{OM}=\overline{ON}$이므로 $\overline{AB}=\overline{CD}=8$ cm
$\overline{AM}=\frac{1}{2}\overline{AB}=4$ cm이므로 직각삼각형 AMO에서
$x=\sqrt{4^2+4^2}=4\sqrt{2}$

06 $\overline{OM}=\overline{ON}$이므로 $\overline{AB}=\overline{AC}$
즉, $\triangle$ABC는 이등변삼각형이다.
□AMON에서 $\angle A=180^\circ-150^\circ=30^\circ$이므로
$\angle ACB=\frac{1}{2}\times(180^\circ-30^\circ)=75^\circ$

07 원의 반지름의 길이가 3 cm이므로
$\overline{PO}=6+3=9$(cm), $\overline{OA}=3$ cm
직각삼각형 POA에서 $x=\sqrt{9^2-3^2}=6\sqrt{2}$

08 직각삼각형 AOF에서 $\overline{AF}=\sqrt{6^2-3^2}=3\sqrt{3}$(cm)
$\therefore$ ($\triangle$ABC의 둘레의 길이)$=\overline{AB}+\overline{BC}+\overline{CA}$
$=\overline{AE}+\overline{AF}=2\overline{AF}$
$=6\sqrt{3}$(cm)

09 $\overline{CD}=\overline{CP}+\overline{PD}=\overline{AC}+\overline{BD}$
$=8+12=20$(cm)
꼭짓점 C에서 $\overline{BD}$에 내린 수선의 발을 H라 하면 직각삼각형 CDH에서
$\overline{DH}=12-8=4$(cm)이므로
$\overline{CH}=\sqrt{20^2-4^2}=8\sqrt{6}$(cm)
$\therefore \overline{AB}=\overline{CH}=8\sqrt{6}$ cm

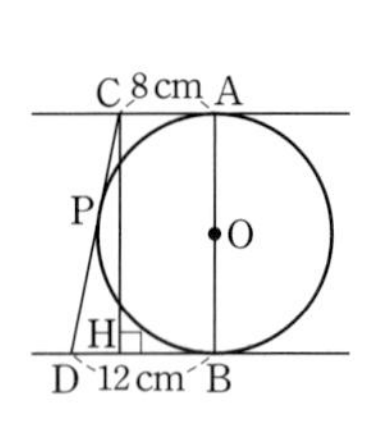

10 $\overline{AF}=\overline{AD}=4$ cm, $\overline{BE}=\overline{BD}=11-4=7$(cm),
$\overline{CE}=\overline{CF}=10-4=6$(cm)이므로
$\overline{BC}=\overline{BE}+\overline{CE}=7+6=13$(cm)

11 $\overline{BE}=x$ cm라 하면
$\overline{BD}=x$ cm, $\overline{AF}=\overline{AD}=(12-x)$ cm,
$\overline{CF}=\overline{CE}=(10-x)$ cm
$\overline{AC}=\overline{AF}+\overline{FC}$이므로 $8=(12-x)+(10-x)$

$2x=14$ $\quad\therefore x=7$

따라서 $\overline{BE}=7$ cm, $\overline{CF}=10-7=3$(cm)이므로

$\overline{BE}-\overline{CF}=7-3=4$(cm)

12 $5+9=6+\overline{CD}$이므로 $\overline{CD}=8$ cm

13 직각삼각형 ABC에서 $\overline{BC}=\sqrt{10^2-6^2}=8$(cm)

$\overline{AB}+\overline{CD}=\overline{AD}+\overline{BC}$이므로 $6+\overline{CD}=5+8$

$\therefore \overline{CD}=7$ cm

14 [단계 ❶] $\overline{CM}$의 연장선은 원의 중심 O를 지난다.

쇠구슬의 반지름의 길이를 r cm라 하면 △OAM에서

$\overline{OA}=r$ cm, $\overline{OM}=(r-4)$ cm,

$\overline{AM}=\overline{BM}=6$ cm이므로

$r^2=6^2+(r-4)^2$

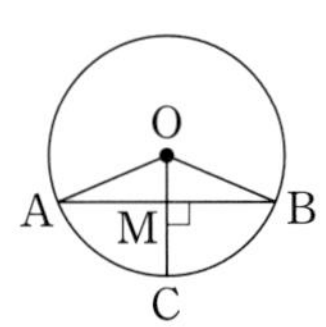

[단계 ❷] $8r=52$ $\quad\therefore r=\frac{13}{2}$

따라서 쇠구슬의 반지름의 길이는 $\frac{13}{2}$ cm이다.

채점 기준	배점
❶ 쇠구슬의 반지름의 길이를 r cm로 놓고 반지름의 길이를 구하는 식 세우기	60 %
❷ 쇠구슬의 반지름의 길이 구하기	40 %

15 원 O의 반지름의 길이를 r cm라 하면

□OECF는 정사각형이므로

$\overline{CE}=\overline{CF}=r$ cm,

$\overline{BD}=\overline{BE}=(4-r)$ cm,

$\overline{AD}=\overline{AF}=(3-r)$ cm이다.

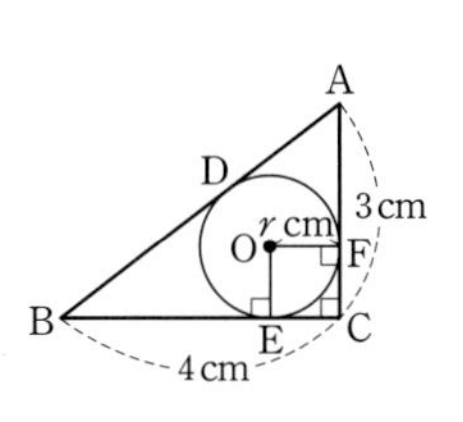

…… ❶

피타고라스 정리에 의해 $\overline{AB}=\sqrt{4^2+3^2}=5$(cm)이므로

$\overline{AB}=\overline{BD}+\overline{AD}$에서

$5=(4-r)+(3-r)$ $\quad\therefore r=1$

따라서 원 O의 반지름의 길이는 1 cm이다. …… ❷

채점 기준	배점
❶ 원 O의 반지름의 길이를 r cm로 놓고 $\overline{BD}$, $\overline{AD}$를 r로 나타내기	50 %
❷ 원 O의 반지름의 길이 구하기	50 %

04. 원주각

개 · 념 · 확 · 인

30~31쪽

01	(1) 60°	(2) 150°	(3) 40°
02	(1) 35°	(2) 30°	(3) 60°
03	(1) 3	(2) 36	(3) 56
04	(2), (3)		
05	40°		

01 (1) $\angle x=\frac{1}{2}\times120°=60°$

(2) $\angle x=2\times75°=150°$

(3) $\angle x=\frac{1}{2}\times80°=40°$

02 (3) $\angle ACB=90°$이므로 $\angle x=90°-30°=60°$

03 (3) $14:x=2:8$ $\quad\therefore x=56$

04 (3) $\angle BAC=180°-(65°+75°)=40°$

즉, $\angle BAC=\angle BDC$이므로 네 점 A, B, C, D가 한 원 위에 있다.

05 $\angle BAC=\angle BDC=60°$이므로 △ABE에서

$\angle x=100°-60°=40°$

핵심유형으로 개 · 념 · 정 · 복 · 하 · 기

32~33쪽

핵심유형 1 290°	1-1 125°	1-2 ③	1-3 116°
핵심유형 2 30°	2-1 ③	2-2 40°	2-3 122°
핵심유형 3 35°	3-1 52°	3-2 ⑤	3-3 75°
핵심유형 4 ⑤	4-1 ㄴ, ㄷ	4-2 ②	

핵심유형 1 $\angle y=2\times110°=220°$

$\angle BOC=360°-220°=140°$이므로

$\angle x=\frac{1}{2}\times140°=70°$

$\therefore \angle x+\angle y=70°+220°=290°$

1-1 $\angle x=\frac{1}{2}\times(360°-110°)=125°$

1-2 $\overline{AO}$, $\overline{BO}$를 그으면

$\angle AOB=180^\circ-\angle APB=140^\circ$

호 AB에 대하여 $\angle x=\frac{1}{2}\angle AOB=70^\circ$

1-3 $\overline{OD}$를 그으면

$\angle AOD=2\times28^\circ=56^\circ$, $\angle BOD=2\times30^\circ=60^\circ$

$\therefore \angle AOB=56^\circ+60^\circ=116^\circ$

핵심유형 2 $\angle ADC=90^\circ$, $\angle CAD=\angle CBD=60^\circ$이므로

$\angle x=90^\circ-60^\circ=30^\circ$

2-1 $\overline{AF}$를 그으면

$\angle BAF=\angle BDF=25^\circ$, $\angle CAF=\angle CEF=35^\circ$이므로

$\angle x=25^\circ+35^\circ=60^\circ$

2-2 호 AR에 대하여 $\angle AQR=\angle APR=50^\circ$

$\angle AQB=90^\circ$이므로 $\angle x=90^\circ-50^\circ=40^\circ$

2-3 호 AB에 대하여 $\angle ADB=\angle ACB=36^\circ$

$\triangle CPB$에서 $\angle CBD=50^\circ+36^\circ=86^\circ$이므로

$\triangle QBD$에서

$\angle x=\angle QBD+\angle QDB=86^\circ+36^\circ=122^\circ$

핵심유형 3 $\overline{BC}$를 그으면

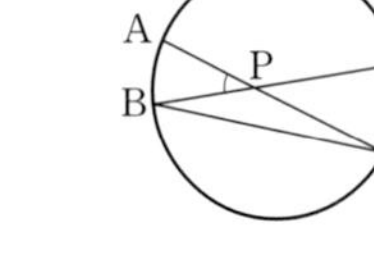

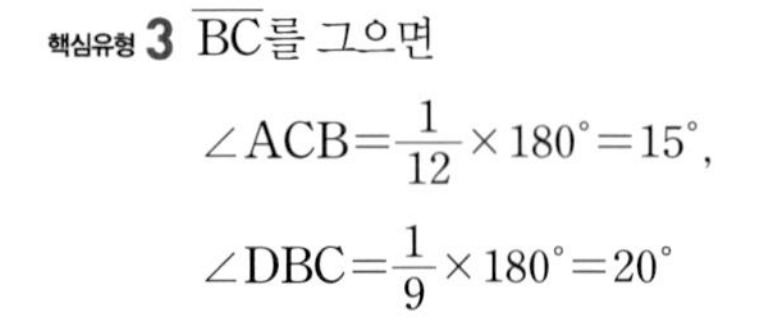

$\angle ACB=\frac{1}{12}\times180^\circ=15^\circ$,

$\angle DBC=\frac{1}{9}\times180^\circ=20^\circ$

이므로 $\triangle PBC$에서

$\angle APB=\angle ACB+\angle DBC=15^\circ+20^\circ=35^\circ$

3-1 $\widehat{AC}=\widehat{BD}$이므로 $\angle DCB=\angle ABC=26^\circ$

$\triangle PCB$에서 $\angle x=26^\circ+26^\circ=52^\circ$

3-2 $\widehat{AD}:\widehat{BC}=3:1$이므로

$\angle CAB=\frac{1}{3}\angle ACD=\frac{1}{3}\times72^\circ=24^\circ$

$\triangle ACP$에서 $\angle APD=72^\circ-24^\circ=48^\circ$

3-3 원주각의 크기와 호의 길이는 정비례하고, 원주각의 크기의 합은 180°이므로 $\angle B=180^\circ\times\frac{5}{3+4+5}=75^\circ$

핵심유형 4 ④ $\angle BCA=180^\circ-(40^\circ+110^\circ)=30^\circ$

⑤ $\angle ABD=180^\circ-(55^\circ+80^\circ)=45^\circ$이므로 직선 AD에 대하여 $\angle ABD\neq\angle ACD$

따라서 네 점 A, B, C, D는 한 원 위에 있지 않다.

4-1 ㄱ. $\angle ADB\neq\angle ACB$이므로 네 점이 한 원 위에 있지 않다.

ㄴ. $\angle BAC=90^\circ-40^\circ=50^\circ$이므로 네 점이 한 원 위에 있다.

ㄷ. $\angle BDC=80^\circ-37^\circ=43^\circ$이므로 네 점이 한 원 위에 있다.

ㄹ. $\angle ADB=180^\circ-(30^\circ+110^\circ)=40^\circ$이므로 네 점이 한 원 위에 있지 않다.

따라서 네 점 A, B, C, D가 한 원 위에 있는 것은 ㄴ, ㄷ이다.

4-2 네 점이 한 원 위에 있으므로 $\angle ADB=\angle ACB=16^\circ$,

$\angle DBC=78^\circ-16^\circ=62^\circ$이므로 $\triangle DPB$에서

$\angle DPC=62^\circ-16^\circ=46^\circ$

기출문제로 실 · 력 · 다 · 지 · 기

34~35쪽

01 ③	**02** ③	**03** 16 m	**04** 70°
05 ③	**06** ②	**07** 68°	**08** $2\sqrt{15}$
09 ②	**10** 24°	**11** 40°	**12** ⑤
13 ①	**14** 25°	**15** 90°	

01 $\angle AOB=2\angle ACB=110^\circ$

$\overline{OA}=\overline{OB}$이므로 $\angle x=\frac{1}{2}\times(180^\circ-110^\circ)=35^\circ$

02 호 AB에 대하여 $\angle AOB=2\times50^\circ=100^\circ$이므로

$\angle AOD=100^\circ-60^\circ=40^\circ$

따라서 호 AD에 대하여 $\angle x=\frac{1}{2}\times40^\circ=20^\circ$

03 오른쪽 그림에서 $\angle AOB=2\angle APB=60^\circ$, $\overline{AO}=\overline{BO}$이므로 $\triangle AOB$는 정삼각형이다.

따라서 공연장의 반지름의 길이는 8 m이고, 지름의 길이는 16 m이다.

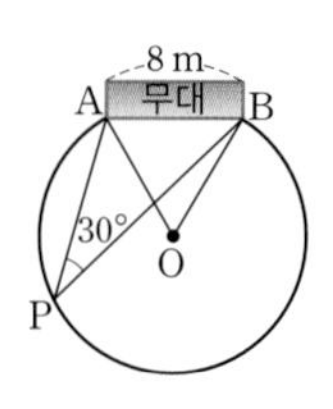

04 $\overline{AO}$, $\overline{BO}$를 그으면

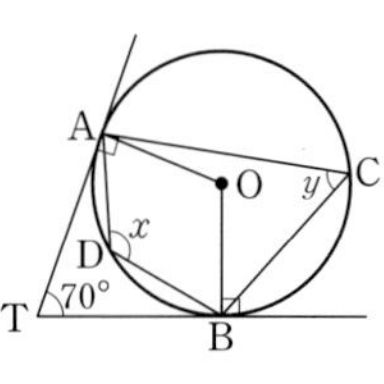

$\angle AOB=180^\circ-70^\circ=110^\circ$이므로

$\angle y=\frac{1}{2}\times110^\circ=55^\circ$

$\angle x=\frac{1}{2}\times(360^\circ-110^\circ)=125^\circ$

$\therefore \angle x-\angle y=125^\circ-55^\circ=70^\circ$

05 $\angle x=\angle CAD=18^\circ$, $\triangle PBC$에서 $\angle y=68^\circ-18^\circ=50^\circ$이므로

$\angle y-\angle x=50^\circ-18^\circ=32^\circ$

06 $\angle ACB=90^\circ$, $\angle DCB=\angle DAB=34^\circ$이므로
$\angle x=90^\circ-34^\circ=56^\circ$

07 $\overline{AD}$를 그으면 반원에 대한 원주각의
크기는 90°이므로 $\angle ADP=90^\circ$
$\angle PAD=90^\circ-56^\circ=34^\circ$
호 CD에 대하여
$\angle x=2\angle CAD=2\times34^\circ=68^\circ$

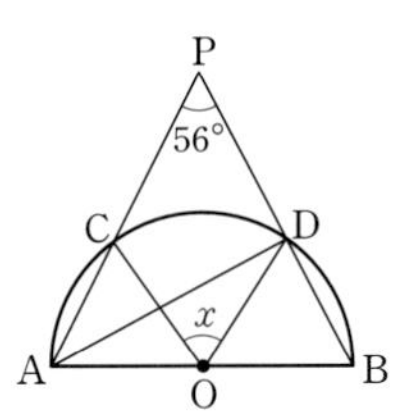

08 오른쪽 그림의 직각삼각형 A′BC에서
$\tan A=\tan A'=\dfrac{\overline{BC}}{\overline{A'C}}=2$이므로
$\dfrac{4\sqrt{3}}{\overline{A'C}}=2$ $\therefore \overline{A'C}=2\sqrt{3}$
피타고라스 정리에 의해
$\overline{A'B}=\sqrt{(4\sqrt{3})^2+(2\sqrt{3})^2}=2\sqrt{15}$
따라서 원 O의 지름의 길이는 $2\sqrt{15}$이다.

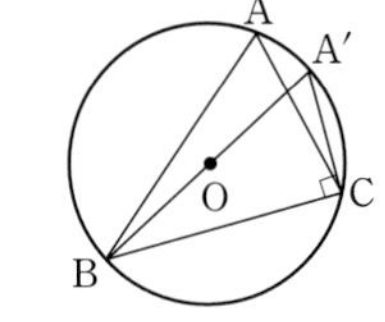

09 $\widehat{AD}:\widehat{DB}=1:2$에서 $\angle ACD=90^\circ\times\dfrac{1}{3}=30^\circ$
$\widehat{AC}:\widehat{CB}=2:3$에서 $\angle CAB=90^\circ\times\dfrac{3}{5}=54^\circ$
$\triangle CAP$에서 $\angle APC=180^\circ-(30^\circ+54^\circ)=96^\circ$이므로
$\angle BPD=\angle APC=96^\circ$

10 $\angle AED=90^\circ$이므로 $\angle DAE=90^\circ-50^\circ=40^\circ$
$\widehat{BC}:\widehat{DE}=3:5$이므로 $\angle x:40^\circ=3:5$
$\therefore \angle x=24^\circ$

11 $\angle ACD:\angle BAC=\widehat{AD}:\widehat{CB}=1:2$이고,
$\triangle ACP$에서 $\angle ACD+\angle BAC=60^\circ$이므로
$\angle BAC=\dfrac{2}{3}\times60^\circ=40^\circ$

12 ①, ②, ④ $\angle BAC\neq\angle BDC$이므로 네 점은 한 원 위에 있지 않다.
③ $\angle ABD\neq\angle ACD$이므로 네 점은 한 원 위에 있지 않다.
⑤ $\angle ABD=180^\circ-(60^\circ+80^\circ)=40^\circ$이고
$\angle ABD=\angle ACD=40^\circ$이므로 네 점은 한 원 위에 있다.

13 $\angle x=\angle BAC=180^\circ-(60^\circ+80^\circ)=40^\circ$
$\angle ACB=\angle ADB=50^\circ$이므로
$\angle y=80^\circ-50^\circ=30^\circ$
$\therefore \angle x-\angle y=40^\circ-30^\circ=10^\circ$

14 [단계 ❶] $\overline{AD}$를 그으면
호 AC에 대하여
$\angle ADC=\dfrac{1}{2}\angle AOC$
$=\dfrac{1}{2}\times80^\circ$
$=40^\circ$

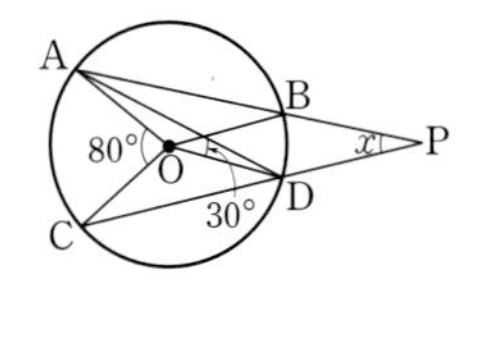

[단계 ❷] 호 BD에 대하여
$\angle DAB=\dfrac{1}{2}\angle DOB=\dfrac{1}{2}\times30^\circ=15^\circ$
[단계 ❸] $\triangle ADP$에서 $\angle x=40^\circ-15^\circ=25^\circ$

채점 기준	배점
❶ $\angle ADC$의 크기 구하기	40 %
❷ $\angle DAB$의 크기 구하기	40 %
❸ $\angle x$의 크기 구하기	20 %

15 $\angle ABC=2\angle x$, $\angle BCD=7\angle x$라 하자.
$\triangle BPC$에서 $\angle BCD=\angle BPC+\angle PBC$이므로
$7\angle x=50^\circ+2\angle x$ $\therefore \angle x=10^\circ$ …… ❶
$\angle ADC=\angle ABC=20^\circ$, $\angle BCD=70^\circ$이므로 $\triangle CDQ$에서
$\angle BQD=20^\circ+70^\circ=90^\circ$ …… ❷

채점 기준	배점
❶ $\angle ABC=2\angle x$, $\angle BCD=7\angle x$로 놓고 $\angle x$의 크기 구하기	50 %
❷ $\angle BQD$의 크기 구하기	50 %

05. 원주각의 활용

개·념·확·인 36쪽

01 (1), (2)
02 (1) $\angle x=50^\circ$, $\angle y=60^\circ$ (2) $\angle x=40^\circ$, $\angle y=110^\circ$

02 (2) $\angle y=\angle BCA=180^\circ-(30^\circ+40^\circ)=110^\circ$

핵심유형으로 **개·념·정·복·하·기** 37쪽

핵심유형 **1** 288° **1-1** 80° **1-2** ①, ③ **1-3** 54°
핵심유형 **2** 225° **2-1** 60° **2-2** ④ **2-3** ⑤

핵심유형 1 $\angle x=180^\circ-108^\circ=72^\circ$, $\angle y=2\times108^\circ=216^\circ$이므로
$\angle x+\angle y=72^\circ+216^\circ=288^\circ$

1-1 $\angle BAD=\frac{1}{2}\times160^\circ=80^\circ$
$\therefore \angle x=\angle BAD=80^\circ$

1-3 □ABCD가 원에 내접하므로 $\angle BCP=\angle x$
△QAB에서 $\angle CBP=\angle x+32^\circ$
△CBP에서
$\angle x+32^\circ+\angle x+40^\circ=180^\circ$, $2\angle x=108^\circ$
$\therefore \angle x=54^\circ$

핵심유형 2 $\angle x=\angle CAT=75^\circ$, $\angle y=2\angle x=150^\circ$
$\therefore \angle x+\angle y=75^\circ+150^\circ=225^\circ$

2-1 $\overline{AT}$를 그으면 $\angle ATB=90^\circ$,
$\angle BAT=75^\circ$이므로
$\angle ABT=90^\circ-75^\circ=15^\circ$
$\angle ATP=\angle ABT=15^\circ$이므로
△APT에서
$\angle APT=75^\circ-15^\circ=60^\circ$

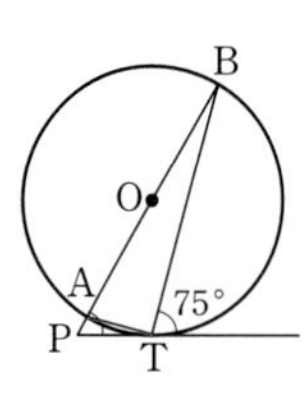

2-2 $\angle BAP=\angle BPT=60^\circ$, $\angle ABP=90^\circ$이므로
$\angle APB=30^\circ$
직각삼각형 APB에서
$\overline{BP}=12\sin60^\circ=12\times\frac{\sqrt{3}}{2}=6\sqrt{3}$(cm)

2-3 $\overline{BD}=\overline{BE}$이므로 $\angle BED=\frac{1}{2}\times(180^\circ-46^\circ)=67^\circ$
접선과 현이 이루는 각의 성질에 의해
$\angle DFE=\angle BED=67^\circ$
△DEF에서 $\angle x=180^\circ-(50^\circ+67^\circ)=63^\circ$

기출문제로 실·력·다·지·기 38~39쪽

01 ③	02 70°	03 55°	04 ⑤
05 90°	06 ①	07 ⑤	08 60°
09 ④	10 30°	11 50°	12 ①
13 ④	14 8°	15 $2\sqrt{6}$ cm	

01 $\overline{AB}=\overline{AC}$이므로 $\angle ABC=\frac{1}{2}\times(180^\circ-38^\circ)=71^\circ$
□ABCD가 원에 내접하므로 $\angle x=180^\circ-71^\circ=109^\circ$

02 △APB에서 $\angle PAB=110^\circ-40^\circ=70^\circ$
□ABCD가 원에 내접하므로 $\angle x=\angle PAB=70^\circ$

03 □ABCD가 원에 내접하므로
$\angle QBC=\angle ADC=\angle x$
△PCD에서
$\angle PCQ=\angle CPD+\angle PDC=30^\circ+\angle x$
△BQC에서
$40^\circ+(30^\circ+\angle x)+\angle x=180^\circ$
$\therefore \angle x=55^\circ$

04 □ABQP가 원에 내접하므로 $\angle APQ=180^\circ-80^\circ=100^\circ$
□PQCD가 원에 내접하므로 $\angle x=\angle APQ=100^\circ$

05 $\overline{BD}$를 그으면 $\angle CBD=\frac{1}{2}\times60^\circ=30^\circ$
$\angle ABD=120^\circ-30^\circ=90^\circ$
즉, $90^\circ+\angle x=180^\circ$이므로 $\angle x=90^\circ$

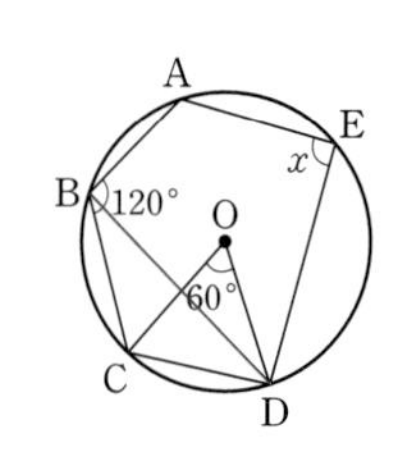

06 항상 원에 내접하는 사각형은 직사각형, 정사각형, 등변사다리꼴이다.

07 ② $\angle BCD=180^\circ-(40^\circ+30^\circ)=110^\circ$
$\therefore \angle A+\angle C=70^\circ+110^\circ=180^\circ$
따라서 원에 내접한다.
⑤ $\angle B+\angle D=95^\circ+95^\circ=190^\circ$
따라서 원에 내접하지 않는다.

08 $\overline{BA}=\overline{BT}$이므로 $\angle BAT=40^\circ$
△BAT에서 $\angle CBA=40^\circ+40^\circ=80^\circ$
접선과 현이 이루는 각의 성질에 의해 $\angle ACB=\angle BAT=40^\circ$
△ABC에서 $\angle CAB=180^\circ-(80^\circ+40^\circ)=60^\circ$

09 접선과 현이 이루는 각의 성질에 의해
$\angle ADB=\angle BAT=32^\circ$
△ABD에서 $\angle DAB=180^\circ-(28^\circ+32^\circ)=120^\circ$이므로
$\angle x=180^\circ-120^\circ=60^\circ$

10 $\overline{PT}=\overline{TB}$이므로
$\angle PBT=\angle BPT=\angle x$
$\overline{AT}$를 그으면
$\angle ATP=\angle ABT=\angle x$

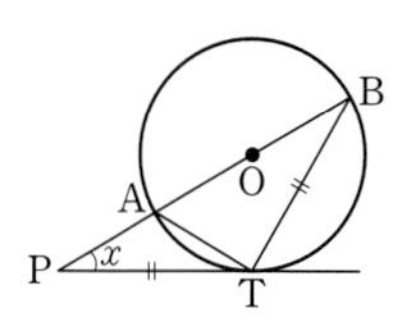

$\triangle APT$에서 $\angle BAT=2\angle x$

$\triangle ATB$에서 $2\angle x+\angle x=90°$이므로 $\angle x=30°$

11 □ABCD가 원에 내접하므로

$\angle BCD=180°-80°=100°$

$\triangle BCD$에서 $\angle CBD=180°-(30°+100°)=50°$

접선과 현이 이루는 각의 성질에 의해 $\angle x=\angle CBD=50°$

12 $\angle DEC=\angle EDC=\angle EFD=52°$이므로

$\angle ECD=180°-(52°+52°)=76°$

$\therefore \angle x=180°-(54°+76°)=50°$

13 왼쪽 원에서 $\angle CPT'=\angle PAC=80°$

오른쪽 원에서 $\angle BPT'=\angle BDP=55°$

$\therefore \angle x=180°-(80°+55°)=45°$

14 $\triangle OBC$에서

$\angle x=180°-2\times 24°=132°$ …… ❶

$\angle BDC=\frac{1}{2}\angle BOC=\frac{1}{2}\times 132°=66°$이므로

$\angle y=\angle ADC=58°+66°=124°$ …… ❷

$\therefore \angle x-\angle y=8°$ …… ❸

채점 기준	배점
❶ $\angle x$의 크기 구하기	40 %
❷ $\angle y$의 크기 구하기	40 %
❸ $\angle x-\angle y$의 크기 구하기	20 %

15 $\angle AHT=\angle ATB=90°$, $\angle ATH=\angle ABT$이므로

$\triangle AHT \backsim \triangle ATB$ (AA 닮음) …… ❶

$4:\overline{AT}=\overline{AT}:10$이므로 $\overline{AT}^2=40$

$\therefore \overline{AT}=2\sqrt{10}$ (cm) …… ❷

$\therefore \overline{HT}=\sqrt{(2\sqrt{10})^2-4^2}=2\sqrt{6}$ (cm) …… ❸

채점 기준	배점
❶ 닮음인 삼각형 보이기	40 %
❷ $\overline{AT}$의 길이 구하기	30 %
❸ $\overline{HT}$의 길이 구하기	30 %

통계

06. 대푯값

개 · 념 · 확 · 인

40~41쪽

01 9시간　**02** 7.5권

03 245 mm, 250 mm　**04** 21.5건, 33건

01 $(\text{평균})=\frac{12+8+10+7+6+11}{6}=\frac{54}{6}=9$(시간)

02 작은 값부터 크기순으로 나열하면

2, 4, 5, 6, [7, 8,] 10, 11, 12, 14이다.

따라서 중앙값은 5번째와 6번째 값의 평균인 $\frac{7+8}{2}=7.5$(권)

이다.

03 245 mm와 250 mm는 각각 3명, 235 mm는 2명, 그 이외는 1명이므로 최빈값은 245 mm, 250 mm이다.

04 $(\text{중앙값})=\frac{21+22}{2}=21.5$(건)

(최빈값)=33건

핵심유형으로 개 · 념 · 정 · 복 · 하 · 기

42~43쪽

핵심유형 **1** 40　**1-1** 30회　**1-2** 89점

1-3 2시간, 3시간, 승환

핵심유형 **2** 25점　**2-1** ㄱ, ㄴ　**2-2** ①　**2-3** 30

2-4 ②　**2-5** ①　**2-6** ②　**2-7** 14, 15, 16

핵심유형 **3** ③　**3-1** 90 cm　**3-2** 축구, 야구

3-3 치킨

핵심유형 **1** $(\text{평균})=\frac{36+24+30+23+x+42+50}{7}$

$=\frac{x+205}{7}=35$(분)

$x+205=245 \quad \therefore x=40$

1-1 $(\text{평균})=\frac{33+24+32+25+36}{5}=\frac{150}{5}=30$(회)

1-2 (3회까지의 총점)$=77\times3=231$(점)

4회째의 점수를 x점이라고 하면 $\frac{231+x}{4}\ge80$

$231+x\ge320$ $\therefore x\ge89$

따라서 4회째의 시험에서 89점 이상을 받아야 한다.

1-3 다현 : $\frac{3+2+1+2+1+3+2}{7}=\frac{14}{7}=2$(시간)

승환 : $\frac{7+3+1+2+1+1+6}{7}=\frac{21}{7}=3$(시간)

따라서 승환이의 평균 인터넷 사용 시간이 더 많다.

핵심유형 2 (평균)$=\frac{24+19+26+x+20+27}{6}=\frac{116+x}{6}=24$

$116+x=144$ $\therefore x=28$

자료를 작은 값에서부터 크기순으로 나열하면

19, 20, 24, 26, 27, 28

$\therefore$ (중앙값)$=\frac{24+26}{2}=25$(점)

2-1 ㄷ. 자료의 개수가 짝수 개이면 중앙값은 자료 중에 존재할 수도 있고 존재하지 않을 수도 있다.

따라서 옳은 것은 ㄱ, ㄴ이다.

2-2 자료를 작은 값부터 크기순으로 나열하면

50, 80, 94, 115, 120, 136, 150, 210, 230, 240

$\therefore$ (중앙값)$=\frac{120+136}{2}=128$(mm)

2-3 (중앙값)$=\frac{x+34}{2}=32$, $x+34=64$ $\therefore x=30$

2-4 학생 수가 20명이므로 중앙값은 10번째와 11번째 값의 평균이다.

$\therefore$ (중앙값)$=\frac{2+3}{2}=2.5$(편)

2-5 중앙값은 3번째 값인 16이므로 평균도 16이다.

(평균)$=\frac{12+15+16+18+x}{5}=\frac{61+x}{5}=16$

$61+x=80$ $\therefore x=19$

2-6 자료를 작은 값부터 크기순으로 나열하면 중앙값이 12분이므로 □ □ 12 16 □가 된다. 여기에 18분인 학생이 들어오면 □ □ 12 16 18 □ 또는 □ □ 12 16 □ 18 이다.

$\therefore$ (중앙값)$=\frac{12+16}{2}=14$(분)

2-7 조건 (가)에서 $\frac{16+24}{2}=20$이므로 중앙값이 20이 되기 위해서는 $n\le16$ ...... ㉠

조건 (나)에서 중앙값이 14가 되기 위해서는

$n\ge14$ ...... ㉡

㉠, ㉡에서 $14\le n\le16$이므로 자연수 n의 값은 14, 15, 16이다.

핵심유형 3 최빈값이 12회이므로

(평균)$=\frac{8+12\times3+14+15+x}{7}=\frac{73+x}{7}=12$

$73+x=84$ $\therefore x=11$

3-1 최빈값은 가장 많이 나온 90 cm이다.

3-2 축구, 야구를 좋아하는 학생이 각각 3명이므로 최빈값은 축구, 야구이다.

3-3 $4+5+6+3+x+5=30$이므로

$23+x=30$ $\therefore x=7$

따라서 주어진 표에서 학생 수가 가장 많은 것은 치킨이므로 최빈값은 치킨이다.

기출문제로 실·력·다·지·기

44~45쪽

01 ③	02 ④	03 ②	04 ③
05 ②	06 ③	07 ③	08 ②
09 7권	10 ②	11 ⑤	12 ①
13 8	14 6권		

15 평균 : 4.7명, 중앙값 : 4.5명, 최빈값 : 4명

01 ③ 대푯값으로 평균을 주로 쓰지만 극단적인 값이 있을 경우는 중앙값, 선호도 조사와 같은 경우는 최빈값을 쓴다.

02 ④ 120과 같이 다른 변량에 비해 매우 큰 값이 있으므로 평균을 대푯값으로 사용하기에 적절하지 않다.

03 $\frac{a+b+c+d+e}{5}=12$이므로 $a+b+c+d+e=60$

$\therefore \frac{a+b+c+d+e+22+16}{7}=\frac{60+38}{7}=\frac{98}{7}=14$

04 a를 제외한 자료를 작은 값부터 크기순으로 나열하면 10, 14, 19
이때 4개의 변량의 중앙값이 15이므로 a는 14와 19 사이에 있어야 한다. 즉, 4개의 변량을 크기순으로 나열하면
10, 14, a, 19이므로 $\frac{14+a}{2}=15$ $\therefore a=16$

05 x점을 제외한 자료를 작은 값부터 크기순으로 나열하면
86, 88, 92
중앙값이 90점이고 $\frac{88+92}{2}=90$이므로 $x \geq 92$ …… ㉠
평균이 90점 미만이므로
$\frac{86+92+x+88}{4}<90$, $266+x<360$
$\therefore x<94$ …… ㉡
㉠, ㉡에서 $92 \leq x<94$이므로 자연수 x는 92, 93의 2개이다.

06 주어진 5개의 변량을 작은 값부터 크기순으로 나열하면
54, 55, 58, 68, 75이다. 6개의 변량의 중앙값이 60이므로
x는 58과 68 사이에 있다. 즉,
$\frac{58+x}{2}=60$ $\therefore x=62$

07 최빈값이 25이므로 $x=25$
자료를 작은 값부터 크기순으로 나열하면
20, 22, 23, 25, 25, 27이므로 중앙값은 $\frac{23+25}{2}=24$

08 가족 수가 5명인 학생 수가 3명이고, 가족 수가 4명인 학생 수가 2명이므로 $a=4$이면 최빈값이 4명, 5명이 된다.
따라서 a의 값은 4가 될 수 없다.

09 (평균)$=\frac{4\times3+5\times x+6\times5+7\times6+8\times2}{3+x+5+6+2}$
$=\frac{100+5x}{16+x}=6$(권)
$100+5x=6(16+x)$, $100+5x=96+6x$ $\therefore x=4$
따라서 주어진 표에서 학생 수가 가장 많은 것은 7권이므로 최빈값은 7권이다.

10 최빈값은 86점이므로 (평균)$=86+1=87$(점)
(평균)$=\frac{94+86+a+77+86+b+90+86}{8}=87$에서
$519+a+b=696$ $\therefore a+b=177$

11 (중앙값)$=\frac{28+34}{2}=31$(살), 최빈값은 16살이므로
$m=31$, $n=16$ $\therefore m+n=31+16=47$

12 (평균)$=\frac{8+4+7+6+9+6+7+8+5+6}{10}=\frac{66}{10}=6.6$
자료를 작은 값부터 크기순으로 나열하면
4, 5, 6, 6, 6, 7, 7, 8, 8, 9
(중앙값)$=\frac{6+7}{2}=6.5$, (최빈값)$=6$이므로
$A=6.6$, $B=6.5$, $C=6$ $\therefore A>B>C$

13 m, n을 제외한 변량을 작은 값부터 크기순으로 나열하면
3, 3, 3, 5, 7이고 $5<m<n$이므로 중앙값은 5이다.
또, $m \neq n$이므로 m, n의 값에 관계없이 최빈값은 3이다.
따라서 중앙값과 최빈값의 합은 $5+3=8$

14 [단계 ❶] 평균이 6권이므로
$\frac{5+2+a+8+7+b}{6}=\frac{22+a+b}{6}=6$
$22+a+b=36$ $\therefore a+b=14$
[단계 ❷] $a+b=14$와 $b-a=4$를 연립하여 풀면 $a=5$, $b=9$
[단계 ❸] 주어진 자료를 작은 값부터 차례로 나열하면
2, 5, 5, 7, 8, 9이므로 중앙값은 $\frac{5+7}{2}=6$(권)

채점 기준	배점
❶ $a+b$의 값 구하기	40 %
❷ a, b의 값 구하기	40 %
❸ 중앙값 구하기	20 %

15 (평균)$=\frac{3\times2+4\times8+5\times5+6\times4+7\times1}{20}$
$=\frac{94}{20}=4.7$(명) …… ❶
자료의 변량을 작은 값부터 순서대로 나열할 때, 중앙값은 10번째와 11번째 값의 평균이므로
$\frac{4+5}{2}=4.5$(명) …… ❷
또 최빈값은 4명이다. …… ❸

채점 기준	배점
❶ 평균 구하기	40 %
❷ 중앙값 구하기	30 %
❸ 최빈값 구하기	30 %

07. 산포도

개 · 념 · 확 · 인 46~47쪽

01 7, 풀이 참조 **02** (1) -4 (2) 151 cm

03 (1) 10회 (2) 풀이 참조 (3) 8 (4) $2\sqrt{2}$회

04 $\sqrt{6}$점 **05** 2반

01 $(평균)=\frac{8+6+12+7+5+4}{6}=\frac{42}{6}=7$

변량	8	6	12	7	5	4
편차	1	-1	5	0	-2	-3

02 (1) 편차의 총합은 0이므로

$2+(-3)+x+(-1)+6=0$ $\therefore x=-4$

(2) (C의 키)$-155=-4$ $\therefore$ (C의 키)$=151$(cm)

03 (1) $(평균)=\frac{11+9+12+5+13}{5}=\frac{50}{5}=10$(회)

(2)

	A	B	C	D	E
편차(회)	1	-1	2	-5	3
$(편차)^2$	1	1	4	25	9

(3) $(분산)=\frac{1+1+4+25+9}{5}=\frac{40}{5}=8$

(4) $(표준편차)=\sqrt{8}=2\sqrt{2}$ (회)

04 $(평균)=\frac{81+88+82+85+84}{5}=\frac{420}{5}=84$(점)

$(분산)=\frac{1}{5}\{(81-84)^2+(88-84)^2+(82-84)^2+(85-84)^2+(84-84)^2\}$

$=\frac{30}{5}=6$

$\therefore (표준편차)=\sqrt{6}$ (점)

05 표준편차가 작을수록 자료의 분포 상태가 고르다.

핵심유형으로 개 · 념 · 정 · 복 · 하 · 기 48~49쪽

핵심유형 1 ③	1-1 ②	1-2 ②	1-3 77점
핵심유형 2 ④	2-1 ⑤	2-2 $\frac{3\sqrt{42}}{7}$건	2-3 ①
	2-4 ⑤	2-5 $2\sqrt{10}$	2-6 12, 16
핵심유형 3 ⑤	3-1 ⑤	3-2 ㄱ, ㄷ	

핵심유형 1 (편차)=(변량)$-$(평균)이므로 $4=62-$(평균)

$\therefore$ (평균)$=58$ (kg)

편차의 합은 0이므로 $4+(-2)+b+2+(-3)=0$

$\therefore b=-1$

$a-58=-1$ $\therefore a=57$

$c-58=-3$ $\therefore c=55$

$\therefore a+b+c=57+(-1)+55=111$

1-1 편차의 합은 0이므로

$4+(-1)+3+x+(-5)+1=0$

$\therefore x=-2$

1-2 편차의 합은 0이므로

$(-2)\times3+(-1)\times2+0\times5+1\times4+2\times x=0$

$2x=4$ $\therefore x=2$

1-3 편차의 합은 0이므로

$-3+0+x+(x+2)+(x-5)=0$, $3x-6=0$

$\therefore x=2$

따라서 학생 C의 성적은 $75+2=77$(점)

핵심유형 2 $\frac{a+b+c+d}{4}=3$이므로 $a+b+c+d=12$

$\frac{a^2+b^2+c^2+d^2}{4}=13$이므로 $a^2+b^2+c^2+d^2=52$

$\therefore$ (분산)

$=\frac{(a-3)^2+(b-3)^2+(c-3)^2+(d-3)^2}{4}$

$=\frac{a^2+b^2+c^2+d^2-6(a+b+c+d)+9\times4}{4}$

$=\frac{52-6\times12+36}{4}=4$

2-1 편차의 합은 0이므로

$(-4)+2+(-1)+x+(-2)=0$ $\therefore x=5$

$\therefore (분산)=\frac{(-4)^2+2^2+(-1)^2+5^2+(-2)^2}{5}$

$=\frac{50}{5}=10$

2-2 $(평균)=\frac{2+5+9+6+9+11+7}{7}=\frac{49}{7}=7$(건)

$(분산)=\frac{(-5)^2+(-2)^2+2^2+(-1)^2+2^2+4^2+0^2}{7}$

$=\frac{54}{7}$

$\therefore (표준편차)=\sqrt{\frac{54}{7}}=\frac{3\sqrt{42}}{7}$ (건)

2-3 $(\text{평균})=\frac{5\times1+6\times2+7\times4+8\times2+9\times1}{10}=\frac{70}{10}=7$(권)

$(\text{분산})=\frac{(-2)^2\times1+(-1)^2\times2+0^2\times4+1^2\times2+2^2\times1}{10}$

$=\frac{12}{10}=1.2$

2-4 ① 편차가 음수이므로 국어 성적은 평균보다 낮다.

② 사회 성적의 편차가 0이므로 5개 과목의 성적의 평균은 사회 성적과 같다.

∴ (평균)=85(점)

③ 편차의 총합이 0이므로

$(-3)+1+y+(-1)+0=0$ $\quad\therefore y=3$

④ $x-85=1$이므로 $x=86$

⑤ $(\text{분산})=\frac{(-3)^2+1^2+3^2+(-1)^2+0^2}{5}=\frac{20}{5}=4$

이므로 표준편차는 $\sqrt{4}=2$(점)

2-5 남학생과 여학생의 평균이 같으므로 전체 평균도 75점이다.

남학생과 여학생의 분산이 각각 $8^2=64$, $(2\sqrt{2})^2=8$이므로

편차의 제곱의 합은 각각 $64\times20=1280$, $8\times15=120$

(전체 35명의 분산)$=\frac{1280+120}{35}=\frac{1400}{35}=40$이므로

(전체 35명의 표준편차)$=\sqrt{40}=2\sqrt{10}$(점)

2-6 변량 a, b, c에 대하여

$\frac{a+b+c}{3}=6$, $\frac{(a-6)^2+(b-6)^2+(c-6)^2}{3}=4$

변량 $2a$, $2b$, $2c$에 대하여

$(\text{평균})=\frac{2a+2b+2c}{3}=\frac{2(a+b+c)}{3}=2\times6=12$

$(\text{분산})=\frac{(2a-12)^2+(2b-12)^2+(2c-12)^2}{3}$

$=\frac{2^2\{(a-6)^2+(b-6)^2+(c-6)^2\}}{3}$

$=2^2\times4=16$

[다른 풀이] 변량 $2a$, $2b$, $2c$는 변량 a, b, c의 각 변량에 2를 곱한 값이므로

(평균)$=2\times6=12$, (분산)$=2^2\times4=16$

핵심유형 3 ㄱ, ㄹ. 최고 또는 최저 득점자는 어느 반에 있는지 알 수 없다.

ㄴ. 편차의 합은 항상 0이다.

ㄷ. 4반의 표준편차가 가장 작으므로 학생들의 성적이 가장 고르게 분포되어 있다.

따라서 옳은 것은 ㄷ, ㄹ이다.

3-1 변량들이 평균으로부터 가장 멀리 퍼져 있는 것을 찾으면 ⑤이다.

3-2 이룸이의 성적에서

$(\text{평균})=\frac{50+80+60+90}{4}=70$(점)

$(\text{표준편차})=\sqrt{\frac{(-20)^2+10^2+(-10)^2+20^2}{4}}$

$=\sqrt{250}=5\sqrt{10}$(점)

민국이의 성적에서

$(\text{평균})=\frac{65+70+70+75}{4}=70$(점)

$(\text{표준편차})=\sqrt{\frac{(-5)^2+0^2+0^2+5^2}{4}}$

$=\sqrt{\frac{50}{4}}=\frac{5\sqrt{2}}{2}$(점)

ㄷ. 민국이의 성적의 표준편차가 이룸이의 성적의 표준편차보다 작으므로 성적이 더 고르다.

따라서 옳은 것은 ㄱ, ㄷ이다.

기출문제로 실·력·다·지·기

50~51쪽

01 ②	02 ②	03 ①	04 ①
05 ①	06 ⑤	07 ⑤	08 48
09 ④	10 ㄱ, ㄷ	11 ④	12 ③
13 $\sqrt{14}$	14 84		

01 ① (편차)=(변량)−(평균)

③ 산포도가 작을수록 자료가 고르게 분포되어 있다.

④ 산포도가 클수록 변량은 평균을 중심으로 넓게 흩어져 있다.

⑤ 편차는 산포도가 아니다.

02 자료가 평균에 가장 밀집되어 있는 것은 A이므로 산포도가 가장 작은 것은 A이다. 자료가 평균으로부터 떨어져 있는 것은 C이므로 산포도가 가장 큰 것은 C이다.

03 $(\text{평균})=\frac{47+46+44+52+50+43}{6}=\frac{282}{6}=47$

$\therefore (\text{분산})=\frac{0^2+(-1)^2+(-3)^2+5^2+3^2+(-4)^2}{6}$

$=\frac{60}{6}=10$

04 $(\text{평균})=\frac{7+3+5+9}{4}=\frac{24}{4}=6$(시간)이므로

$(\text{분산})=\frac{1^2+(-3)^2+(-1)^2+3^2}{4}=\frac{20}{4}=5$

∴ (표준편차)$=\sqrt{5}$(시간)

05 $(\text{평균})=\dfrac{2+4+6+8+10}{5}=6$이므로

$a=\sqrt{\dfrac{(-4)^2+(-2)^2+0^2+2^2+4^2}{5}}=\sqrt{8}=2\sqrt{2}$

$(\text{평균})=\dfrac{2+2+4+4+6+6+8+8+10+10}{10}=6$이므로

$b=\sqrt{\dfrac{(-4)^2+(-4)^2+(-2)^2+(-2)^2+0^2+0^2+2^2+2^2+4^2+4^2}{10}}$

$=\sqrt{8}=2\sqrt{2}$

$\therefore ab=8$

06 $(\text{평균})=\dfrac{5\times2+10\times3+15\times3+20\times1+25\times1}{10}$

$=\dfrac{130}{10}=13(\text{분})$

$(\text{분산})=\dfrac{1}{10}\{(5-13)^2\times2+(10-13)^2\times3+(15-13)^2\times3+(20-13)^2\times1+(25-13)^2\times1\}$

$=\dfrac{360}{10}=36$

07 $\dfrac{a+b+c+d+e}{5}=5$이므로 $a+b+c+d+e=25$

$\dfrac{(a-5)^2+(b-5)^2+(c-5)^2+(d-5)^2+(e-5)^2}{5}=10$

이므로

$(a-5)^2+(b-5)^2+(c-5)^2+(d-5)^2+(e-5)^2=50$

$(\text{평균})=\dfrac{(2a-1)+(2b-1)+(2c-1)+(2d-1)+(2e-1)}{5}$

$=\dfrac{2(a+b+c+d+e)-5}{5}$

$=\dfrac{2\times25-5}{5}=\dfrac{45}{5}=9$

이므로

$(\text{분산})=\dfrac{(2a-1-9)^2+(2b-1-9)^2+(2c-1-9)^2+(2d-1-9)^2+(2e-1-9)^2}{5}$

$=\dfrac{4\{(a-5)^2+(b-5)^2+(c-5)^2+(d-5)^2+(e-5)^2\}}{5}$

$=\dfrac{4\times50}{5}=40$

08 $\dfrac{12+a+b+15+9}{5}=10$이므로 $a+b=14$ …… ㉠

$\dfrac{1}{5}\{(12-10)^2+(a-10)^2+(b-10)^2+(15-10)^2+(9-10)^2\}$

$=(\sqrt{10})^2$

$a^2+b^2-20(a+b)+230=50$

$\therefore (a+b)^2-2ab-20(a+b)+180=0$ …… ㉡

㉠을 ㉡에 대입하면

$14^2-2ab-20\times14+180=0,\ 2ab=96$

$\therefore ab=48$

09 남학생과 여학생의 편차의 제곱의 총합은 각각

$7\times16=112,\ 10\times14=140$

따라서 전체 30명에 대한 편차의 제곱의 총합은

$112+140=252$

$\therefore (\text{분산})=\dfrac{252}{30}=8.4$

10 ㄱ. E의 편차가 0점이므로 E의 점수는 평균과 같다.

ㄴ. 평균을 m점이라고 하면 A의 점수는 $(m-2)$점, B의 점수는 $(m-1)$점이므로 A, B의 점수의 차는 1점이다.

ㄷ. $(\text{분산})=\dfrac{(-2)^2+(-1)^2+1^2+2^2}{5}=\dfrac{10}{5}=2$

ㄹ. 점수가 가장 높은 학생은 D이다.

따라서 옳은 것은 ㄱ, ㄷ이다.

11 표준편차는 자료가 평균을 중심으로 흩어진 정도를 나타내므로 A, C의 표준편차는 같고, B의 표준편차는 A, C의 표준편차보다 크다.

$\therefore a=c<b$

12 ③ B반의 평균이 더 높지만 성적은 더 고르지 않다.

13 [단계 ❶] 자료 A의 평균과 자료 A, B를 섞은 전체 자료의 평균이 같으므로 자료 B의 평균도 5이다.

[단계 ❷] 자료 A의 6개의 변량에 대한 편차의 제곱의 합은 $6\times4=24$이고

자료 A, B를 섞은 10개의 변량에 대한 편차의 제곱의 합은 $10\times8=80$이다.

따라서 자료 B의 4개의 변량에 대한 편차의 제곱의 합은 $80-24=56$이므로

자료 B의 분산은 $\dfrac{56}{4}=14$이다.

[단계 ❸] 따라서 자료 B의 표준편차는 $\sqrt{14}$이다.

채점 기준	배점
❶ 자료 B의 평균 구하기	40 %
❷ 자료 B의 분산 구하기	40 %
❸ 자료 B의 표준편차 구하기	20 %

14 $\dfrac{4a+4b+4c}{12}=5$이므로 $a+b+c=15$ …… ❶

$\dfrac{4(a-5)^2+4(b-5)^2+4(c-5)^2}{12}=3$이므로

$(a-5)^2+(b-5)^2+(c-5)^2=9$

$a^2+b^2+c^2-10(a+b+c)+3\times5^2=9$

$a^2+b^2+c^2-10\times15+3\times5^2=9$

$\therefore a^2+b^2+c^2=84$ …… ❷

채점 기준	배점
❶ $a+b+c$의 값 구하기	40 %
❷ $a^2+b^2+c^2$의 값 구하기	60 %

08. 상관관계

개·념·확·인

52쪽

01 (1) 풀이 참조 (2) 양의 상관관계

01 (1) x축을 1차 점수, y축을 2차 점수로 하여 순서쌍 (7, 7), (9, 10), (7, 9), (9, 9), (6, 6), (8, 9), (8, 8), (10, 9), (8, 7), (7, 8)을 좌표평면 위에 나타내면 오른쪽 그림과 같다.

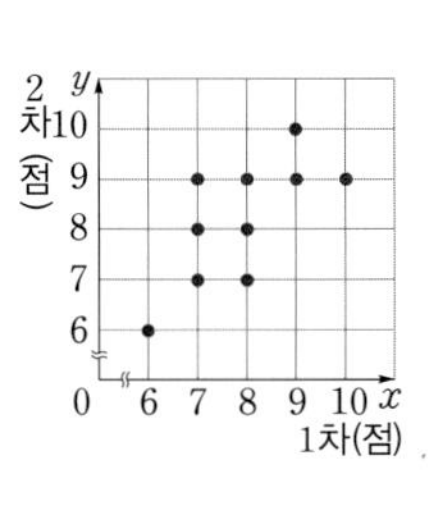

핵심유형으로 개·념·정·복·하·기

53쪽

핵심유형 **1** ② **1-1** ① **1-2** ㄴ, ㄷ

핵심유형 **2** (1) 45점 (2) 7명 (3) 6명 **2-1** ⑤ **2-2** 20 %

핵심유형 **1** ① 산이 높을수록 정상에서의 기온이 내려가므로 음의 상관관계이다.

② 운동을 많이 할수록 심장 박동이 빨라지므로 양의 상관관계이다.

③ 배추 생산량이 많을수록 가격이 내려가므로 음의 상관관계이다.

④ 겨울철 기온이 낮을수록 난방비가 많이 나오므로 음의 상관관계이다.

⑤ 상관관계가 없다.

1-1 하루 관람객 수가 많을수록 입장료 총액이 많아지므로 양의 상관관계가 있다.
①은 양의 상관관계, ③은 음의 상관관계, ②, ④, ⑤는 상관관계가 없다.

1-2 ㄱ. 양의 상관관계
ㄴ, ㄷ. 상관관계가 없다.

핵심유형 **2** (2) 국어 성적이 사회 성적과 같은 학생은 오른쪽 위로 향하는 대각선 위의 점의 개수와 같으므로 7명이다.

(3) 사회 성적이 국어 성적보다 좋은 학생은 오른쪽 위로 향하는 대각선의 아래쪽에 있는 점의 개수와 같으므로 6명이다.

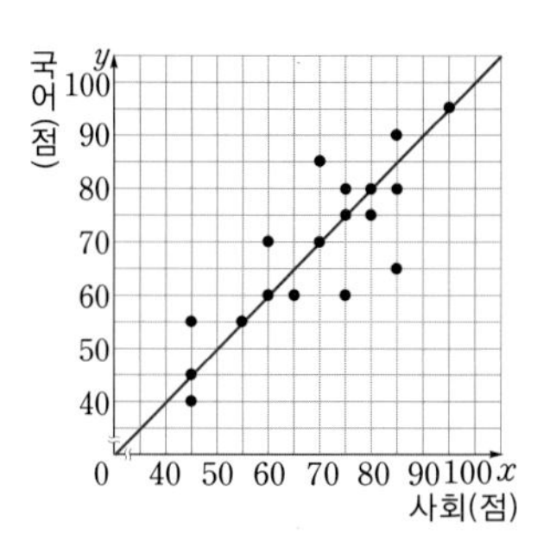

2-2 수학 성적과 과학 성적이 모두 80점 이상인 학생 수는 오른쪽 그림에서 색칠한 부분의 점의 개수와 같으므로 3명이다.

$\therefore \frac{3}{15}\times100=20(\%)$

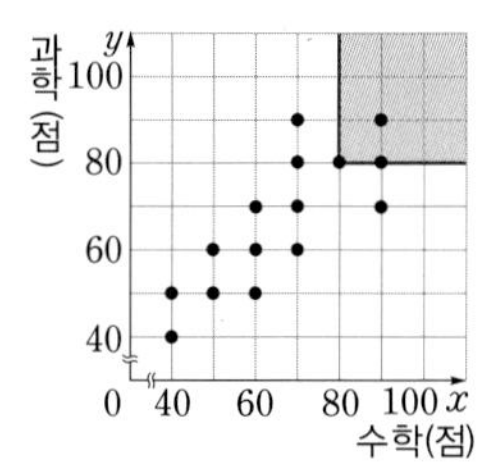

기출문제로 실·력·다·지·기

54~55쪽

01 ④	**02** ④	**03** ㄴ, ㄹ	**04** ②
05 ③	**06** ③	**07** ③	**08** ④
09 ②	**10** ②	**11** (1) 8명 (2) 25 %	
12 (1) 32 % (2) 12명			

01 두 변량 사이에 양의 상관관계가 있는 산점도를 찾는다.
①, ②, ③ : 상관관계가 없다.
④ 양의 상관관계
⑤ 음의 상관관계

02 ①, ⑤ : 양의 상관관계
②, ③ : 상관관계가 없다.
④ 음의 상관관계

03 ㄱ. 키가 클수록 앉은키도 크므로 양의 상관관계이다.
ㄷ. 자동차 수가 늘어날수록 대기오염이 심해지므로 양의 상관관계이다.
ㄴ, ㄹ. 상관관계가 없다.

05 ③ 도시 A는 도시 C보다 운행된 자동차 수에 비해 대기오염도가 높다.

06 ② 수학 성적과 영어 성적이 같은 학생 수는 오른쪽 위로 향하는 대각선 위의 점의 개수와 같으므로 5명이다.

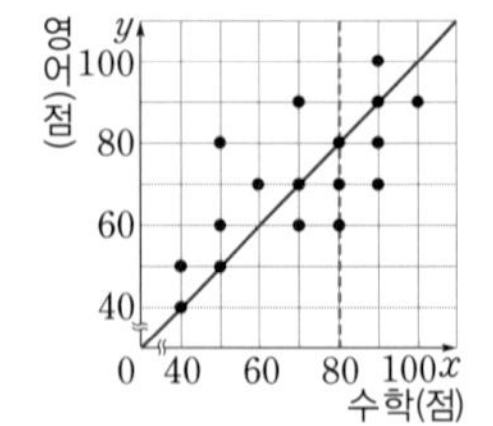

③ 수학 성적이 영어 성적보다 좋은 학생 수는 오른쪽 위로 향하는 대각선의 아래쪽에 있는 점의 개수와 같으므로 6명이다.

④ 수학 성적이 80점인 학생들의 영어 성적의 평균은

$\dfrac{60+70+80}{3}=70$(점)

07 기말고사 성적이 중간고사 성적보다 향상된 학생 수는 오른쪽 위로 향하는 대각선의 위쪽에 있는 점의 개수와 같으므로 3명이다.

08 중간고사 성적이 60점 이상 80점 이하인 학생 수는 오른쪽 그림에서 색칠한 부분의 점의 개수와 같으므로 8명이다.

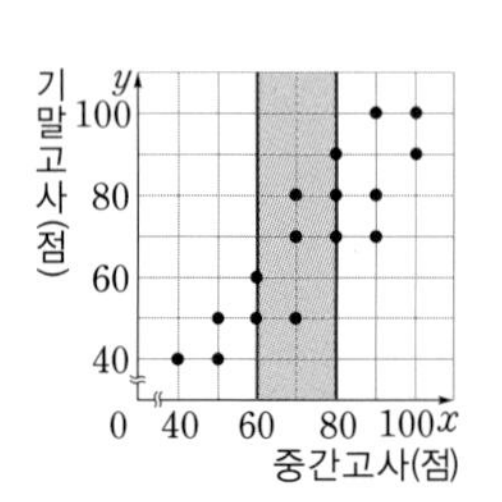

09 국어 성적이 90점 이상인 학생이 읽은 책의 권 수는 각각 11권, 12권, 13권, 14권이므로 최소한 11권은 읽었다.

10 일년 동안 읽은 책이 9권 이하인 학생 수는 오른쪽 그림에서 색칠한 부분의 점의 개수와 같으므로 5명이다.

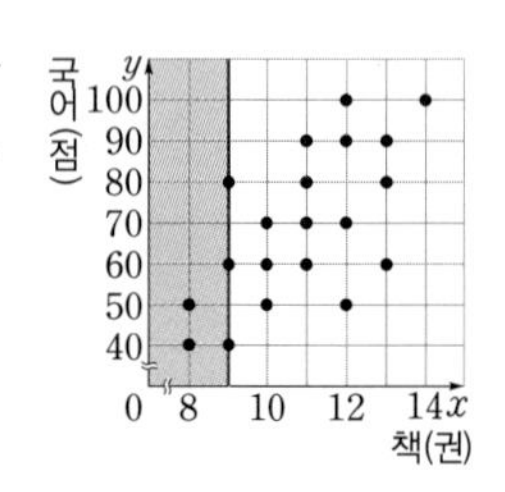

∴ (평균)

$=\dfrac{40\times2+50+60+80}{5}$

$=\dfrac{270}{5}=54$(점)

11 (1) 수학 성적과 영어 성적의 점수 차가 10점 이상인 학생 수는 오른쪽 그림에서 색칠한 부분의 점의 개수와 같으므로 8명이다. ······ ❶

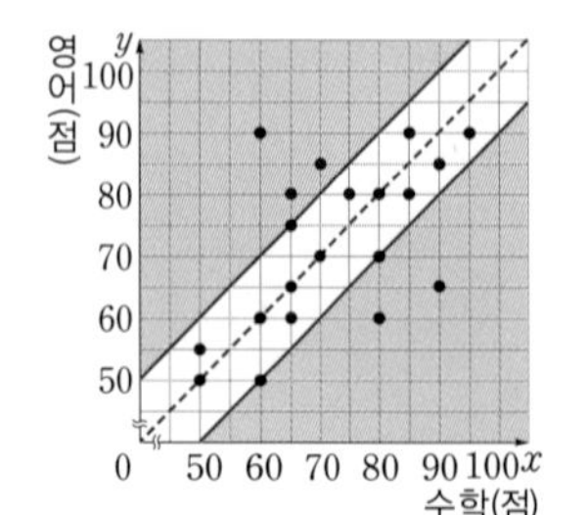

(2) 수학 성적과 영어 성적이 같은 학생 수는 오른쪽 위로 향하는 대각선 위의 점의 개수와 같으므로 5명이다. ······ ❷

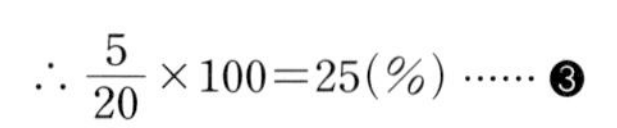

$\therefore \dfrac{5}{20}\times100=25(\%)$ ······ ❸

채점 기준	배점
❶ (1)의 답 구하기	50 %
❷ (2)에 해당하는 학생 수 구하기	30 %
❸ (2)의 답 구하기	20 %

12 (1) 작년보다 올해 친 홈런의 개수가 많은 선수 수는 오른쪽 위로 향하는 대각선의 위쪽에 있는 점의 개수와 같으므로 8명이다. ······ ❶

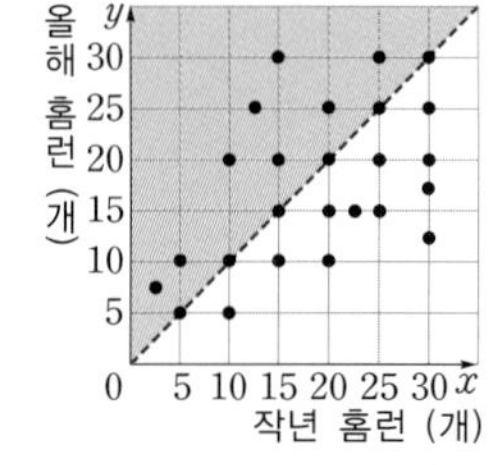

$\therefore \dfrac{8}{25}\times100=32(\%)$ ······ ❷

(2) 작년과 올해 친 홈런의 개수의 합이 40개 이상인 선수 수는 오른쪽 그림의 색칠한 부분에 속하는 점의 개수와 같으므로 12명이다. ······ ❸

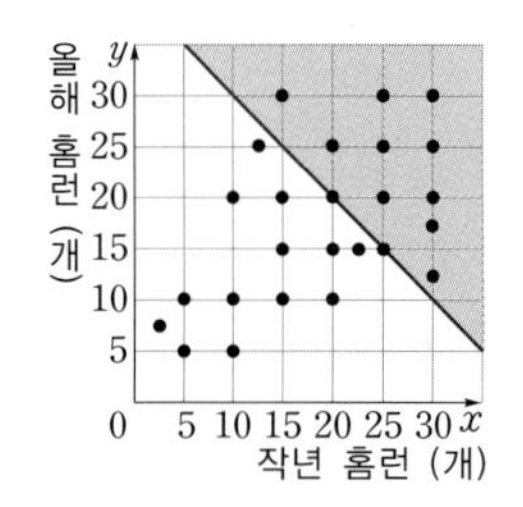

채점 기준	배점
❶ (1)에 해당하는 학생 수 구하기	30 %
❷ (1)의 답 구하기	20 %
❸ (2)의 답 구하기	50 %

내신만점 도전편 정답 및 풀이

01. 삼각비의 값

58~59쪽

01 ⑤	02 ③	03 7	04 ①
05 ④	06 ④	07 ④	08 ③
09 $\sqrt{3}$	10 ①	11 ②	12 42.6 cm
13 ④	14 $\frac{17}{13}$	15 $\frac{1}{6}\pi-\frac{\sqrt{3}}{8}$	

01 $\overline{AC}=\sqrt{3^2-2^2}=\sqrt{5}$

$\therefore \tan A=\frac{\overline{BC}}{\overline{AC}}=\frac{2}{\sqrt{5}}=\frac{2\sqrt{5}}{5}$

02 $\sin B=\frac{\sqrt{2}}{3}$이므로 $\frac{\overline{AC}}{6}=\frac{\sqrt{2}}{3}$ $\therefore \overline{AC}=2\sqrt{2}$

$\therefore \overline{BC}=\sqrt{6^2-(2\sqrt{2})^2}=2\sqrt{7}$

03 △ABC에서 $\overline{AC}=\sqrt{20^2-16^2}=12$

$\therefore \sin x=\frac{12}{20}=\frac{3}{5}$

△ADC에서 $\cos y=\frac{3}{5}$이므로 $\overline{AD}=5a$, $\overline{CD}=3a$라 하면

$(5a)^2=(3a)^2+12^2$, $16a^2=144$, $a^2=9$ $\therefore a=3$

즉, $\overline{CD}=3\times3=9$이므로 $\overline{BD}=16-9=7$

04 △CEG에서 $\overline{CE}=4\sqrt{3}$, $\overline{EG}=4\sqrt{2}$이므로

$\cos x=\frac{\overline{EG}}{\overline{CE}}=\frac{4\sqrt{2}}{4\sqrt{3}}=\frac{\sqrt{6}}{3}$

05 x절편은 -2, y절편은 4이므로 (직선의 기울기)$=\frac{4}{2}=2$

$\therefore \tan a=2$

06 $A=\frac{1}{2}-\frac{\sqrt{3}}{2}$, $B=\frac{\sqrt{3}}{2}+1$이므로

$A^2+B^2=\left(\frac{1}{2}-\frac{\sqrt{3}}{2}\right)^2+\left(\frac{\sqrt{3}}{2}+1\right)^2=\frac{11}{4}+\frac{\sqrt{3}}{2}$

07 $30°<30°+x<90°$이고, $\sin 60°=\frac{\sqrt{3}}{2}$이므로

$30°+x=60°$ $\therefore x=30°$

$\therefore \frac{2}{\sqrt{3}}\cos 30°=\frac{2}{\sqrt{3}}\times\frac{\sqrt{3}}{2}=1$

08 △DAC에서 $\cos 30°=\frac{\overline{AC}}{20}$이므로 $\frac{\sqrt{3}}{2}=\frac{\overline{AC}}{20}$

$\therefore \overline{AC}=10\sqrt{3}$ cm

△ABC에서 $\sin 30°=\frac{\overline{BC}}{10\sqrt{3}}$이므로 $\frac{1}{2}=\frac{\overline{BC}}{10\sqrt{3}}$

$\therefore \overline{BC}=5\sqrt{3}$ cm

09 $\angle B=\frac{2}{1+2+3}\times180°=60°$이므로

$$\frac{1}{\tan 60°-1}+\frac{1}{\tan 60°+1}=\frac{1}{\sqrt{3}-1}+\frac{1}{\sqrt{3}+1}=\frac{\sqrt{3}+1}{2}+\frac{\sqrt{3}-1}{2}=\sqrt{3}$$

10 $\sin 50°=\frac{\overline{AB}}{\overline{OA}}=\overline{AB}$, $\angle OAB=90°-50°=40°$

$\therefore \cos 40°=\frac{\overline{AB}}{\overline{OA}}=\overline{AB}$

11 ② A의 값이 커질수록 $\cos A$의 값은 감소한다.

12 $\angle C=90°-62°=28°$이므로 $\sin 28°=\frac{\overline{AB}}{\overline{AC}}=\frac{20}{\overline{AC}}$

$\therefore \overline{AC}=\frac{20}{\sin 28°}=\frac{20}{0.4695}=42.6$(cm)

13 $\cos 45°\times\tan 0°+\sin 45°\times\cos 90°+\sin 90°$

$=\frac{\sqrt{2}}{2}\times0+\frac{\sqrt{2}}{2}\times0+1=1$

14 [단계 ❶] 피타고라스 정리에 의해

$\overline{AB}=\sqrt{13^2-12^2}=5$

[단계 ❷] △ABC∽△HBA(AA 닮음)이므로

$\angle BCA=\angle BAH=x$

△ABC∽△HAC(AA 닮음)이므로

$\angle CBA=\angle CAH=y$

[단계 ❸] △ABC에서 $\cos x=\cos C=\frac{\overline{AC}}{\overline{BC}}=\frac{12}{13}$,

$\cos y=\cos B=\frac{\overline{AB}}{\overline{BC}}=\frac{5}{13}$이므로

[단계 ❹] $\cos x+\cos y=\frac{12}{13}+\frac{5}{13}=\frac{17}{13}$

채점 기준	배점
❶ $\overline{AB}$의 길이 구하기	10 %
❷ $\angle BCA=x$, $\angle CBA=y$임을 알기	40 %
❸ $\cos x$, $\cos y$의 값 구하기	40 %
❹ $\cos x+\cos y$의 값 구하기	10 %

15 부채꼴 AOB는 반지름의 길이가 1이고 중심각의 크기가 60°이므로 부채꼴 AOB의 넓이는 $\pi\times1^2\times\frac{60}{360}=\frac{1}{6}\pi$ …… ❶

$\triangle$AOH에서 $\sin 60^\circ=\frac{\overline{AH}}{\overline{OA}}$이므로 $\overline{AH}=\frac{\sqrt{3}}{2}$

$\cos 60^\circ=\frac{\overline{OH}}{\overline{OA}}$이므로 $\overline{OH}=\frac{1}{2}$ …… ❷

$\therefore \triangle AOH=\frac{1}{2}\times\frac{1}{2}\times\frac{\sqrt{3}}{2}=\frac{\sqrt{3}}{8}$ …… ❸

∴ (색칠한 부분의 넓이)=(부채꼴 AOB의 넓이)$-\triangle$AOH

$=\frac{1}{6}\pi-\frac{\sqrt{3}}{8}$ …… ❹

채점 기준	배점
❶ 부채꼴 AOB의 넓이 구하기	30 %
❷ $\overline{AH}$, $\overline{OH}$의 길이 구하기	40 %
❸ $\triangle$AOH의 넓이 구하기	20 %
❹ 색칠한 부분의 넓이 구하기	10 %

02. 삼각비의 활용

60~61쪽

01 ④	02 $(9+3\sqrt{3})$ m	03 ②	
04 ①	05 ③	06 $15(\sqrt{2}+\sqrt{6})$m	
07 ③	08 ④	09 ⑤	10 $50\sqrt{2}$ cm^2
11 ②	12 ⑤	13 ①	
14 $2(1+\sqrt{13})$	15 $\frac{91\sqrt{3}}{4}$ cm^2		

01 $\overline{CG}=8\times\cos 60^\circ=8\times\frac{1}{2}=4$

$\overline{GH}=8\times\sin 60^\circ=8\times\frac{\sqrt{3}}{2}=4\sqrt{3}$

∴ (직육면체의 부피)$=6\times4\sqrt{3}\times4=96\sqrt{3}$

02 (송신탑의 높이)$=9\tan 45^\circ+9\tan 30^\circ$

$=9\times1+9\times\frac{\sqrt{3}}{3}=9+3\sqrt{3}$ (m)

03 오른쪽 그림의 $\triangle$OBH에서

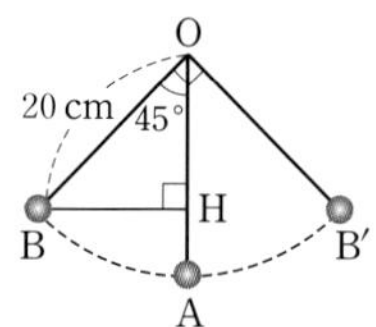

$\overline{OH}=20\times\cos 45^\circ$

$=20\times\frac{\sqrt{2}}{2}=10\sqrt{2}$ (cm)

$\therefore \overline{AH}=\overline{OA}-\overline{OH}$

$=20-10\sqrt{2}$ (cm)

따라서 A지점과 B지점에서의 추의 높이의 차는 $(20-10\sqrt{2})$cm이다.

04 $\triangle$ABH에서 $\overline{AH}=100\times\cos 60^\circ=100\times\frac{1}{2}=50$(m)

$\triangle$AHC에서 $\overline{CH}=50\times\tan 45^\circ=50$(m)

05 꼭짓점 A에서 $\overline{BC}$에 내린 수선의 발을 H라 하면 $\triangle$ABH에서

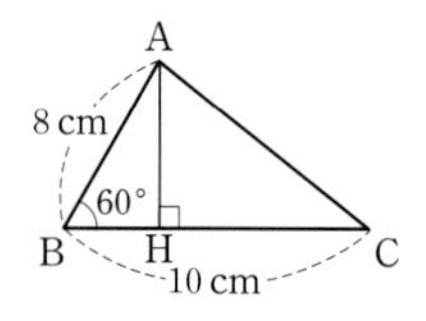

$\overline{AH}=8\times\sin 60^\circ$

$=8\times\frac{\sqrt{3}}{2}=4\sqrt{3}$ (cm)

$\overline{BH}=8\times\cos 60^\circ=8\times\frac{1}{2}=4$(cm)

$\therefore \overline{CH}=10-4=6$(cm)

$\triangle$AHC에서 $\overline{AC}=\sqrt{(4\sqrt{3})^2+6^2}=2\sqrt{21}$ (cm)

06 꼭짓점 C에서 $\overline{AB}$에 내린 수선의 발을 H라 하면

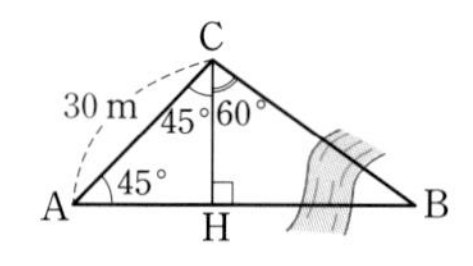

$\triangle$CAH에서

$\overline{AH}=30\times\cos 45^\circ$

$=30\times\frac{\sqrt{2}}{2}=15\sqrt{2}$ (m)

$\overline{CH}=30\times\sin 45^\circ$

$=30\times\frac{\sqrt{2}}{2}=15\sqrt{2}$ (m)

$\triangle$CHB에서 $\angle BCH=105^\circ-45^\circ=60^\circ$이므로

$\overline{BH}=15\sqrt{2}\times\tan 60^\circ=15\sqrt{2}\times\sqrt{3}=15\sqrt{6}$ (m)

$\therefore \overline{AB}=\overline{AH}+\overline{BH}=15\sqrt{2}+15\sqrt{6}=15(\sqrt{2}+\sqrt{6})$ (m)

07 $\overline{CH}=x$라 하면 $\triangle$BHC에서 $\angle BCH=90^\circ-60^\circ=30^\circ$이므로

$\overline{BH}=x\times\tan 30^\circ=\frac{\sqrt{3}}{3}x$

$\triangle$AHC에서 $\angle ACH=60^\circ$이므로

$\overline{AH}=x\tan 60^\circ=\sqrt{3}x$

$\overline{AB}=\overline{AH}-\overline{BH}$이므로 $10=\sqrt{3}x-\frac{\sqrt{3}}{3}x$

$10=\frac{2\sqrt{3}}{3}x$ $\quad\therefore x=10\times\frac{3}{2\sqrt{3}}=5\sqrt{3}$

08 ① $\overline{CH}=3\tan 45^\circ=3(\text{cm})$

② $\overline{BC}=\frac{3}{\cos 45^\circ}=3\div\frac{1}{\sqrt{2}}=3\sqrt{2}(\text{cm})$

③ $\overline{AH}=\frac{3}{\tan 60^\circ}=\frac{3}{\sqrt{3}}=\sqrt{3}(\text{cm})$

④ $\overline{AB}=\overline{AH}+\overline{BH}=3+\sqrt{3}(\text{cm})$

⑤ $\triangle CAH$에서 $\overline{AC}=\sqrt{(\sqrt{3})^2+3^2}=2\sqrt{3}(\text{cm})$

09 오른쪽 그림과 같이 점 A에서 $\overline{BC}$에 내린 수선의 발을 H라 하면 $\overline{AH}=6$ cm이므로

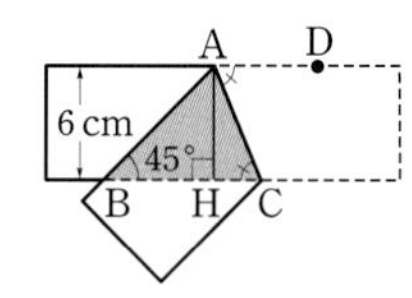

$\overline{AB}=\frac{6}{\sin 45^\circ}=6\sqrt{2}(\text{cm})$

이때 $\angle DAC=\angle BAC$ (접은 각), $\angle DAC=\angle BCA$ (엇각)이므로 $\angle BAC=\angle BCA$

따라서 $\triangle ABC$는 이등변삼각형이므로

$\overline{BC}=\overline{AB}=6\sqrt{2}(\text{cm})$

$\therefore \triangle ABC=\frac{1}{2}\times 6\sqrt{2}\times 6\sqrt{2}\times\sin 45^\circ$

$=\frac{1}{2}\times 6\sqrt{2}\times 6\sqrt{2}\times\frac{\sqrt{2}}{2}=18\sqrt{2}(\text{cm}^2)$

10 정팔각형의 넓이는 한 변의 길이가 5 cm이고 끼인 각의 크기가 45°인 이등변삼각형 8개의 넓이의 합과 같다.

$\therefore$ (정팔각형의 넓이)$=8\times\left(\frac{1}{2}\times 5\times 5\times\sin 45^\circ\right)$

$=8\times\left(\frac{1}{2}\times 5\times 5\times\frac{\sqrt{2}}{2}\right)$

$=50\sqrt{2}(\text{cm}^2)$

11 $\square ABCD=2\times\triangle ABC$

$=2\times\left(\frac{1}{2}\times 4\times 5\times\sin 45^\circ\right)$

$=2\times\left(\frac{1}{2}\times 4\times 5\times\frac{\sqrt{2}}{2}\right)$

$=10\sqrt{2}(\text{cm}^2)$

12 $\frac{1}{2}\times 12\times\overline{AC}\times\sin 60^\circ=21\sqrt{3}$

$\frac{1}{2}\times 12\times\overline{AC}\times\frac{\sqrt{3}}{2}=21\sqrt{3}$ $\therefore \overline{AC}=7$

13 (가)의 넓이 : $\frac{1}{2}ab\times\sin 60^\circ=\frac{\sqrt{3}}{4}ab$

(나)의 넓이 : $\frac{1}{2}bc\times\sin 30^\circ=\frac{1}{4}bc$

(다)의 넓이 : $\frac{1}{2}ac\times\sin 45^\circ=\frac{\sqrt{2}}{4}ac$

$\frac{1}{4}bc=\frac{\sqrt{3}}{4}ab$에서 $c=\sqrt{3}a$

$\frac{1}{4}bc=\frac{\sqrt{2}}{4}ac$에서 $b=\sqrt{2}a$

$\therefore a:b:c=a:\sqrt{2}a:\sqrt{3}a=1:\sqrt{2}:\sqrt{3}$

14 [단계 ❶] $\triangle ABH$에서 $\overline{BH}=4\times\cos 60^\circ=4\times\frac{1}{2}=2$

[단계 ❷] $\overline{AH}=4\times\sin 60^\circ=4\times\frac{\sqrt{3}}{2}=2\sqrt{3}$

[단계 ❸] $\triangle AHC$에서 $\overline{HC}=\sqrt{8^2-(2\sqrt{3})^2}=2\sqrt{13}$

[단계 ❹] $\therefore \overline{BC}=\overline{BH}+\overline{HC}=2+2\sqrt{13}=2(1+\sqrt{13})$

채점 기준	배점
❶ $\overline{BH}$의 길이 구하기	30 %
❷ $\overline{AH}$의 길이 구하기	30 %
❸ $\overline{HC}$의 길이 구하기	30 %
❹ $\overline{BC}$의 길이 구하기	10 %

15 $\overline{BD}$를 그으면

$\triangle ABD=\frac{1}{2}\times 4\times 4\times\sin(180^\circ-120^\circ)$

$=\frac{1}{2}\times 4\times 4\times\frac{\sqrt{3}}{2}=4\sqrt{3}(\text{cm}^2)$ …… ❶

$\triangle BCD=\frac{1}{2}\times 5\sqrt{3}\times 5\sqrt{3}\times\sin 60^\circ$

$=\frac{1}{2}\times 5\sqrt{3}\times 5\sqrt{3}\times\frac{\sqrt{3}}{2}$

$=\frac{75\sqrt{3}}{4}(\text{cm}^2)$ …… ❷

$\therefore \square ABCD=\triangle ABD+\triangle BCD$

$=4\sqrt{3}+\frac{75\sqrt{3}}{4}=\frac{91\sqrt{3}}{4}(\text{cm}^2)$ …… ❸

채점 기준	배점
❶ $\triangle ABD$의 넓이 구하기	40 %
❷ $\triangle BCD$의 넓이 구하기	40 %
❸ $\square ABCD$의 넓이 구하기	20 %

V. 삼각비 **내·신·만·점·도·전·하·기** 62~65쪽

01 ⑤	02 ③	03 ③	04 ②
05 ⑤	06 ④	07 ③	08 ⑤
09 $(1.5+5\sqrt{3})$ m		10 ④	11 ④
12 ⑤	13 ④	14 $10\sqrt{3}$ cm^2	15 $3\sqrt{3}$ cm^2
16 ⑤	17 $\frac{2\sqrt{5}}{13}$	18 $\frac{2\sqrt{3}}{3}a$	19 $2-\sqrt{3}$
20 $\frac{\sqrt{3}-1}{2}$ cm^2		21 $\frac{16\sqrt{3}}{3}$ cm^2	
22 $5(\sqrt{3}+1)$ m		23 $70\sqrt{3}$ cm^2	24 $\frac{3}{5}$

01 피타고라스 정리에 의해 $\overline{BC}=\sqrt{(\sqrt{10})^2-1^2}=3$

① $\sin B=\frac{\overline{AC}}{\overline{AB}}=\frac{1}{\sqrt{10}}=\frac{\sqrt{10}}{10}$

② $\cos B=\frac{\overline{BC}}{\overline{AB}}=\frac{3}{\sqrt{10}}=\frac{3\sqrt{10}}{10}$

③ $\tan B=\frac{\overline{AC}}{\overline{BC}}=\frac{1}{3}$

④ $\sin A=\frac{\overline{BC}}{\overline{AB}}=\frac{3}{\sqrt{10}}=\frac{10\sqrt{3}}{3}$

⑤ $\cos A=\frac{\overline{AC}}{\overline{AB}}=\frac{1}{\sqrt{10}}=\frac{\sqrt{10}}{10}$

02 $\cos A=\frac{2}{5}$이므로 오른쪽 그림과 같이 $\angle B=90^\circ$, $\overline{AC}=5$, $\overline{AB}=2$인 직각삼각형 ABC를 생각하면

$\overline{BC}=\sqrt{5^2-2^2}=\sqrt{21}$

$\sin A=\frac{\overline{BC}}{\overline{AC}}=\frac{\sqrt{21}}{5}$, $\tan A=\frac{\overline{BC}}{\overline{AB}}=\frac{\sqrt{21}}{2}$

$\therefore \sin A+\tan A=\frac{\sqrt{21}}{5}+\frac{\sqrt{21}}{2}=\frac{7\sqrt{21}}{10}$

03 $\triangle ADE \backsim \triangle ACB$(AA 닮음)이므로

$\angle ABC=\angle AED$, $\angle ACB=\angle ADE$

$\triangle ADE$에서 $\overline{DA}=\sqrt{6^2-3^2}=3\sqrt{3}$이므로

$\cos B+\cos C=\cos E+\cos D$

$=\frac{\overline{AE}}{\overline{DE}}+\frac{\overline{AD}}{\overline{DE}}$

$=\frac{3}{6}+\frac{3\sqrt{3}}{6}=\frac{1+\sqrt{3}}{2}$

04 $\left(1-\frac{1}{2}\right)\times\cos x=\frac{1}{2}\times\frac{\sqrt{3}}{2}$, $\frac{1}{2}\cos x=\frac{\sqrt{3}}{4}$

$\cos x=\frac{\sqrt{3}}{2}$ $\qquad \therefore x=30^\circ$

05 $\triangle ABC$에서 $x=4\cos 45^\circ=4\times\frac{\sqrt{2}}{2}=2\sqrt{2}$

$\triangle DEF$에서 $y=5\tan 60^\circ=5\times\sqrt{3}=5\sqrt{3}$

06 $\tan x=\frac{\overline{CD}}{\overline{OC}}=0.62$

07 ㄱ, ㄷ, ㅁ. $\sin 0^\circ=\tan 0^\circ=\cos 90^\circ=0$

ㄴ, ㄹ, ㅂ. $\cos 0^\circ=\sin 90^\circ=\tan 45^\circ=1$

08 ⑤ $\cos x=0.8829$일 때, $x=28^\circ$

09 (건물의 높이)$=1.5+5\times\tan 60^\circ$

$=1.5+5\sqrt{3}$ (m)

10 ① $\overline{AH}=2\cos 60^\circ=2\times\frac{1}{2}=1$(cm)

② $\overline{CH}=2\sin 60^\circ=2\times\frac{\sqrt{3}}{2}=\sqrt{3}$(cm)

③ $\overline{BH}=3-1=2$(cm)

④ $\triangle BCH$에서 $\overline{BC}=\sqrt{2^2+(\sqrt{3})^2}=\sqrt{7}$(cm)

⑤ $\triangle ABC=\frac{1}{2}\times 3\times 2\times\sin 60^\circ$

$=\frac{1}{2}\times 3\times 2\times\frac{\sqrt{3}}{2}=\frac{3\sqrt{3}}{2}$(cm^2)

11 꼭짓점 B에서 $\overline{AC}$에 내린 수선의 발을 H라 하면 $\triangle BCH$에서

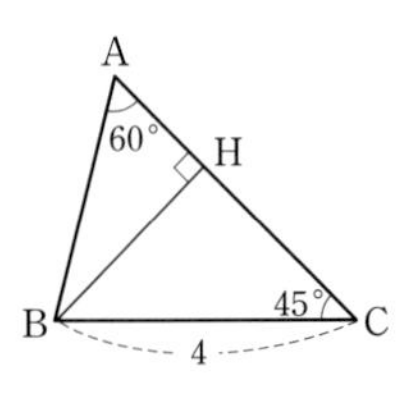

$\overline{BH}=4\times\sin 45^\circ=4\times\frac{\sqrt{2}}{2}=2\sqrt{2}$

$\triangle ABH$에서

$\overline{AB}=\frac{\overline{BH}}{\sin 60^\circ}=2\sqrt{2}\div\frac{\sqrt{3}}{2}=\frac{4\sqrt{6}}{3}$

12 $\overline{AH}=h$ cm라 하면 $\triangle ABH$에서 $\angle BAH=60^\circ$이므로

$\overline{BH}=h\tan 60^\circ=\sqrt{3}h$

$\triangle AHC$에서 $\angle CAH=45^\circ$이므로

$\overline{CH}=h\tan 45^\circ=h$

$\overline{BC}=\overline{BH}+\overline{CH}$이므로 $30=(\sqrt{3}+1)h$

$\therefore h=\frac{30}{\sqrt{3}+1}=15(\sqrt{3}-1)$

13 $\triangle ABC=\frac{1}{2}\times 4^2\times\sin(180^\circ-135^\circ)$

$=\frac{1}{2}\times 16\times\frac{\sqrt{2}}{2}=4\sqrt{2}$(cm^2)

14 꼭짓점 D에서 $\overline{AB}$에 평행한 선분을 그어 $\overline{BC}$와 만나는 점을 E라 하면

$\overline{BE}=\overline{AD}=3$ cm

또한, $\angle C=\angle DEC=\angle B=60^\circ$이므로 $\triangle DEC$는 한 변의 길이가 4 cm인 정삼각형이다.

$\therefore \square ABCD=\square ABED+\triangle DEC$

$$=4\times3\times\sin60^\circ+\frac{1}{2}\times4^2\times\sin60^\circ$$
$$=4\times3\times\frac{\sqrt{3}}{2}+\frac{1}{2}\times16\times\frac{\sqrt{3}}{2}$$
$$=6\sqrt{3}+4\sqrt{3}$$
$$=10\sqrt{3}\,(\text{cm}^2)$$

15 $\square ABCD=4\times6\times\sin60^\circ=4\times6\times\frac{\sqrt{3}}{2}=12\sqrt{3}(\text{cm}^2)$

$\therefore \triangle AMC=\frac{1}{2}\times\triangle ABC$

$$=\frac{1}{2}\times\frac{1}{2}\times\square ABCD$$
$$=\frac{1}{4}\times12\sqrt{3}$$
$$=3\sqrt{3}\,(\text{cm}^2)$$

16 두 대각선이 이루는 각의 크기를 x라 하면

$\square ABCD=\frac{1}{2}\times10\times12\times\sin x=60\times\sin x$

이때 $\sin x$의 최댓값이 1이므로 $\square ABCD$의 넓이의 최댓값은

$60\times1=60(\text{cm}^2)$

17 직각삼각형 ABD에서

$\sin x=\frac{\overline{BD}}{\overline{AD}}=\frac{12}{\overline{AD}}=\frac{2}{3}$

$\therefore \overline{AD}=18$ cm

또, $\triangle ABD$와 $\triangle CED$에서 $\angle ABD=\angle CED=90^\circ$

$\angle ADB=\angle CDE$ (맞꼭지각)이므로

$\triangle ABD\backsim\triangle CED$(AA 닮음)　　$\therefore \angle DCE=\angle x$

직각삼각형 CDE에서 $\sin x=\frac{\overline{DE}}{\overline{CD}}=\frac{\overline{DE}}{12}=\frac{2}{3}$

$\therefore \overline{DE}=12\times\frac{2}{3}=8(\text{cm})$

피타고라스 정리에 의해

$\overline{CE}=\sqrt{12^2-8^2}=\sqrt{80}=4\sqrt{5}\,(\text{cm})$

또, $\overline{AE}=\overline{AD}+\overline{DE}=18+8=26(\text{cm})$

따라서 직각삼각형 CAE에서 $\tan y=\frac{\overline{CE}}{\overline{AE}}=\frac{4\sqrt{5}}{26}=\frac{2\sqrt{5}}{13}$

18 꼭짓점 A에서 $\overline{BC}$에 내린 수선의 발을 H라 하자. ······ ❶

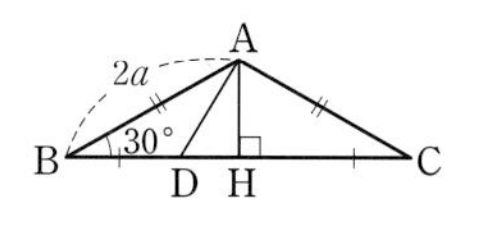

$\overline{AH}=\overline{AB}\sin30^\circ=2a\times\frac{1}{2}=a$,

$\overline{BH}=\overline{AB}\cos30^\circ=2a\times\frac{\sqrt{3}}{2}=\sqrt{3}a$, $\overline{DH}=\frac{1}{3}\overline{BH}=\frac{\sqrt{3}}{3}a$

······ ❷

$\triangle ADH$에서

$\overline{AD}^2=\overline{AH}^2+\overline{DH}^2=a^2+\left(\frac{\sqrt{3}}{3}a\right)^2=a^2+\frac{1}{3}a^2=\frac{4}{3}a^2$

$\therefore \overline{AD}=\frac{2\sqrt{3}}{3}a$ ······ ❸

채점 기준	배점
❶ 꼭짓점 A에서 $\overline{BC}$에 수선의 발 내리기	20 %
❷ $\overline{AH}$, $\overline{BH}$, $\overline{DH}$의 길이 구하기	60 %
❸ $\overline{AD}$의 길이 구하기	20 %

19 $\overline{CB}=\overline{CA}$이므로 $\angle ABD=\frac{1}{2}\times\angle ACD=\frac{1}{2}\times30^\circ=15^\circ$

$\triangle ACD$에서 $\overline{AC}=\frac{1}{\sin30^\circ}=2$

$\overline{CD}=\frac{1}{\tan30^\circ}=\sqrt{3}$

$\triangle ABD$에서 $\overline{BD}=\overline{BC}+\overline{CD}=\overline{AC}+\overline{CD}=2+\sqrt{3}$이므로

$\tan15^\circ=\frac{\overline{AD}}{\overline{BD}}=\frac{1}{2+\sqrt{3}}=2-\sqrt{3}$

20 $\triangle COD$에서 $\overline{CD}=\overline{OD}=\frac{\sqrt{2}}{2}(\text{cm})$

또, $\triangle FOE$에서 $\overline{EF}=\overline{CD}=\frac{\sqrt{2}}{2}$ cm이므로

$\overline{OE}=\frac{\overline{EF}}{\tan30^\circ}=\frac{\sqrt{2}}{2}\div\frac{\sqrt{3}}{3}=\frac{\sqrt{6}}{2}\,(\text{cm})$

$\overline{DE}=\overline{OE}-\overline{OD}=\frac{\sqrt{6}-\sqrt{2}}{2}(\text{cm})$이므로

$\square CDEF=\overline{DE}\times\overline{EF}=\frac{\sqrt{6}-\sqrt{2}}{2}\times\frac{\sqrt{2}}{2}=\frac{\sqrt{3}-1}{2}\,(\text{cm}^2)$

21 $\angle EBC=\angle ECB=30^\circ$이므로 $\triangle EBC$는 이등변삼각형이다.

꼭짓점 E에서 $\overline{BC}$에 내린 수선의 발을 H라 하면 $\overline{BH}=\overline{CH}$이므로

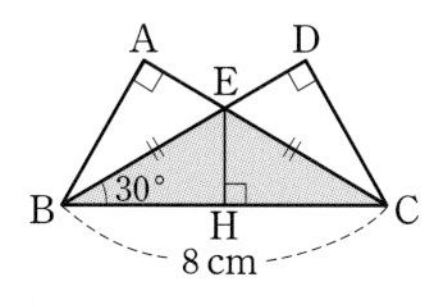

$\overline{BH}=\frac{1}{2}\overline{BC}=4(\text{cm})$ ······ ❶

$\triangle EBH$에서

$\overline{EH}=\overline{BH}\tan30^\circ=4\times\frac{\sqrt{3}}{3}=\frac{4\sqrt{3}}{3}\,(\text{cm})$ ······ ❷

$\therefore \triangle EBC=\frac{1}{2}\times8\times\frac{4\sqrt{3}}{3}=\frac{16\sqrt{3}}{3}\,(\text{cm}^2)$ ······ ❸

채점 기준	배점
❶ $\overline{BH}$의 길이 구하기	40 %
❷ $\overline{EH}$의 길이 구하기	40 %
❸ △EBC의 넓이 구하기	20 %

22 전신주의 높이를 h m라 하면 $\angle PCA=45°$이므로

$\overline{PA}=h\tan 45°=h$(m)

$\angle PDB=60°$이므로 $\overline{PB}=h\tan 60°=\sqrt{3}h$(m)

$\overline{AB}=\overline{PB}-\overline{PA}=\sqrt{3}h-h=10$이므로

$h=\dfrac{10}{\sqrt{3}-1}=5(\sqrt{3}+1)$

따라서 전신주의 높이는 $5(\sqrt{3}+1)$ m이다.

23 $\overline{AC}\,/\!/\,\overline{DE}$이므로 $\triangle ACD=\triangle ACE$

$\therefore \square ABCD=\triangle ABC+\triangle ACD=\triangle ABC+\triangle ACE$

$=\triangle ABE=\dfrac{1}{2}\times 14\times 20\times \sin 60°$

$=\dfrac{1}{2}\times 14\times 20\times \dfrac{\sqrt{3}}{2}$

$=70\sqrt{3}$ (cm^2)

24 $\overline{AD}=2a$라 하면

$\overline{DE}=\overline{DF}=\sqrt{(2a)^2+a^2}=\sqrt{5}a$

$\overline{EF}$를 그으면

$\square ABCD=\triangle AED+\triangle DEF+\triangle DFC+\triangle EBF$

이므로

$2a\times 2a=\dfrac{1}{2}\times 2a\times a+\dfrac{1}{2}\times\sqrt{5}a\times\sqrt{5}a\times\sin x+\dfrac{1}{2}\times a\times 2a+\dfrac{1}{2}\times a\times a$

$4a^2=\dfrac{5}{2}a^2+\dfrac{5}{2}a^2\sin x,\ \dfrac{5}{2}a^2\sin x=\dfrac{3}{2}a^2$

$\therefore \sin x=\dfrac{3}{5}$

03. 원과 직선

66~67쪽

01 ③	02 ③	03 4π	04 ④
05 $8(\sqrt{2}+\sqrt{3})$	06 ⑤	07 ③	08 ②
09 78 cm^2	10 3	11 ②	12 ⑤
13 14	14 $\dfrac{34}{3}$ cm	15 3 cm	

01 $x=\sqrt{(5\sqrt{2})^2-(4\sqrt{2})^2}=3\sqrt{2}$

02 지름의 길이가 30이므로 $\overline{OC}=15$, $\overline{OM}=15-6=9$

$\triangle OBM$에서 $\overline{BM}=\sqrt{15^2-9^2}=12$이므로

$\overline{AB}=2\times 12=24$

03 큰 원과 작은 원의 반지름의 길이를 각각 x, y라 하고, 점 O에서 $\overline{AB}$에 내린 수선의 발을 H라 하자.

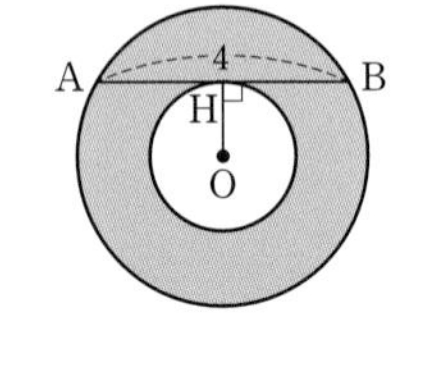

$\triangle OBH$에서 $x^2-y^2=2^2=4$이므로

(색칠한 부분의 넓이)$=\pi x^2-\pi y^2$

$=\pi(x^2-y^2)=4\pi$

04 $\overline{OA}=r$라 하면 $\overline{OM}=\dfrac{r}{2}$

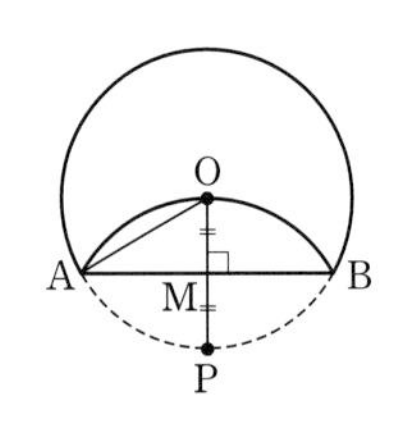

$\overline{AM}=\dfrac{1}{2}\overline{AB}=3\sqrt{3}$

직각삼각형 OAM에서

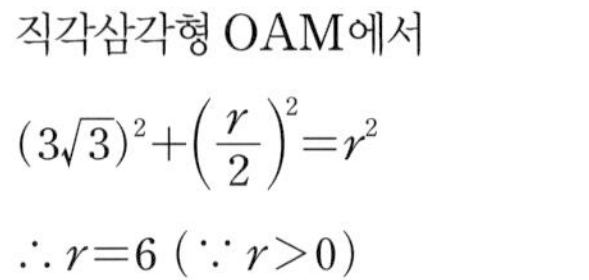

$(3\sqrt{3})^2+\left(\dfrac{r}{2}\right)^2=r^2$

$\therefore r=6\ (\because r>0)$

따라서 원 O의 반지름의 길이는 6이다.

05 $\overline{CN}=\sqrt{(4\sqrt{3})^2-4^2}=4\sqrt{2}$이므로 $\overline{AB}=\overline{CD}=2\overline{CN}=8\sqrt{2}$

$\overline{OA}=\overline{OB}=\overline{OC}=4\sqrt{3}$

따라서 △OAB의 둘레의 길이는

$\overline{OA}+\overline{OB}+\overline{AB}=4\sqrt{3}+4\sqrt{3}+8\sqrt{2}=8(\sqrt{2}+\sqrt{3})$

06 □OECF에서 $\angle C=180°-125°=55°$이고,

$\overline{DO}=\overline{FO}$이므로 $\overline{AB}=\overline{AC}$ $\quad\therefore \angle B=\angle C=55°$

$\therefore \angle BAC=180°-(55°+55°)=70°$

07 $\overline{PA}\perp\overline{OA}$, $\overline{OA}=\overline{OB}=5$ cm이므로

$\triangle APO$에서 $\overline{PA}=\sqrt{10^2-5^2}=5\sqrt{3}$ (cm)

08 (△ABP의 둘레의 길이)$=2\overline{PX}=18$(cm)이므로

$\overline{AB}=18-(6+7)=5$(cm)

09 꼭짓점 D에서 $\overline{AB}$에 내린 수선의 발을 H라 하면

$\overline{BH}=\overline{CD}=4$ cm이므로

$\overline{AH}=9-4=5$(cm)

직각삼각형 AHD에서 $\overline{AD}=\overline{AE}+\overline{DE}=9+4=13$(cm)

이므로 $\overline{DH}=\sqrt{13^2-5^2}=12$(cm)

$\therefore \overline{BC}=\overline{DH}=12$ cm

$\therefore \square ABCD=\dfrac{1}{2}\times(9+4)\times 12=78$(cm^2)

10 $\overline{CF}=\overline{CE}=x$이므로 $\overline{AD}=\overline{AF}=5-x$

$\overline{BD}=\overline{BE}=5$

$\overline{AB}=\overline{BD}+\overline{AD}$에서

$7=5+(5-x)$ $\quad\therefore x=3$

11 $\overline{BQ}=\overline{BP}=a$라 하면

$\overline{AR}=\overline{AP}=16-a$, $\overline{CR}=\overline{CQ}=10-a$이므로

$\overline{AC}=\overline{AR}+\overline{CR}=(16-a)+(10-a)=26-2a=14$

$\therefore a=6$

이때 $\overline{BQ}=6$, $\overline{CR}=4$, $\overline{AP}=10$이므로

$\overline{BQ}+\overline{CR}-\overline{AP}=6+4-10=0$

12 $\overline{AB}+\overline{CD}=\overline{AD}+\overline{BC}=6+14=20(\mathrm{cm})$이므로 □ABCD의 둘레의 길이는 $20+20=40(\mathrm{cm})$

13 □ABCD가 원 O에 외접하므로 $x+6=8+y$

$\therefore x-y=2$ …… ㉠

한편, 두 대각선이 직교하므로 $6^2+x^2=8^2+y^2$

$x^2-y^2=28$, $(x+y)(x-y)=28$

$\therefore x+y=14$ ($\because$ ㉠)

14 [단계 ❶] $\overline{CD}$의 연장선은 원의 중심 O를 지난다.

원의 반지름의 길이를 r cm라 하면 직각삼각형 AOD에서

$\overline{DO}=(r-3)\mathrm{cm}$,

$\overline{AO}=r$ cm이므로 $r^2=(r-3)^2+5^2$

[단계 ❷] $6r=34$ $\quad\therefore r=\dfrac{17}{3}$

따라서 원래 접시의 지름의 길이는 $\dfrac{34}{3}$ cm이다.

채점 기준	배점
❶ 반지름의 길이를 r cm로 놓고 반지름의 길이를 구하는 식 세우기	50 %
❷ 원래 접시의 지름의 길이 구하기	50 %

15 피타고라스 정리에 의해

$\overline{AC}=\sqrt{17^2-15^2}=8(\mathrm{cm})$ …… ❶

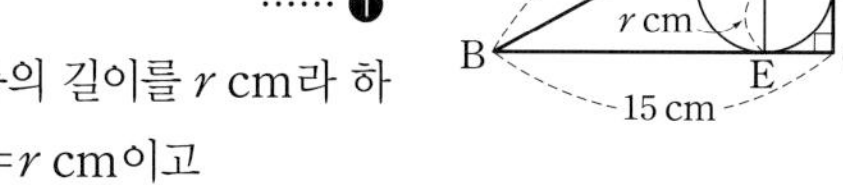

원 O의 반지름의 길이를 r cm라 하면 $\overline{CE}=\overline{CF}=r$ cm이고

$\overline{AD}=\overline{AF}=(8-r)$ cm, $\overline{BD}=\overline{BE}=(15-r)$ cm이므로 …… ❷

$\overline{AB}=\overline{AD}+\overline{BD}=(8-r)+(15-r)=17$

$\therefore r=3$

따라서 원의 반지름의 길이는 3 cm이다. …… ❸

채점 기준	배점
❶ $\overline{AC}$의 길이 구하기	20 %
❷ 원의 반지름의 길이를 r로 놓고 $\overline{AD}$, $\overline{BD}$를 r로 나타내기	40 %
❸ 반지름의 길이 구하기	40 %

[다른 풀이]

피타고라스 정리에 의해

$\overline{AC}=\sqrt{17^2-15^2}=8(\mathrm{cm})$

$\triangle ABC=\triangle ABO+\triangle BCO+\triangle CAO$이므로

$\dfrac{1}{2}\times15\times8=\dfrac{1}{2}\times r\times(17+15+8)$

$60=20r$ $\quad\therefore r=3$

04. 원주각

68~69쪽

01 ④	02 ⑤	03 24 m	04 ③
05 ③	06 ③	07 ④	08 ③
09 ②	10 ①	11 ④	12 ②
13 35°	14 40°	15 $(3+3\sqrt{3})$ cm	

01 $\overline{OA}=\overline{OB}$이므로 $\angle OBA=35°$

$\angle AOB=180°-2\times35°=110°$

$\therefore \angle APB=\dfrac{1}{2}\angle AOB=\dfrac{1}{2}\times110°=55°$

02 $\overline{BC}$를 그으면 $\angle ACB=\dfrac{1}{2}\times60°=30°$

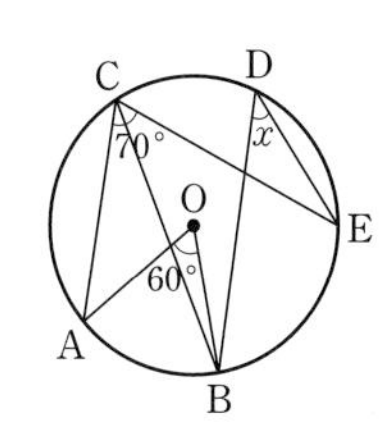

$\angle BCE=70°-30°=40°$

$\therefore \angle x=\angle BCE=40°$

03 원 위의 한 점을 P라 하면

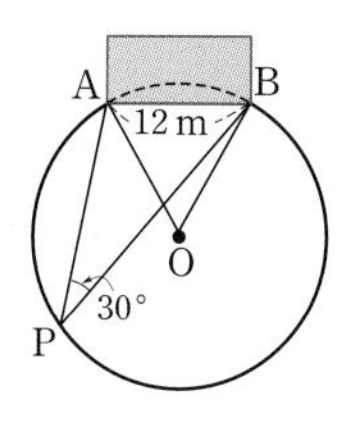

$\angle AOB=2\angle APB=60°$,

$\overline{AO}=\overline{BO}$이므로 $\triangle AOB$는 정삼각형이다.

따라서 공연장의 반지름의 길이는 12 m이고, 지름의 길이는 24 m이다.

04 $\angle x=\angle BDC=60°$, $\angle y=\angle ABD=25°$

$\angle z=60°+25°=85°$

$\therefore \angle x+\angle y+\angle z=60°+25°+85°=170°$

05 $\overline{BQ}$를 그으면 $\angle AQB=\angle APB=40°$
$\angle BQC=68°-40°=28°$이므로 $\angle BRC=\angle BQC=28°$

06 $\angle CAB=90°$이므로 $\angle CBA=90°-20°=70°$
호 AC에 대하여 $\angle x=\angle CBA=70°$

07 $\overline{BE}$를 그으면 $\angle AEB=90°$이므로
$\angle ABE=90°-40°=50°$
호 DE에 대하여
$\angle DOE=2\angle ABE=2\times50°=100°$
$\therefore$ (부채꼴 DOE의 넓이)
$=\pi\times6^2\times\frac{100}{360}=10\pi(cm^2)$

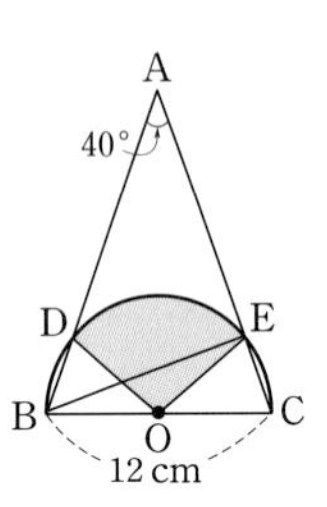

08 $\angle ACE=90°$, $\angle EAP=\angle APB=40°$ (엇각)이므로
$\angle AEC=90°-40°=50°$

09 $\widehat{AB}=\widehat{BC}$이므로 $\angle ADB=\angle BDC=40°$
또, $\widehat{AD}$에 대한 원주각의 크기는 같으므로
$\angle ACD=\angle ABD=58°$
$\triangle ACD$에서 $\angle CAD=180°-(40°+40°+58°)=42°$

10 원주각의 크기는 호의 길이에 정비례하므로
$\angle APC:\angle CPB=\widehat{AC}:\widehat{CB}=4:8=1:2$
$\angle APB=90°$이므로 $\angle CPB=90°\times\frac{2}{3}=60°$

11 $\overline{AD}$를 그으면 $\widehat{AB}$의 길이는 원의 둘레의 길이의 $\frac{1}{6}$이므로
$\angle ADB=\frac{1}{6}\times180°=30°$
$\widehat{AB}:\widehat{CD}=1:2$이므로
$\angle CAD=2\angle ADB=2\times30°=60°$
$\triangle APD$에서 $\angle x=30°+60°=90°$

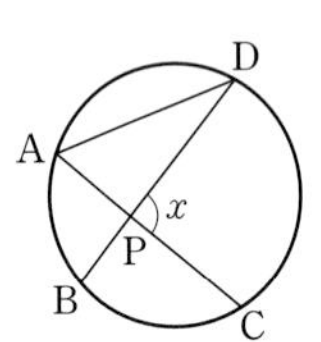

12 ③ $\angle DAC=90°-30°=60°$이므로 $\angle DAC=\angle DBC$
⑤ $\angle ACB=90°-70°=20°$이므로 $\angle ACB=\angle ADB$

13 $\angle A=\angle D=65°$이므로
$\triangle ABC$에서 $\angle x=180°-(80°+65°)=35°$

14 [단계 ❶] $\overline{AD}$를 그으면 호 AC에 대하여
$\angle ADC=\frac{1}{2}\angle AOC$
$=\frac{1}{2}\times130°$
$=65°$

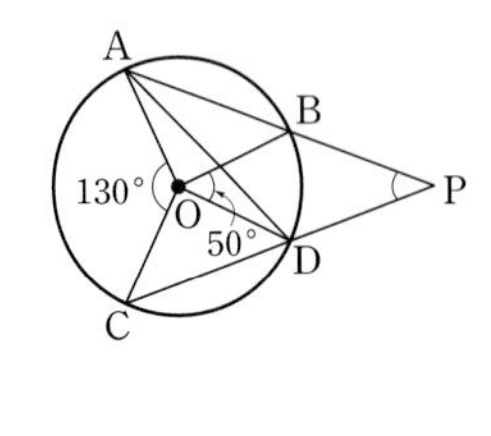

[단계 ❷] 호 BD에 대하여
$\angle DAB=\frac{1}{2}\angle DOB=\frac{1}{2}\times50°=25°$
[단계 ❸] $\triangle ADP$에서 $\angle APC=65°-25°=40°$

채점 기준	배점
❶ $\angle ADC$의 크기 구하기	40 %
❷ $\angle DAB$의 크기 구하기	40 %
❸ $\angle APC$의 크기 구하기	20 %

15 $\widehat{AD}:\widehat{BC}=3:6=1:2$이므로 $\angle BAC=60°$
또한, 호 AD에 대하여 $\angle ABD=\angle ACD=30°$ …… ❶
즉, $\triangle ABP$는 세 각의 크기가 30°, 60°, 90°인 직각삼각형이므로
$\overline{AP}=2\sqrt{3}\times\sin30°=2\sqrt{3}\times\frac{1}{2}=\sqrt{3}(cm)$
$\overline{BP}=2\sqrt{3}\times\cos30°=2\sqrt{3}\times\frac{\sqrt{3}}{2}=3(cm)$ …… ❷
따라서 $\triangle ABP$의 둘레의 길이는
$\sqrt{3}+3+2\sqrt{3}=3+3\sqrt{3}(cm)$ …… ❸

채점 기준	배점
❶ $\angle BAC$, $\angle ABD$의 크기 구하기	40 %
❷ $\overline{AP}$, $\overline{BP}$의 길이 구하기	40 %
❸ $\triangle ABP$의 둘레의 길이 구하기	20 %

05. 원주각의 활용

70~71쪽

01 ③	02 70°	03 ③	04 ④
05 ⑤	06 200°	07 ④, ⑤	08 ③
09 ③	10 15 cm	11 50°	12 60°
13 65°	14 95°	15 60°	

01 $\angle x=\angle A=85°$, $\angle y=180°-70°=110°$
$\therefore \angle x+\angle y=85°+110°=195°$

02 □ABCD가 원 O에 내접하므로 $\angle PAB=\angle C=80°$
$\triangle APB$에서 $\angle x=180°-(80°+30°)=70°$

03 $\angle BOD=2\times70°=140°$, $\angle BCD=180°-70°=110°$
□OBCD에서
$\angle x+\angle y=360°-(140°+110°)=110°$

04 $(55^\circ+\angle x)+95^\circ=180^\circ$이므로 $\angle x=30^\circ$

$\angle \mathrm{BDC}=\angle \mathrm{BAC}=55^\circ$이므로

$\angle y=\angle \mathrm{ADC}=20^\circ+55^\circ=75^\circ$

$\therefore \angle x+\angle y=30^\circ+75^\circ=105^\circ$

05 □PQDB가 원에 내접하므로 $\angle \mathrm{PQC}=83^\circ$

□ACQP가 원에 내접하므로 $\angle \mathrm{A}=180^\circ-83^\circ=97^\circ$

06 $\overline{\mathrm{BD}}$를 그으면 호 BC에 대하여

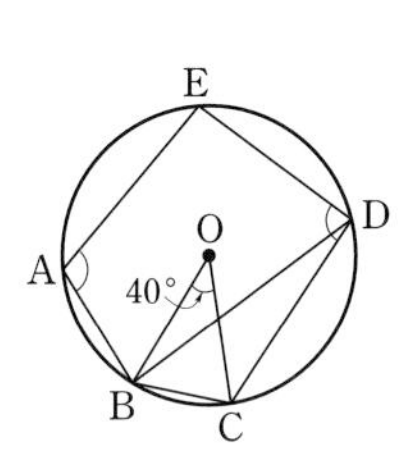

$\angle \mathrm{BDC}=\frac{1}{2}\angle \mathrm{BOC}=\frac{1}{2}\times 40^\circ=20^\circ$

한편, □ABDE는 원에 내접하므로

$\angle \mathrm{BAE}+\angle \mathrm{BDE}=180^\circ$

$\therefore \angle \mathrm{BAE}+\angle \mathrm{CDE}=180^\circ+20^\circ$

$=200^\circ$

07 항상 원에 내접하는 사각형은 직사각형, 정사각형, 등변사다리꼴이다.

08 $\overline{\mathrm{PA}}=\overline{\mathrm{PB}}$이므로 $\angle \mathrm{PAB}=\frac{1}{2}\times(180^\circ-40^\circ)=70^\circ$

한편 접선과 현이 이루는 각의 성질에 의해

$\angle \mathrm{ACB}=\angle \mathrm{PAB}=70^\circ$

$\overline{\mathrm{AC}}=\overline{\mathrm{BC}}$이므로 $\angle \mathrm{CAB}=\frac{1}{2}\times(180^\circ-70^\circ)=55^\circ$

$\therefore \angle \mathrm{CBD}=\angle \mathrm{CAB}=55^\circ$

09 $\overline{\mathrm{BD}}$를 그으면 $\widehat{\mathrm{AB}}=\widehat{\mathrm{BC}}$이므로

$\angle \mathrm{BDA}=\frac{1}{2}\times 80^\circ=40^\circ$

$\therefore \angle \mathrm{BAT}=\angle \mathrm{BDA}=40^\circ$

10 $\angle \mathrm{ABT}=30^\circ$, $\angle \mathrm{BTA}=90^\circ$이므로

$\overline{\mathrm{TA}}=30\sin 30^\circ=30\times\frac{1}{2}=15(\mathrm{cm})$

$\angle \mathrm{BAT}=60^\circ$이므로 $\triangle \mathrm{ATP}$에서 $\angle \mathrm{APT}=60^\circ-30^\circ=30^\circ$

따라서 $\triangle \mathrm{ATP}$는 이등변삼각형이므로 $\overline{\mathrm{AP}}=\overline{\mathrm{TA}}=15\ \mathrm{cm}$

11 $\angle \mathrm{ABC}=90^\circ$이고 $\angle \mathrm{ACB}=\angle \mathrm{ABE}=40^\circ$이므로

$\angle \mathrm{BAC}=90^\circ-40^\circ=50^\circ$

$\therefore \angle \mathrm{BDC}=\angle \mathrm{BAC}=50^\circ$

12 $\overline{\mathrm{PA}}=\overline{\mathrm{PB}}$이므로

$\angle \mathrm{AQB}=\angle \mathrm{BAP}=\angle \mathrm{ABP}=\frac{1}{2}\times(180^\circ-40^\circ)=70^\circ$

$\triangle \mathrm{AQB}$에서 $\angle \mathrm{ABQ}+\angle \mathrm{QAB}=180^\circ-70^\circ=110^\circ$

$\angle \mathrm{ABQ} : \angle \mathrm{QAB}=6 : 5$이므로

$\angle \mathrm{ABQ}=\frac{6}{11}\times 110^\circ=60^\circ \qquad \therefore \angle x=60^\circ$

13 $\angle \mathrm{PBD}=\angle \mathrm{CPT'}=\angle \mathrm{PAC}=50^\circ$이므로

$\angle \mathrm{PBD}+\angle x=115^\circ \qquad \therefore \angle x=65^\circ$

[다른 풀이]

$\angle \mathrm{BDP}=180^\circ-115^\circ=65^\circ$이므로 $\angle \mathrm{BPT}=65^\circ$

또 $\angle \mathrm{CPT'}=\angle \mathrm{CAP}=50^\circ$이므로

$50^\circ+\angle x+65^\circ=180^\circ \qquad \therefore \angle x=65^\circ$

14 [단계 ❶] $\angle \mathrm{B}=\angle x$라 하면 □ABCD가 원에 내접하므로

$\angle \mathrm{CDQ}=\angle x$

$\triangle \mathrm{PBC}$에서 $\angle \mathrm{PCQ}=20^\circ+\angle x$

$\triangle \mathrm{DCQ}$에서 $(\angle x+20^\circ)+\angle x+30^\circ=180^\circ$

[단계 ❷] $2\angle x=130^\circ \qquad \therefore \angle x=65^\circ$

[단계 ❸] $\triangle \mathrm{DCQ}$에서 $\angle \mathrm{DCB}=65^\circ+30^\circ=95^\circ$

채점 기준	배점
❶ $\angle \mathrm{B}=\angle x$로 놓고 $\angle x$에 관한 식 세우기	50 %
❷ $\angle x$의 크기 구하기	20 %
❸ $\angle \mathrm{BCD}$의 크기 구하기	30 %

15 $\widehat{\mathrm{AB}}=\widehat{\mathrm{BC}}$이므로 $\angle \mathrm{BAC}=\angle \mathrm{ACB}=35^\circ$ ······ ❶

□ABCD가 원에 내접하므로

$\angle \mathrm{DAC}=180^\circ-(35^\circ+35^\circ+50^\circ)=60^\circ$ ······ ❷

한편, 접선과 현이 이루는 각의 성질에 의해

$\angle \mathrm{DCT}=\angle \mathrm{DAC}=60^\circ$ ······ ❸

채점 기준	배점
❶ $\angle \mathrm{BAC}$의 크기 구하기	40 %
❷ $\angle \mathrm{DAC}$의 크기 구하기	30 %
❸ $\angle \mathrm{DCT}$의 크기 구하기	30 %

Ⅵ. 원의 성질 내·신·만·점·도·전·하·기

72~75쪽

01 ③	02 ④	03 ①	04 90°
05 ⑤	06 ③	07 ④	08 ③
09 ③	10 ⑤	11 ③	12 ④
13 ②	14 ⑤	15 ⑤	16 ②, ③
17 16 cm	18 $48\pi-36\sqrt{3}$	19 2 cm	20 ⑤
21 36π	22 27°	23 84°	24 110°

01 $\overline{\mathrm{OP}}=10-4=6(\mathrm{cm})$이므로 직각삼각형 AOP에서

$\overline{\mathrm{AP}}=\sqrt{10^2-6^2}=8(\mathrm{cm})$

$\therefore \overline{\mathrm{AB}}=2\overline{\mathrm{AP}}=2\times 8=16(\mathrm{cm})$

02 원의 반지름의 길이를 x cm라 하면 $\pi x^2=169\pi$

$\therefore x=13$

직각삼각형 AMO에서 $\overline{AO}=13$ cm이므로

$\overline{AM}=\sqrt{13^2-5^2}=12(\text{cm})$

$\overline{AB}=2\overline{AM}=2\times12=24(\text{cm})$ $\quad\therefore a=24$

$b=a=24$이므로 $a+b=24+24=48$

03 $\overline{PA}=\overline{PB}$, $\angle APB=60^\circ$이므로 $\triangle PAB$는 정삼각형이다.

$\therefore \triangle PAB=\frac{\sqrt{3}}{4}\times4^2=4\sqrt{3}(\text{cm}^2)$

04 $\overline{OE}$를 그으면 $\angle DAO=\angle DEO=90^\circ$,

$\overline{AO}=\overline{EO}$ (반지름), $\overline{DO}$는 공통이므로

$\triangle ADO\equiv\triangle EDO$ (RHS 합동)

같은 방법으로 $\triangle COB\equiv\triangle COE$

$\angle AOD=\angle EOD$, $\angle COB=\angle COE$ 이므로

$\angle DOC=\frac{1}{2}\times180^\circ=90^\circ$

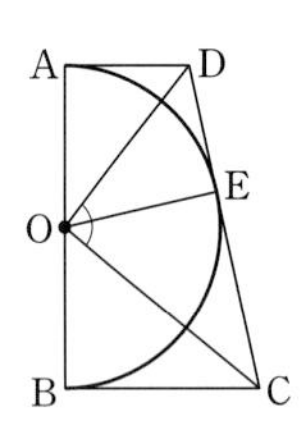

05 $\overline{BP}=\overline{BQ}=x$라 하면

$\overline{AR}=\overline{AP}=13-x$, $\overline{CR}=\overline{CQ}=10-x$

즉, $(13-x)+(10-x)=9$이므로 $2x=14$ $\quad\therefore x=7$

$\therefore$ ($\triangle DBE$의 둘레의 길이)$=\overline{BE}+\overline{ED}+\overline{DB}$

$=\overline{BE}+(\overline{ES}+\overline{SD})+\overline{DB}$

$=\overline{BE}+(\overline{EQ}+\overline{PD})+\overline{DB}$

$=\overline{BQ}+\overline{BP}=2x=14$

06 $\overline{CD}=\overline{AB}=8$ cm이므로 $\overline{BC}=8+8-6=10(\text{cm})$

07 $\angle B=\frac{1}{2}\times(360^\circ-116^\circ)=122^\circ$이므로 □ABCO에서

$\angle x=360^\circ-(122^\circ+116^\circ+70^\circ)=52^\circ$

08 호 BD에 대하여 $\angle BCD=\angle BAD=\angle x$

$\triangle ADP$에서 $\angle y=\angle x+30^\circ$

$\triangle QCD$에서 $70^\circ=\angle x+\angle x+30^\circ$이므로 $\angle x=20^\circ$

$\therefore \angle y=20^\circ+30^\circ=50^\circ$

$\therefore 2\angle x+\angle y=40^\circ+50^\circ=90^\circ$

09 $\angle ACB=90^\circ$이므로

$\angle ABC=90^\circ-20^\circ=70^\circ$

$\overline{BD}$를 그으면 $\widehat{AD}=\widehat{DC}$이므로

$\angle ABD=\angle DBC=\frac{1}{2}\times70^\circ=35^\circ$

$\therefore \angle DAC=\angle DBC=35^\circ$

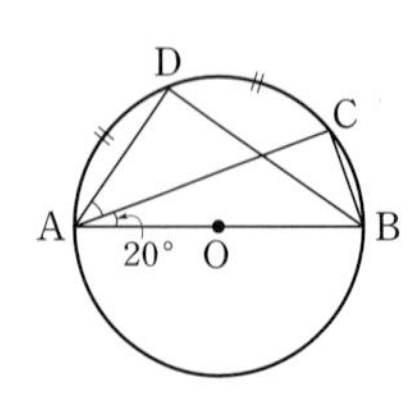

10 $2\widehat{BD}=\widehat{AE}$이므로 $\angle BED=\frac{1}{2}\angle x$

$\triangle BEC$에서 $\angle x=\frac{1}{2}\angle x+30^\circ$ $\quad\therefore \angle x=60^\circ$

11 호 BC에 대하여 $\angle x=\angle BDC=35^\circ$

□ABCD가 원에 내접하므로

$\angle y=\angle BAD=35^\circ+30^\circ=65^\circ$

$\therefore \angle x+\angle y=35^\circ+65^\circ=100^\circ$

12 □ABCD가 원 O에 내접하므로 $\angle DAB=180^\circ-124^\circ=56^\circ$

$\angle ABD=90^\circ$이므로 $\angle ADB=90^\circ-56^\circ=34^\circ$

접선과 현이 이루는 각의 성질에 의해 $\angle ABT=\angle ADB=34^\circ$

13 $\angle QTD=\angle QPB=84^\circ$, $\angle QTC=180^\circ-84^\circ=96^\circ$이므로

$\angle QBT=\angle QTC=96^\circ$

$\therefore \angle QBP=96^\circ-20^\circ=76^\circ$

14 $\angle ADC=\angle ABE=60^\circ$이므로 $35^\circ+\angle x=60^\circ$

$\therefore \angle x=25^\circ$

$\triangle ABD$에서 $\angle ABD=90^\circ$이므로 $\angle BAD=90^\circ-35^\circ=55^\circ$

$\angle BAD+\angle BCD=180^\circ$이므로 $55^\circ+\angle y=180^\circ$

$\therefore \angle y=125^\circ$

$\therefore \angle y-\angle x=125^\circ-25^\circ=100^\circ$

15 작은 원에서 $\angle y=\angle BDT=75^\circ$

큰 원에서 $\angle x=\angle y=75^\circ$

$\therefore \angle x+\angle y=75^\circ+75^\circ=150^\circ$

16 ② 평행사변형이므로 내접하지 않는다.

③ 마름모이므로 내접하지 않는다.

17 점 O는 $\triangle ABC$의 내심이므로 점 O에서 세 변에 이르는 거리는 모두 같다.

점 O에서 삼각형의 세 변에 내린 수선의 발을 각각 L, M, N이라 하면 $\overline{OL}=\overline{OM}=\overline{ON}$

한편, 한 원에서 중심으로부터 같은 거리에 있는 현의 길이는 모두 같으므로 $\overline{DE}=\overline{HI}=\overline{FG}=8$ cm

$\therefore \overline{DE}+\overline{HI}=8+8=16(\text{cm})$

18 점 O에서 $\overline{AB}$에 내린 수선의 발을 M이라 하면 $\overline{OA}=12$, $\overline{OM}=6$

직각삼각형 OAM에서

$\overline{AM}=\sqrt{12^2-6^2}=6\sqrt{3}$

또 $\overline{OM}:\overline{AO}=1:2$이므로

$\angle AOM=60^\circ$ $\quad\therefore \angle AOB=120^\circ$

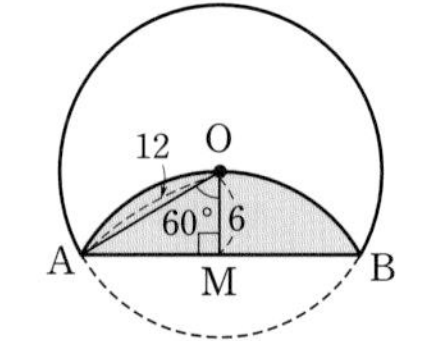

색칠한 부분의 넓이는 $\widehat{AB}$와 $\overline{AB}$로 둘러싸인 도형의 넓이와 같으므로 구하는 넓이는

(부채꼴 OAB의 넓이)$-\triangle OAB$

$=\pi\times 12^2\times\frac{120}{360}-\frac{1}{2}\times 12\sqrt{3}\times 6$

$=48\pi-36\sqrt{3}$

19 $\overline{AE}=\overline{AF}=\overline{BF}=\overline{BG}=4$ cm이므로

$\overline{DE}=12-4=8$(cm)

$\overline{GI}=x$ cm라 하면

$\overline{DI}=\overline{DH}+\overline{HI}=\overline{DE}+\overline{GI}=8+x$(cm)

$\overline{CI}=12-(4+x)=8-x$(cm), $\overline{CD}=8$ cm이므로 …… ❶

직각삼각형 DIC에서 $(8+x)^2=(8-x)^2+8^2$ …… ❷

$x^2+16x+64=x^2-16x+64+64$, $32x=64$

$\therefore x=2$ $\quad\therefore \overline{GI}=2$ cm …… ❸

채점 기준	배점
❶ $\overline{GI}=x$ cm로 놓고 $\overline{DI}$, $\overline{CI}$를 x로 나타내기	30 %
❷ x에 관한 식 세우기	30 %
❸ $\overline{GI}$의 길이 구하기	40 %

20 $\widehat{ADB}$의 길이가 원의 둘레의 길이의 $\frac{4}{9}$이므로

$\angle AOB=360^\circ\times\frac{4}{9}=160^\circ$

$\overline{AE}$를 그으면 $\angle AEB$는 $\widehat{AFB}$에 대한 원주각이므로

$\angle AEB=\frac{1}{2}\times(360^\circ-160^\circ)=100^\circ$

$\triangle CAE$에서

$\angle CAE=\angle AEB-\angle ACE=100^\circ-78^\circ=22^\circ$

$\therefore \angle DOE=2\angle DAE=2\times 22^\circ=44^\circ$

21 $\triangle ADP$에서 $\angle ADP+\angle DAP=30^\circ$

즉 $\widehat{AC}$와 $\widehat{BD}$에 대한 원주각의 크기의 합이 30°이므로

$\widehat{AC}$와 $\widehat{BD}$에 대한 중심각의 크기의 합은 $2\times 30^\circ=60^\circ$ …… ❶

따라서 원의 반지름의 길이를 r라 하면

$\widehat{AC}+\widehat{BD}=2\pi r\times\frac{60}{360}=\frac{1}{3}\pi r$

이때 $\widehat{AC}+\widehat{BD}=2\pi$이므로 $\frac{1}{3}\pi r=2\pi$

$\therefore r=6$ …… ❷

따라서 원의 넓이는 $\pi\times 6^2=36\pi$ …… ❸

채점 기준	배점
❶ $\widehat{AC}$와 $\widehat{BD}$에 대한 중심각의 크기의 합 구하기	50 %
❷ 원의 반지름의 길이 구하기	30 %
❸ 원의 넓이 구하기	20 %

22 $\overline{AD}$를 그으면

$\angle ADC=\frac{1}{2}\angle AOC=\frac{1}{2}\times 90^\circ=45^\circ$

$\angle BAD=\frac{1}{2}\angle BOD=\frac{1}{2}\times 36^\circ=18^\circ$

$\triangle ADP$에서 $\angle P=45^\circ-18^\circ=27^\circ$

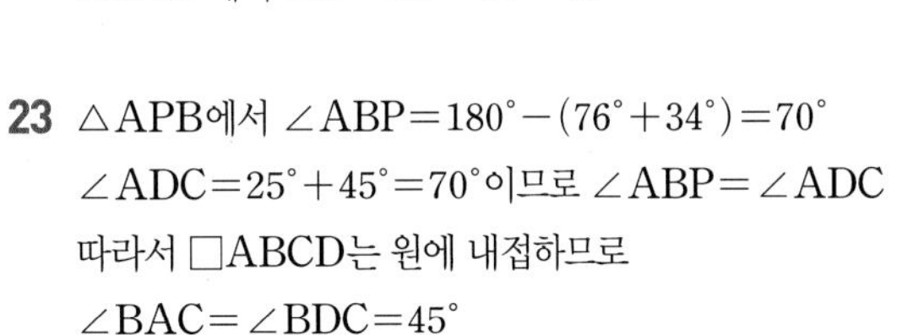

23 $\triangle APB$에서 $\angle ABP=180^\circ-(76^\circ+34^\circ)=70^\circ$

$\angle ADC=25^\circ+45^\circ=70^\circ$이므로 $\angle ABP=\angle ADC$

따라서 □ABCD는 원에 내접하므로

$\angle BAC=\angle BDC=45^\circ$

$\therefore \angle DAC=180^\circ-(76^\circ+45^\circ)=59^\circ$

$\triangle AED$에서 $\angle DEC=25^\circ+59^\circ=84^\circ$

24 $\overline{CF}$를 그으면 □ABCF가 원에 내접하므로

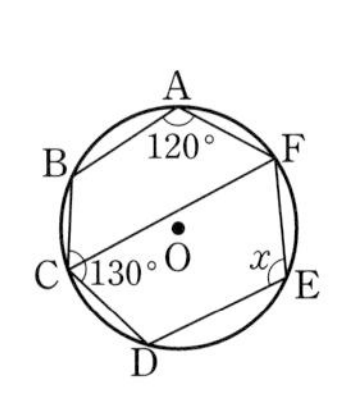

$\angle BCF=180^\circ-120^\circ=60^\circ$

$\angle FCD=130^\circ-60^\circ=70^\circ$

한편, □CDEF도 원에 내접하므로

$\angle x=180^\circ-70^\circ=110^\circ$

06. 대푯값

76~77쪽

01 ④	02 ③	03 ⑤	04 ②
05 ②	06 ⑤	07 ①	08 ①
09 ①	10 ③	11 ②	12 ④
13 34	14 89점		

15 평균 : 13분, 중앙값 : 12.5분, 최빈값 : 10분

01 $\frac{a+b+c}{3}=7$이므로 $a+b+c=21$

$\therefore \frac{11+a+b+c+13}{5}=\frac{21+24}{5}=\frac{45}{5}=9$

02 나중에 들어오는 회원의 나이를 x세라 하면

$\frac{10\times 16+20+x}{12}\le 17$, $160+20+x\le 204$ $\quad\therefore x\le 24$

따라서 구하는 나이의 최댓값은 24세이다.

03 학생과 선생님의 수를 각각 m명, n명이라 하면

(전체 평균)$=\frac{15m+40n}{m+n}=25$, $15m+40n=25(m+n)$

$10m=15n$, $2m=3n$ $\quad\therefore m : n=3 : 2$

04 중앙값이 12이므로 $b=12$이고,

평균이 10이므로 $\frac{a+b+c}{3}=\frac{a+c+12}{3}=10$

$a+c+12=30$ $\quad\therefore a+c=18$

05 평균과 중앙값이 같으므로 $\frac{8+10+15+20+x}{5}=15$

$\frac{x+53}{5}=15$, $x+53=75$ $\quad\therefore x=22$

06 3개의 변량 4, 7, a의 중앙값이 7이므로 $a\geq 7$

5개의 변량 12, 10, 16, 15, a의 중앙값이 12이므로 $a\leq 12$

따라서 a의 값은 $7\leq a\leq 12$인 자연수이다.

07 학생 10명의 팔굽혀펴기 횟수는

7, 8, 12, 14, 18, 22, 25, 28, 30, 31이므로

(중앙값)$=\frac{18+22}{2}=\frac{40}{2}=20$(회)

08 자료를 작은 값부터 크기순으로 나열하면

0.6, 0.7, 0.8, 0.8, 0.9, 1.0, 1.0, 1.0, 1.1, 1.2이므로

(중앙값)$=\frac{0.9+1.0}{2}=0.95$

1.0의 도수가 3으로 가장 크므로 (최빈값)$=1.0$

따라서 중앙값과 최빈값의 차는 $1.0-0.95=0.05$이다.

09 주어진 자료의 최빈값이 10이므로 $a=10$

따라서 자료를 작은 값부터 크기순으로 나열하면

8, 10, 10, 12, 15, 16이므로 중앙값은 $\frac{10+12}{2}=11$

10 자료를 작은 값부터 크기순으로 나열하면

10, 12, 15, 15, 15, 17, 17, 18, 20, 21이므로

(중앙값)$=\frac{15+17}{2}=16$, (최빈값)$=15$

(평균)$=\frac{10+12+15+15+15+17+17+18+20+21}{10}$

$=\frac{160}{10}=16$

따라서 (중앙값)=(평균)>(최빈값)이다.

11 $x=20-(1+5+7+3)=4$이므로

(평균)$=\frac{6\times1+7\times5+8\times4+9\times7+10\times3}{20}=\frac{166}{20}$

$=8.3$(점)

학생 수가 가장 많은 것은 9점이므로 최빈값은 9점이고,

자료를 작은 값부터 크기순으로 나열하면 10번째 값은 8점,

11번째 값은 9점이므로 중앙값은 $\frac{8+9}{2}=8.5$(점)이다.

$\therefore a+b+c=8.3+9+8.5=25.8$

12 (평균)$=\frac{88+72+94+86+90+x}{6}=\frac{430+x}{6}$

(평균)=(최빈값)이므로 $\frac{430+x}{6}=x$, $6x=430+x$, $5x=430$

$\therefore x=86$

자료를 작은 값부터 크기순으로 나열하면

72, 86, 86, 88, 90, 94이므로 중앙값은 $\frac{86+88}{2}=87$(점)이다.

13 $a\leq b\leq c$라 하면 최빈값이 12이므로 $b=c=12$이다.

또, 중앙값이 11이므로 변량을 작은 값부터 나열하면

8, 9, 9, a, 12, 12, 12, 14이고 $\frac{a+12}{2}=11$, $a+12=22$

$\therefore a=10$

$\therefore a+b+c=10+12+12=34$

14 [단계 ❶] 민호의 국어, 수학, 사회, 영어 성적을 각각 a점, b점, c점, d점이라 하면

$\frac{a+b}{2}=92$ $\quad\therefore a+b=184$ …… ㉠

$\frac{b+c}{2}=85$ $\quad\therefore b+c=170$ …… ㉡

$\frac{c+d}{2}=82$ $\quad\therefore c+d=164$ …… ㉢

[단계 ❷] ㉠+㉢−㉡을 하면 $a+d=178$

[단계 ❸] 따라서 국어와 영어 성적의 평균은

$\frac{a+d}{2}=\frac{178}{2}=89$(점)

채점 기준	배점
❶ 국어와 수학 성적의 합, 수학과 사회 성적의 합, 사회와 영어 성적의 합 구하기	40 %
❷ 국어와 영어 성적의 합 구하기	30 %
❸ 국어와 영어 성적의 평균 구하기	30 %

15 (평균)$=\frac{5\times4+10\times6+15\times5+20\times4+25\times1}{20}$

$=\frac{260}{20}=13$(분) …… ❶

자료의 변량을 작은 값부터 순서대로 나열할 때, 중앙값은 10번째와 11번째 값의 평균이므로

$\frac{10+15}{2}=12.5$(분) ...... ❷

또, (최빈값)$=10$분 ...... ❸

채점 기준	배점
❶ 평균 구하기	40 %
❷ 중앙값 구하기	30 %
❸ 최빈값 구하기	30 %

07. 산포도

78~79쪽

01 ①	02 ①	03 ⑤	04 ①
05 ③	06 ④	07 ①	08 ④
09 ①	10 ④	11 ④	12 ①
13 $2\sqrt{3}$	14 $\frac{25}{3}$		

01 ① 평균은 자료의 대푯값으로 흔히 쓰인다.

02 편차의 합은 0이므로 $4+(-2)+x+3=0$ $\quad\therefore x=-5$

(변량)$=$(평균)$+$(편차)이므로

3회 때의 수학 성적은 $82+(-5)=77$(점)

03 (평균)$=\frac{16+x+12+18+14}{5}=\frac{60+x}{5}=14$이므로

$60+x=70 \quad \therefore x=10$

$\therefore$ (분산)$=\frac{2^2+(-4)^2+(-2)^2+4^2+0^2}{5}=\frac{40}{5}=8$

04 편차의 합은 0이므로

$-2+0+x+(-1)+1=0 \quad \therefore x=2$

(분산)$=\frac{(-2)^2+0^2+2^2+(-1)^2+1^2}{5}=\frac{10}{5}=2$이므로

(표준편차)$=\sqrt{2}$(점)

05 (평균)$=\frac{4+(a+4)+(2a+4)}{3}=\frac{3a+12}{3}=a+4$

분산이 54이므로

$\frac{(-a)^2+0^2+a^2}{3}=54,\ 2a^2=162,\ a^2=81$

$\therefore a=9\ (\because a>0)$

06 (평균)$=\frac{10+x+11+y+13}{5}=\frac{x+y+34}{5}=10$

$\therefore x+y=16$

(분산)$=\frac{0^2+(x-10)^2+1^2+(y-10)^2+3^2}{5}$

$=\frac{(x-10)^2+(y-10)^2+10}{5}=4$

$(x-10)^2+(y-10)^2=10,\ x^2+y^2-20(x+y)+200=10$

$x^2+y^2-20\times16+200=10 \quad \therefore x^2+y^2=130$

07 (평균)$=\frac{a+b+c+d}{4}=2$이므로 $a+b+c+d=8$

(분산)$=\frac{(a-2)^2+(b-2)^2+(c-2)^2+(d-2)^2}{4}=1$이므로

$(a-2)^2+(b-2)^2+(c-2)^2+(d-2)^2=4$

$2a+1,\ 2b+1,\ 2c+1,\ 2d+1$의 평균과 분산을 구하면

(평균)$=\frac{2(a+b+c+d)+4}{4}=\frac{2\times8+4}{4}=5 \quad \therefore x=5$

(분산)$=\frac{(2a-4)^2+(2b-4)^2+(2c-4)^2+(2d-4)^2}{4}$

$=\frac{4\{(a-2)^2+(b-2)^2+(c-2)^2+(d-2)^2\}}{4}$

$=\frac{4\times4}{4}=4$

$\therefore y=4$

$\therefore x-y=5-4=1$

08 편차의 합은 0이므로 $-4+x+5+y+(-6)=0$

$\therefore x+y=5$

표준편차가 $3\sqrt{2}$개이므로

$\frac{(-4)^2+x^2+5^2+y^2+(-6)^2}{5}=(3\sqrt{2})^2 \quad \therefore x^2+y^2=13$

$x^2+y^2=(x+y)^2-2xy$이므로 $13=5^2-2xy \quad \therefore xy=6$

09 (분산)$=\frac{(-2)^2\times2+(-1)^2\times5+0^2\times3+1^2\times1+2^2\times4}{15}$

$=\frac{30}{15}=2$

10 세 선수의 평균은 모두 8점이고 평균을 중심으로 흩어진 정도가 가장 작은 사람은 C이고 가장 큰 사람은 B이다.

$\therefore c<a<b$

11 ④ B반의 표준편차가 가장 작으므로 수학 성적이 가장 고르다.

12 남학생의 편차의 제곱의 총합을 a, 여학생의 편차의 제곱의 총합을 b라 하면 $\frac{a}{6}=4$에서 $a=24$, $\frac{b}{4}=5$에서 $b=20$

남학생과 여학생의 평균이 같으므로

(전체 학생 10명의 분산)$=\frac{24+20}{10}=4.4$

$\therefore$ (전체 학생 10명의 표준편차)$=\sqrt{4.4}$ (점)

13 [단계 ❶] (평균)$=\frac{4+(-4)+a+b+(-1)+3+6}{7}=1$

이므로 $a+b=-1$

자료를 작은 값에서부터 크기순으로 나열할 때, 4번째 자료의 값이 중앙값이고 $a>b$이므로

$a=2$, $b=-1-2=-3$

[단계 ❷] (분산)

$=\frac{3^2+(-5)^2+1^2+(-4)^2+(-2)^2+2^2+5^2}{7}$

$=\frac{84}{7}=12$

[단계 ❸] (표준편차)$=\sqrt{12}=2\sqrt{3}$

채점 기준	배점
❶ a, b의 값 구하기	40 %
❷ 분산 구하기	40 %
❸ 표준편차 구하기	20 %

14 $\frac{4x+4y+16}{12}=3$이므로 $x+y=5$ …… ㉠ …… ❶

$\frac{4(x-3)^2+4(y-3)^2+4(4-3)^2}{12}=\frac{4}{3}$이므로

$x^2+y^2-6(x+y)+15=0$ …… ㉡

㉠을 ㉡에 대입하면 $x^2+y^2=15$

$(x+y)^2-2xy=15$, $25-2xy=15$ $\therefore xy=5$ …… ❷

$\therefore$ (평균)$=\frac{2xy+8x+8y}{6}=\frac{2\times5+8\times5}{6}=\frac{50}{6}=\frac{25}{3}$

…… ❸

채점 기준	배점
❶ $x+y$의 값 구하기	20 %
❷ xy의 값 구하기	40 %
❸ 평균 구하기	40 %

08. 상관관계

80~81쪽

01 ③ 02 ④ 03 ㄱ, ㄷ 04 ①
05 ④ 06 ⑤ 07 20 % 08 5명
09 ② 10 ③
11 (1) 6명 (2) 7명 12 (1) 20 % (2) 6명

02 주어진 그림은 음의 상관관계가 있음을 나타내는 산점도이다.

① 상관관계가 없다.

②, ③, ⑤ : 양의 상관관계

④ 음의 상관관계

03 ㄱ, ㄷ : 양의 상관관계

ㄴ : 상관관계가 없다.

ㄹ : 음의 상관관계

04 학생 A는 지능지수에 비해 수학 성적이 높다.

05 ① A는 B보다 영어 성적이 낮다.

② B는 수학, 영어 성적이 모두 높다.

③ C는 수학, 영어 성적이 모두 낮다.

⑤ C와 D의 영어 성적은 비슷하고, 수학 성적은 D가 더 높다.

06 ⑤ 성적이 가장 많이 상승한 학생은 2학년 때 성적이 60점, 3학년 때 성적이 90점인 학생이다.

따라서 점수는 $90-60=30$(점)이 상승하였다.

07 1차와 2차에서 같은 점수를 얻은 선수는 오른쪽 위로 향하는 대각선 위의 점의 개수와 같으므로 3명이다.

$\therefore \frac{3}{15}\times100=20$ (%)

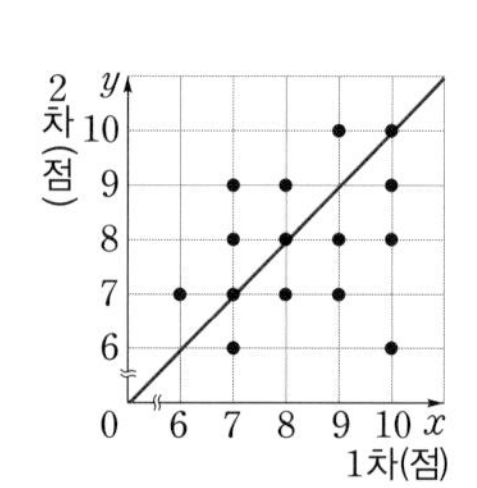

08 1차보다 2차에서 더 높은 점수를 얻은 선수는 오른쪽 그림에서 색칠한 부분의 점의 개수와 같으므로 5명이다.

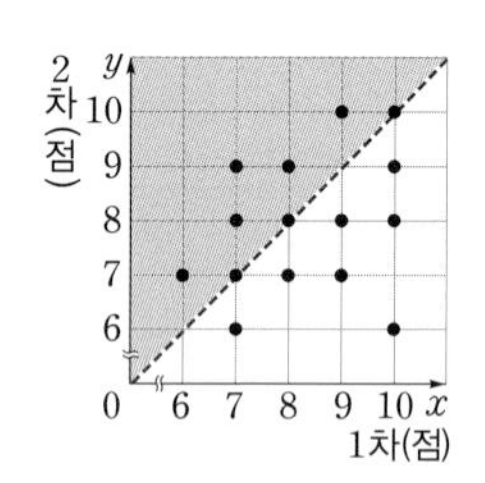

09 사회 성적이 90점 이상인 학생의 과학 성적은 60점, 80점, 90점이므로 최소한 60점은 받았다.

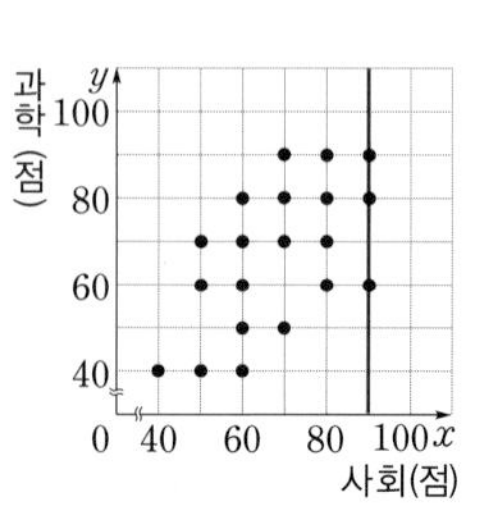

10 (평균)$=\frac{70+80+90}{3}=\frac{240}{3}=80$(점)

11 (1) 1, 2차 모두 자유투를 성공한 개수가 7개 이상인 학생 수는 오른쪽 그림의 색칠한 부분의 점의 개수와 같으므로 6명이다. …… ❶

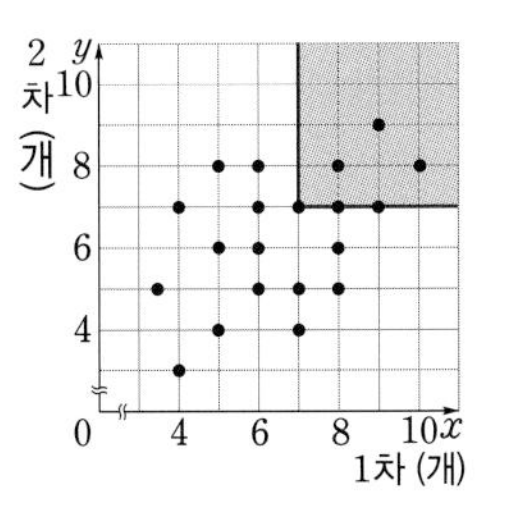

(2) 1차에서 성공한 개수와 2차에서 성공한 개수의 합이 12개 미만인 학생은 오른쪽 그림의 색칠한 부분의 점의 개수와 같으므로 7명이다. …… ❷

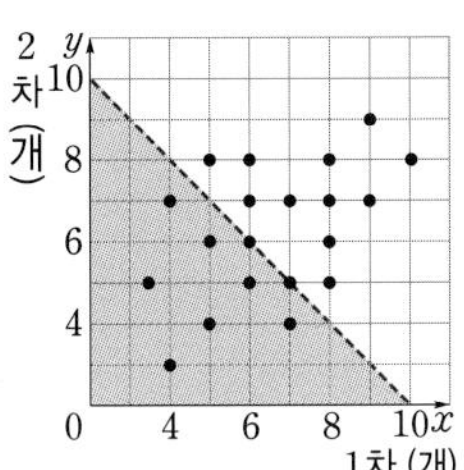

채점 기준	배점
❶ (1)의 답 구하기	50 %
❷ (2)의 답 구하기	50 %

12 (1) 오른쪽 시력과 왼쪽 시력이 같은 학생 수는 오른쪽 위로 향하는 대각선 위의 점의 개수와 같으므로 3명이다.

$\therefore \frac{3}{15} \times 100 = 20(\%)$ …… ❶

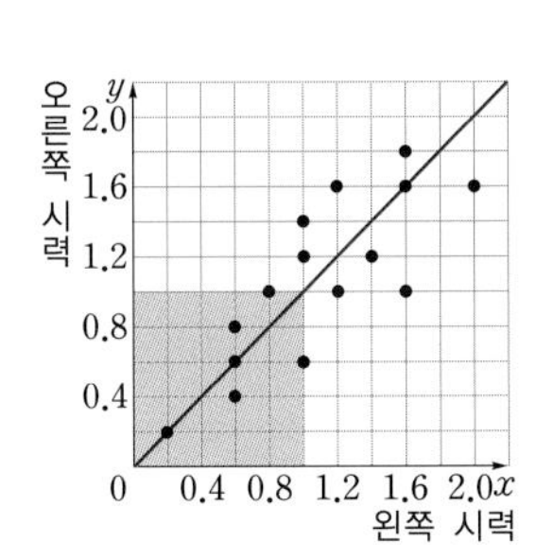

(2) 오른쪽 시력과 왼쪽 시력이 모두 1.0 이하인 학생 수는 오른쪽 그림에서 색칠한 부분의 점의 개수와 같으므로 6명이다. …… ❷

채점 기준	배점
❶ (1)의 답 구하기	50 %
❷ (2)의 답 구하기	50 %

Ⅶ. 통계 내·신·만·점·도·전·하·기

82~85쪽

01 ②	**02** ⑤	**03** ④	**04** ⑤
05 ②	**06** ②	**07** ④	**08** ③
09 $x=3$, $y=4$	**10** ①	**11** ①	**12** ③
13 ⑤	**14** 30	**15** 4	**16** 91
17 10.4	**18** 315	**19** ㄱ, ㄷ	**20** $\sqrt{15}$ kg
21 11			

01 ② 평균은 자료 전체의 특징을 대표하는 대푯값이다.

02 최빈값이 84점이므로 $x=84$

4회까지의 수학 성적의 평균은

$\frac{84+90+82+84}{4} = \frac{340}{4} = 85$(점)

5회까지의 수학 성적의 평균은 85점에서 3점이 오른 88점이므로 5회째의 수학 성적을 a점이라 하면

$\frac{84+90+82+84+a}{5} = 88$, $340+a=440$ $\quad \therefore a=100$

따라서 5회째의 수학 성적은 100점이다.

03 $\frac{a+b+c+d}{4} = 10$이므로 $a+b+c+d=40$

따라서 구하는 평균은

$\frac{(3a+5)+(3b+5)+(3c+5)+(3d+5)}{4}$

$= \frac{3(a+b+c+d)+20}{4} = \frac{3 \times 40 + 20}{4} = 35$

04 $\frac{70a+75b}{a+b} = 72$에서 $2a=3b$ $\quad \therefore a : b = 3 : 2$

05 중앙값이 12이므로 자료를 작은 값에서부터 크기순으로 나열하면 4, 7, 9, x, 19, 20이다.

즉, $\frac{9+x}{2} = 12$, $9+x=24$ $\quad \therefore x=15$

06 (평균)$= \frac{-3+5-2+a+4+b+0}{7} = 0$이므로 $a+b=-4$

이때 최빈값이 0이고 $a<b$이므로 $a=-4$, $b=0$

07 ㄱ. 자료 A에는 최빈값이 없고, 다른 변량과 비교하여 극단적인 값 100이 있으므로 중앙값이 대푯값으로 가장 적절하다.

ㄴ. 자료 B에는 최빈값이 없고, 극단적인 변량이 없으므로 평균이나 중앙값을 대푯값으로 정하는 것이 적절하다.

ㄷ. 자료 C의 중앙값과 최빈값은 모두 7로 같다.

따라서 옳은 것은 ㄴ, ㄷ이다.

08 ① (평균)$= \frac{5+8+7+6+8+9+6+6+7+8}{10}$

$= \frac{70}{10} = 7$(회)

② 자료를 작은 값부터 크기순으로 나열하면

5, 6, 6, 6, 7, 7, 8, 8, 8, 9이므로

(중앙값)$= \frac{7+7}{2} = 7$(회)

③ 최빈값은 6회, 8회이다.

④ (분산)

$=\frac{(-2)^2\times1+(-1)^2\times3+0\times2+1^2\times3+2^2\times1}{10}$

$=\frac{14}{10}=1.4$

⑤ (표준편차)$=\sqrt{(\text{분산})}=\sqrt{1.4}$(회)

09 평균이 6자루이므로

$\frac{3+10+x+7+y+9}{6}=6$, $29+x+y=36$

$\therefore x+y=7$ ...... ㉠

분산이 8이므로

$\frac{(-3)^2+4^2+(x-6)^2+1^2+(y-6)^2+3^2}{6}=8$

$(x-6)^2+(y-6)^2=13$ ...... ㉡

㉠에서 $y=7-x$이므로 이를 ㉡에 대입하면

$(x-6)^2+(1-x)^2=13$, $x^2-7x+12=0$

$(x-3)(x-4)=0$ $\quad\therefore x=3$ 또는 $x=4$

$x=3$을 ㉠에 대입하면 $y=4$

$\therefore x=3$, $y=4$ ($\because x<y$)

10 ㄱ. 대푯값에는 평균, 중앙값, 최빈값 등이 있다.

ㄷ. 산포도에는 분산, 표준편차 등이 있다.

ㄹ. 자료의 값이 모두 같으면 편차가 0이 되므로 분산은 0이다. 따라서 분산과 표준편차는 음수가 아닌 수이다.

따라서 옳은 것은 ㄴ, ㅁ이다.

11 ① 음의 상관관계

② 상관관계가 없다.

③, ④, ⑤ 양의 상관관계

13 ③ 국어 성적이 90점 이상인 학생들의 영어 성적의 평균은

$\frac{70+80+80+100+100}{5}=\frac{430}{5}=86$(점)

⑤ 국어 성적과 영어 성적이 모두 80점 이상인 학생 수는 7명이므로 전체의

$\frac{7}{20}\times100=35(\%)$

14 10개의 변량을 x_1, x_2, $\cdots$, x_{10}이라 하면 (단, $x_1<x_2<\cdots<x_{10}$)

$\frac{x_2+x_3+\cdots+x_{10}}{9}=32$에서 $x_2+x_3+\cdots+x_{10}=288$ ... ㉠

$\frac{x_1+x_2+\cdots+x_9}{9}=27$에서 $x_1+x_2+\cdots+x_9=243$ ... ㉡

$x_1+x_{10}=69$ ... ㉢

㉠+㉡+㉢을 하면 $2(x_1+x_2+\cdots+x_{10})=600$

$\therefore x_1+x_2+\cdots+x_{10}=300$

따라서 10개의 변량 x_1, x_2, $\cdots$, x_{10}의 평균은 $\frac{300}{10}=30$

15 5개의 변량의 평균이 M이므로

$M=\frac{(x-1)^2+(x-2)^2+(x-3)^2+(x-4)^2+(x-10)^2}{5}$

$=\frac{1}{5}(x^2-2x+1+x^2-4x+4+x^2-6x+9+x^2-8x+16+x^2-20x+100)$

$=\frac{1}{5}(5x^2-40x+130)=x^2-8x+26$

$=(x-4)^2+10$

따라서 $x=4$일 때 M은 최솟값 10을 갖는다.

16 자료를 작은 값에서부터 크기순으로 나열하면

20, 24, 24, 25, 28, 32, 32, 32, 35, 38이므로

$a=\frac{20+24\times2+25+28+32\times3+35+38}{10}$

$=\frac{290}{10}=29$ ...... ❶

중앙값은 5번째 값과 6번째 값의 평균이므로

$b=\frac{28+32}{2}=30$ ...... ❷

가장 많이 나타나는 값은 32이므로 $c=32$ ...... ❸

$\therefore a+b+c=29+30+32=91$ ...... ❹

채점 기준	배점
❶ 평균 구하기	30 %
❷ 중앙값 구하기	30 %
❸ 최빈값 구하기	20 %
❹ $a+b+c$의 값 구하기	20 %

17 A반의 평균과 B반의 평균이 같으므로 A, B반 전체의 평균도 같다.

(A반의 분산)$=\frac{\text{A반의 (편차)}^2\text{의 총합}}{28}=2^2=4$이므로

A반의 (편차)^{2}의 총합은 $4\times28=112$

(B반의 분산)$=\frac{\text{B반의 (편차)}^2\text{의 총합}}{32}=4^2=16$이므로

B반의 (편차)^{2}의 총합은 $32\times16=512$

$\therefore$ (전체 분산)$=\frac{112+512}{60}=\frac{624}{60}=10.4$

18 (평균)$=\frac{a+b+c}{3}=10$이므로 $a+b+c=30$ ...... ❶

(분산)$=\frac{(a-10)^2+(b-10)^2+(c-10)^2}{3}=5$이므로 ...... ❷

$(a-10)^2+(b-10)^2+(c-10)^2=15$

$a^2+b^2+c^2-20(a+b+c)+300=15$

$a^2+b^2+c^2-20\times30+300=15$

$\therefore a^2+b^2+c^2=315$ ...... ❸

채점 기준	배점
❶ 평균 구하는 식 세우기	30 %
❷ 분산 구하는 식 세우기	50 %
❸ $a^2+b^2+c^2$의 값 구하기	20 %

19 x, y, z의 평균을 m, 분산을 s^2이라 하면

$m=\dfrac{x+y+z}{3}$, $s^2=\dfrac{(x-m)^2+(y-m)^2+(z-m)^2}{3}$

ㄱ. $x+1, y+1, z+1$의 평균은

$\dfrac{(x+1)+(y+1)+(z+1)}{3}=\dfrac{x+y+z}{3}+1=m+1$

ㄴ. $x+1, y+1, z+1$의 분산은

$\dfrac{(x+1-m-1)^2+(y+1-m-1)^2+(z+1-m-1)^2}{3}$

$=\dfrac{(x-m)^2+(y-m)^2+(z-m)^2}{3}=s^2$

ㄷ. $3x, 3y, 3z$의 평균은

$\dfrac{3x+3y+3z}{3}=3\times\dfrac{x+y+z}{3}=3m$

이므로 $3x, 3y, 3z$의 분산은

$\dfrac{(3x-3m)^2+(3y-3m)^2+(3z-3m)^2}{3}$

$=9\times\dfrac{(x-m)^2+(y-m)^2+(z-m)^2}{3}=9s^2$

즉, $3x, 3y, 3z$의 분산은 x, y, z의 분산의 9배이다.

따라서 옳은 것은 ㄱ, ㄷ이다.

20 잘못 계산된 한 학생을 제외한 나머지 9명의 몸무게를

$x_1, x_2, \cdots, x_9$라 하면 $\dfrac{55+x_1+x_2+\cdots+x_9}{10}=50(\text{kg})$이므로

옳은 평균은 $\dfrac{45+x_1+x_2+\cdots+x_9}{10}=50-1=49(\text{kg})$

잘못 계산된 분산이 4^2이므로

$\dfrac{(55-50)^2+(x_1-50)^2+\cdots+(x_9-50)^2}{10}=4^2$

$25+x_1^2+\cdots+x_9^2-100(x_1+\cdots+x_9)+9\times50^2=160$

$25+x_1^2+\cdots+x_9^2-100\times445+9\times50^2=160$

$\therefore x_1^2+\cdots+x_9^2=22135$

실제 10명의 몸무게의 분산은

$\dfrac{(45-49)^2+(x_1-49)^2+\cdots+(x_9-49)^2}{10}$

$=\dfrac{16+x_1^2+\cdots+x_9^2-98(x_1+\cdots+x_9)+9\times49^2}{10}$

$=\dfrac{16+22135-98\times445+9\times49^2}{10}=\dfrac{150}{10}=15$

따라서 실제 10명의 몸무게의 표준편차는 $\sqrt{15}$ kg이다.

21 $N=f_1+f_2+\cdots+f_n$이라 하면 $N=30$

(평균)$=\dfrac{1}{N}(x_1f_1+x_2f_2+\cdots+x_nf_n)=\dfrac{1}{30}\times60=2$

(분산)$=\dfrac{1}{30}\{(x_1-2)^2f_1+(x_2-2)^2f_2+\cdots+(x_n-2)^2f_n\}$

$=\dfrac{1}{30}\{x_1^2f_1+x_2^2f_2+\cdots+x_n^2f_n$

$-4(x_1f_1+x_2f_2+\cdots+x_nf_n)+4(f_1+f_2+\cdots+f_n)\}$

$=\dfrac{1}{30}\times(450-4\times60+4\times30)=\dfrac{1}{30}\times330=11$

SUMMA CUM LAUDE
MIDDLE SCHOOL MATHEMATICS